RAYMOND GAY-CROSIER
CAMUS

ERTRÄGE DER FORSCHUNG

Band 60

RAYMOND GAY-CROSIER

CAMUS

1976

WISSENSCHAFTLICHE BUCHGESELLSCHAFT

DARMSTADT

CIP-Kurztitelaufnahme der Deutschen Bibliothek

Gay-Crosier, Raymond
Camus. — Darmstadt: Wissenschaftliche Buch-
gesellschaft, 1976.
(Erträge der Forschung; Bd. 60)
ISBN 3-534-06452-6

🔵 Bestellnummer 6452-6

© 1976 by Wissenschaftliche Buchgesellschaft, Darmstadt
Satz: Druckerei A. Zander, 6149 Rimbach
Druck und Einband: Wissenschaftliche Buchgesellschaft, Darmstadt
Printed in Germany
Schrift: Linotype Garamond, 9/11

ISBN 3-534-06452-6

Dem Andenken meines Vaters gewidmet

INHALTSVERZEICHNIS

VORWORT

Die wissenschaftliche Grundlage des vorliegenden Forschungsberichtes umfaßt eine ungefähr 1500 Titel zählende, vom Verf. zusammengestellte Auslese der unübersichtlich gewordenen Camus-Literatur, die im Zusammenhang mit den in Entstehung begriffenen Bänden über das 20. Jahrhundert der Cabeen-Bibliographie (*CBFL*) erstellt wurde. Die Auswahlkriterien richteten sich grundsätzlich nach dem Informationswert der einzelnen Studien und, im Zuge eines vernünftigen Eklektizismus, weniger nach deren methodisch manchmal zweifelhaften Prinzipien. Es ist die erklärte Absicht des vorliegenden Bändchens, ein themenbezogenes *Nachschlagewerk* zu sein, in dem sich der zukünftige Interpret rasch über den Stand der Forschung innerhalb eines Zweiggebietes der Camus-Kritik orientieren kann. Der ausgedehnte analytische Teil sollte ihm erlauben, aufgrund von Hinweisen auf einzelne Untersuchungen, unnötige Wiederholungen zu vermeiden und geleistete Vorarbeiten gebührend anzuerkennen. Die Zusammenfassungen ersetzen selbstverständlich die Lektüre der wichtigeren Studien nicht, sondern wollen bloß in klar erfaßbarer Weise auf sie aufmerksam machen. Innerhalb der Kapitel über Einzelwerke sind die Berichte nach thematischen Gesichtspunkten gruppiert. Die chronologische Bearbeitung der zu diesen Gruppen gehörenden Einzelstudien wurde immer dann gewählt, wenn sie für die Erfassung des Zeitpunktes der Ideenformulierung von Bedeutung ist. Tatsachen (d. h. das kritische Material) und Meinungen (des Verf.) werden so gut wie möglich im berichtenden analytischen Teil und urteilenden synthetischen Teil auseinandergehalten. Sofern im ersten Teil kritische Formulierungen vorkommen, sind sie als solche klar ersichtlich.

Die zeitraubenden Vorbereitungen zu diesem Forschungsbericht wären ohne ein großzügiges Forschungsstipendium der University Florida nicht möglich gewesen, mit dessen Hilfe längere Arbeitsaufenthalte an der Bibliothèque Nationale ermöglicht wurden.

University of Florida, den 15. Oktober 1975

Raymond Gay-Crosier

I. ANALYTISCHER TEIL

1. Bibliographien und Forschungsberichte

Die Camus-Forschung verfügt seit einiger Zeit über ein reiches bibliographisches Material, das zwar, obwohl komplementär, nicht Anspruch auf Vollständigkeit erheben kann — kein vernünftiger Bibliograph erdreistet sich, einen solchen Anspruch auch nur anzudeuten — aber dennoch die Recherchen sehr erleichtert. Renate Bollinger [1] leistete 1957 mit ihrem bescheidenen Bändchen Pionierarbeit, deren Bedeutung allerdings längst durch umfangreichere und systematischere Unternehmungen überholt ist. Dies gilt in verstärktem Maße von Simone Crépins [2] bibliographischer Diplomarbeit, deren Brauchbarkeit durch zuviele fehlerhaften Angaben und Auslassungen beschränkt wird. Eine ähnliche Beobachtung ließe sich in Bezug auf die ambitiöseste der Camus-Bibliographien, die von Robert Roeming [3] machen, würde sie nicht periodisch auf einen besseren und neueren Stand gebracht. Aber selbst nach der ersten, 1973 erschienenen Neuausgabe, die übrigens in Microfiches angeboten wird, muß man sich ernsthaft fragen, nach welcher Methode Auslassungen und Fehler ausgemerzt werden, ja, ob sich das teure Computer-Verfahren überhaupt lohnt. Es besteht allerdings kein Zweifel, daß Roemings *Camus. A Bibliography*, die sich darum bemüht, Stu-

---

[1] *Eine Bibliographie der Literatur über ihn und sein Werk.* Köln, Greven Verlag, 1957, 50 S.

[2] *Albert Camus. Essai de bibliographie.* Bruxelles, Commission belge de bibliographie, 1960, 235 S.

[3] Madison and London, The University of Wisconsin Press, 1968, 298 S. Revidierte Microfiches-Ausgabe: Elm Grove [Wisconsin], Micro-Records Service, 1973, o. S. Die soeben (Juni 1976) erschienene 6. Ausgabe konnte noch nicht eingesehen werden.

dien aller Sprachbereiche einzugliedern, gegenwärtig den quantitativ reichhaltigsten Katalog von Camusiana darbietet. Ob die halbjährlich geplanten Korrekturen und Erweiterungen tatsächlich gewisse Unstimmigkeiten zu berichtigen vermögen, wird sich mit der Zeit erweisen. Für die französischsprachige Kritik wendet man sich am besten an den von Brian T. Fitch und Peter C. Hoy kollationierten *Essai de bibliographie des études en langue françaises consacrées à Albert Camus (1937—1972)*[4], den der letztere in loser Folge (1969: 1937—1967; 1973: 1937—1970) vervollständigt neu ediert. Im Rahmen der in der *Revue des Lettres Modernes* erscheinenden Camus-Serie publiziert derselbe Autor seit 1967[5] jährlich eine Bibliographie der unveröffentlichten oder neu edierten Werke Camus', der „kritischen" Ausgaben und Übersetzungen sowie der neueren Literatur über ihn. Diese mit zuverlässiger Regelmäßigkeit erscheinenden Bände erlauben es zudem, allfällige Korrigenda ohne Verzug anzuzeigen. 1971 (*AC 4*) wurde ein für Komparatisten nützliches Namenregister mit Kommentar beigefügt.[6] Peter Hoy hat ebenfalls eine Liste von Camus' Veröffentlichungen zusammengestellt, die in angelsächsischen Periodika und Zeitschriften erschienen sind.[7] Bibliographien der Camus-Kritik des angelsächsischen und, möglicherweise, deutschen Sprachbereichs sind im selben Verlag ebenfalls vorgesehen. Richard Thiebergers Beitrag in dieser Richtung[8] ist

[4] Paris, Minard, Lettres Modernes, 1973, o. S. (Collection « Calepins die bibliographie ».

[5] « Carnet bibliographique ». In: *RLM* 212—216 (1969), S. 225—250 [*AC 2*]. Ab 1969 in jeder Nummer der Camus-Serie vorhanden.

[6] Peter C. Hoy et Brian T. Fitch, « Bibliographie des études comparatives ». In: *RLM* 264—270 (1971), S. 287—323 [*AC 4*]. Erscheint unregelmäßig. Eine Ergänzung für die Jahre 1945—1971 und ein Supplement für 1971—72 in: *RLM* 315—322 (1972), S. 285—298.

[7] *Camus in English. An Annotated Bibliography of Albert Camus's Contributions to English and American Periodicals and Newspapers.* Wymondham [Melton Mowbray, Leics.], Brewhouse Press, 1968, 29 p. Revidierte Ausgabe: Paris, Minard, Lettres Modernes, 1971, o. S.

[8] « Critique allemande de Camus. Sélection bibliographique ». In:

ein nützlicher, wenn auch verständlicherweise unvollständiger Anfang.

Die bis heute erschienenen Forschungsberichte — abgesehen von Problem- und Teilsynthesen in den unzähligen Camus-Studien, auf die hier nicht speziell eingegangen werden kann — verteilen sich ebenfalls hauptsächlich auf die genannte Serie der *Revue des Lettres Modernes* (seit 1970)[9] sowie auf den Sammelband eines 1970 veranstalteten Symposiums. André Abbou (bis 1972, *AC 5*) rezensiert dort stilistische, linguistische und sprachphilosophische Beiträge, Brian T. Fitch referiert über Arbeiten, die sich vorwiegend mit Prosadichtung und Erzähltechnik befassen. Über Theaterkritik, komparatistische und philosophische Untersuchungen berichtet der Verf. Dieses « Carnet critique » beabsichtigt in erster Linie, den Leser über den neuesten Stand der Camus-Forschung auf dem laufenden zu halten. Eine wichtige Rolle spielen dabei auch die oft sehr ausführlichen Rezensionen von Büchern über Camus, die von einer größeren Gruppe von Mitarbeitern verfaßt werden. Der Verf. hat in *Albert Camus 1970*[10] einige thematische und methodologische Desiderata der Camus-Kritik identifiziert, die Philip H. Rhein[11] vom Standpunkt des Komparatisten ausführlicher behandelt.

RLM 90—93 (Hiver 1963), S. 201—207. Es sei ausdrücklich darauf hingewiesen, daß die gängigen Nachschlagewerke (Klapp, *MLA International Bibliography*, Rancoeur, *French XX*, etc.) trotz der Fülle der Spezialbibliographien nach wie vor unumgänglich bleiben.

[9] Vgl. « Carnet critique », « Recensement et recension des articles », « Etudes stylistiques » (Abbou), « Romans, nouvelles, études esthétiques » (Fitch), « Théâtre, études philosophiques » (Gay-Crosier). Abbous Beiträge hören 1972 auf, die Sektion « Etudes stylistique » wird ab 1975 von Bruno Vercier übernommen.

[10] *Albert Camus 1970. Colloque organisé sous les auspices du Département des Langues et Littératures romanes de l'université de Floride*, Sherbrooke [Canada], Faculté des Arts de l'université de Sherbrooke, 1970, S. 7—14.

[11] "Camus: A Comparatist's View". In: *Op. cit.*, S. 77—96. Die von den Editions Gallimard veröffentlichten *Cahiers Albert Camus* — bis

2. Biographische Studien

Symptomatisch sind das Interesse für den jungen Camus und das Fehlen einer zuverlässigen Camus-Biographie. Sei es Jean Grenier mit seinen *Souvenirs* [12], in denen verständlicherweise Erinnerungen des früheren Studienrates an seinen sehr beeinflußbaren, politisch eher reservierten Schüler in der ihm eigenen Art erörtert werden, sei es Anne Durand, die in ihrer Fallstudie [13] den zukünftigen Nobelpreisträger als Poseur zu entlarven sich bemüht, stets steht der Gegensatz zwischen dem mittellosen Putzfrauensohn mit seiner zielbewußten Begabung und dem jeglicher geistigen und künstlerischen Tätigkeit scheinbar abträglichen Milieu im Vordergrund. Es ist Alan J. Claytons Verdienst, diesen « itinéraire spirituel » [14] des jüngeren, sich voll entfaltenden Camus von 1937 bis 1944 in allen Details weiterzuverfolgen. In diesem Bildungsessay kommt die Entstehung der wichtigsten ethischen und ästhetischen Maßstäbe und Konzeptionen zur Sprache, wobei Gionos und Nietzsches Einfluß besondere Aufmerksamkeit geschenkt wird. Jean-Claude Brisvilles [15] und Philip Thodys [16] bio-bibliographische Einleitungen sowie Morvan Lebesques Versuch über Camus [17] sind zwar immer noch lesenswert, werden

jetzt erschienen: Nr. 1 (*La Mort heureuse*, hrsg. von Jean Sarocchi, 1971 und Nr. 2 *Le premier Camus, suivi de Ecrits de jeunesse d'Albert Camus*, hrsg. und eingeleitet von Paul Viallaneix, 1973) — beschränken sich vorderhand auf sachkundig edierte und eingeleitete Veröffentlichungen von *inédits*.

[12] Paris, Gallimard, 1968, 190 S.

[13] *Le cas Albert Camus. L'époque camusienne*, Paris, Fischbacher, 1961, 204 S. Anne Durand ist ein Pseudonym einer zeitgenössischen Person, die Camus' Algerier-Kreis gut kannte.

[14] *Etapes d'un itinéraire spirituel, Camus de 1937 à 1944*, Paris, Minard, Lettres Modernes, 1971, 85 S.

[15] *Camus*, Paris, Gallimard, 1959, 297 S. Neuauflage: 1970, 221 S.

[16] *Albert Camus 1913—1960. A Biographical Study*, London, Hamish Hamilton, 1961, 250 S. Neuauflage: 1964.

[17] *Camus in Selbsterzeugnissen und Bilddokumenten*. Hamburg,

aber überschattet von Roger Quilliots ausgezeichnetem Essay über *La mer et les prisons* [18], der den Zusammenhang der biographischen Einzelheiten, Themata und Leitmotive in Camus' Leben und Werk ohne Aufdringlichkeit herausarbeitet. Unter den vielen biographisch orientierten Aufsätzen sind vor allem erwähnenswert: P.-G. Castex' Untersuchungen der in den *Carnets* nachweisbaren „Gegensätze" [19] zwischen Egotismus und Zuneigung zum Mitmenschen, intellektuellem Anarchismus und klassischer Stilordnung, Abweisung des Sündengedankens und der in *La Chute* explodierenden latenten Schuldgefühlen. Ähnliche Gedankengänge verfolgt auch Emmanuel Roblès in seinem Porträt des jungen Dichterlehrlings, [20] das aber auch den engagierten Journalisten (Affäre Hodent, etc.) und die fiebrig erwartungsvolle Atmosphäre im Kreise des Verlegers Charlot skizziert. Derselbe Charlot hat kürzlich in einem Interview [21] erklärt, warum *L'Etranger* nicht bei ihm verlegt wurde und wie dieser Roman — als pure Fiktion hingestellt — 1942 in Algier bewertet wurde. Carl Viggiani hat in einer Artikelserie [22—24]

Rowohlt, 1960, 176 S. Neuauflage mit einer à jour gebrachten Dokumentation von P. Raabe, 1967. Französische Version: *Camus par lui-même*, Paris, Seuil, 1963, 187 S.

[18] *La mer et les prisons. Essai sur Albert Camus*, Paris, Gallimard, 1956. Revidierte Ausgabe: 1970, 315 S.

[19] « Les contradictions d'Albert Camus ». In: *FMonde* 43 (septembre 1966), S. 6—10.

[20] « Jeunesse d'Albert Camus ». In: *NRF* 8 (mars 1960), S. 410 bis 421. Vgl. auch ders., « Visages d'Albert Camus », in: *Simoun* 8 (juillet 1960), S. 13—17, ein Beitrag von eher anekdotischem Charakter.

[21] Vgl. Eric Sellin, « Interview accordée par Edmond Charlot ». In: *RLM* 238—244 (1970), S. 154—166 [*AC 3*].
Tony Jonescos *Un homme. Camus et le destin ou autour de la mort de Camus*, Paris, Promotion et Edition, 1968, 190 S. ist ein autobiographischer Erguß ohne kritischen Wert.

[22] "Camus in 1936: the beginning of a career". In: *Symposium* 12 (Spring-Fall 1958), S. 7—18.

[23] "Albert Camus' first publications". In: *MLN* 75 (November 1960), S. 589—596.

ebenfalls diesen frühreifen Camus unter die Lupe genommen und die Bedeutung der damals noch unveröffentlichten Jugendwerke für das spätere Oeuvre studiert. Für die noch ungeschriebene intellektuelle Biographie ist Viggianis Fragebogen mit Camus' Antworten [24] ein wichtiges Dokument, auch wenn der Autor des *Etranger* die meisten Äußerungen über sich selbst gern und oft wiederholt. Seit kurzer Zeit verfügen wir über die wichtigsten Juvenalia Camus', herausgegeben und mit einem synoptischen Essay über « Le premier Camus » eingeleitet von Paul Viallaneix [25].

Mehr anekdotischen, aber trotzdem literarhistorischen Wert hat Paul Mathieus kleine Geschichte [26] der „afrikanischen" Vorbereitungsklasse einer Gruppe von Eliteschülern, deren Mitglied Camus 1932—33 war. Die Studie mündet in eine Untersuchung der Hauptthemen des *Diplôme d'Etudes Supérieures* und dessen Bedeutung für das spätere Werk ein. Gegen die Legende des heidnischen Sensualisten kämpft I. H. Walker [27], der die Bedeutung der Armut, Krankheit und Arbeitsbedingungen des frühen Camus untersucht und zum Schluß kommt, daß dessen sensualistische Anima vom rationalistischen Zynismus beherrscht wird, ein Umstand, der eine differenziertere Lesart von *L'Envers et l'endroit* und *Noces* erheischt. Ein lebhaftes, wenn auch verzerrtes Bild von Camus im Kreise der Existentialisten zeichnet Simone de Beauvoir [28], die in ihm einen politisch ungenügend engagier-

---

[24] « Notes pour le futur biographe d'Albert Camus ». In: *RLM* 170—174 (1968), S. 200—218 [*AC 1*].

[25] *Le premier Camus. Suivi de Ecrits de jeunesse d'Albert Camus*, Paris, Gallimard, 1973, S. 9—124 (Coll. « Cahiers Albert Camus » no. 2.)

[26] « Petite histoire de la Khâgne africaine ». In: *Revue de la Méditerranée* 19 (novembre—décembre 1959), S. 625—630.

[27] "The early Camus. A reconsideration". In: *The Philosophical Journal* 2 (1965), S. 91—103.

[28] Vgl. *La Force des choses*, Paris, Gallimard, 1963, S. 24, 27—28, 32—33, 40—41, 43, 60, 65, 121—127, 144, 167—168, 250—251, 260, 278—280, 288—289.

ten Moralisten sieht. Ihre psychologisierende Analyse seiner Intransigenz ist allerdings mit Vorsicht aufzunehmen. Eines der spätestens autobiographischen Dokumente findet sich in Robert D. Spectors letztem Interview [29]. Außer auf hinreichend bekannte Einzelheiten kommt der kurz darauf verunglückte Dichter auch auf sein Verhältnis zum Hause Gallimard zu sprechen. Auffällig ist die Informationslücke in Bezug auf die Kriegs- und Résistancezeit (siehe dazu Kap. 7), die weder von Jean Guittons Erinnerungen an die Jahre 1941—1943 [30] noch von Jacqueline Bernards Bericht über die Arbeitsbedingungen im *Réseau Combat* (Anm. 206) gedeckt wird.

3. Allgemeine Studien

Einführungen in Camus' Werk sind Legion. Unter den erwähnenswerten Übersichten finden wir Paul Ginestiers *Pour connaître la pensée de Camus* . . . [31], ein der Verlagsserie gemäßes schulbuchartig aufgezogenes Kompendium, in dem vor allem die philosophischen und literarischen Grundbegriffe anhand einer knapp erläuterten Zitatauswahl herausgearbeitet werden. Ein ähnliches Ziel verfolgt Robert de Luppé in seiner popularisieren

[29] "Albert Camus 1913—1960. A final interview". In: *Venture* 3 (1960), S. 26—40.

[30] Jean Guitton, « Rencontre avec Camus », in: ders., *Journal*, Paris, Plon, 1968, Bd. II (1955—1964), S. 137—141 (über die Jahre 1941—43, ähnlich gelagerte Diplomarbeit, *L'Etranger*). Ebenfalls bio-bibliographisches Material enthalten folgende Arbeiten: Max-Pol Fouchet, *Un jour m'en souviens . . . Mémoire parlée*, Paris, Mercure de France, 1968, 236 S. (vor allem über die Jahre 1930—1934 in Algier); André Parinaud, « La vie d'un écrivain engagé », in: *Camus,* Paris, Hachette, 1964, S. 7—32 (brauchbar als kurze Einführung); zudem zahllose Beiträge anläßlich von Camus' Tod, die oft nicht mehr als gut gemeinte *tombeaux* sind. Ein paar Ausnahmen finden sich z. B. in der Spezialnummer der *NRF* 8 (März 1960).

[31] Paris, Bordas, 1964, 207 S.

den Studie [32], die ihrem Vorhaben trotz Gedrängtheit ohne grobe Verzerrungen gerecht wird. Albert Maquets Essay [33] ist zwar immer noch lesenswert, geht aber über die später zu Clichés gewordenen „Konstanten" in Camus' Werk nicht hinaus. Den dichterischen Aspekt und Gattungsprobleme skizziert Richard Thieberger [34], der Camus' dramatischen Mißerfolg festhält, Meursault als letzten Vertreter der psychologisch fundierten *persona* und *L'Etranger* als Vorläufer des *Nouveau Roman* hinstellt. Nicht sehr ergiebig ist die etwas schematisch geratene Einführung von Philip Thody [35], dessen später erschienene biographische Studie [16] sich eher empfiehlt. Eine ausgewogene Darstellung der engen Beziehungen zwischen seinem ethischen und ästhetischen Gedankengut erfährt Camus in Thomas Hannas *The Thought and the Art of A. C.* [36] und in Adele Kings Arbeit [37], die in ihrer Beurteilung der Fiktion eine überragende Rolle beimißt. Ebenfalls von Ausgewogenheit gekennzeichnet sind zwei neuere Einführungswerke: Phillip H. Rhein [38] untersucht den Stellenwert der Hauptwerke und zeichnet ein eher konventionelles Camus-Bild, François Livi [39] geht es vorwiegend um den Zusammenhang zwischen künstlerischen und moralischen Absichten. Viele der hier genannten (und ungenannten) Arbeiten stützen sich oft, wenn auch in modifizierender Weise, auf die vor allem von

[32] *Albert Camus*, Paris, Editions du Temps présent, 1951, 136 S. Neuauflagen in den Editions universitaires, 1952, 1955, 1960, 125 S.

[33] *Albert Camus ou l'invincible été*, Paris, Nouvelles Editions Debresse, 1955, 128 S.

[34] *Albert Camus. Eine Einführung in sein dichterisches Werk,* Frankfurt a. M., Diesterweg, Beiheft 8 der *NS*, 1960, 93 S.

[35] *Albert Camus. A Study of His Work*, London, Hamish Hamilton, 1957 sowie New York, Grove Press, 1959.

[36] Chicago, Regnery Company, 1958, 204 S.

[37] *Albert Camus*, Edinburgh and London, Oliver and Boyd, 1964, 120 S.

[38] *Albert Camus*, New York, Twayne Publishers, Inc., 1969, 148 S.

[39] *Camus*, Firenze, Il Castoro, 1971, 139 S. (no. 49).

Pierre-Henri Simon [39a] propagierten Entwicklungsphasen, in denen Camus vom sterilen Jugendnihilismus und der Isolation zum Humanismus, Engagement und zur Entdeckung der Gerechtigkeit vorstößt. Die *Lettres à un ami allemand* spielen in diesem Aufstieg zur wertbewußten Existenz die Rolle eines dramatischen, kriegsbedingten Wendepunktes.

Es besteht kein Zweifel, daß die thematisch geordneten Arbeiten im allgemeinen einen größeren Tiefgang aufweisen, der auch dann vorzuziehen ist, wenn die Ausführungen von perspektivisch bedingten Verzerrungen gekennzeichnet sind. Camus gehört leider zur Kategorie jener Schriftsteller, die einem seichten Essayismus Vorschub leisten. Seine unorthodoxe, von vielen Fachphilosophen geradezu als stümperhaft deklarierte Gedankenführung ist ebenfalls nicht dazu geeignet, eine klare Definitionsbasis zu schaffen. Die von seiner Prosa vorgegaukelte verräterische Transparenz verleitet manchen zu groben Vereinfachungen, die von der nicht beachteten Ironie und Zweideutigkeit Lüge gestraft werden.

Einmal mehr stellen die hier genannten allgemeinen thematischen Untersuchungen eine Auswahl des in diesem Bereich zur Verfügung stehenden Schrifttums dar. Nach wie vor gehört Germaine Brées mehrfach neuaufgelegter und übersetzter Essay [40] zu den am klarsten konzipierten Einführungen, die sich nicht in der Aufzählung biographischer, literarischer und philosophischer Fakten erschöpfen. Ihre abgerundete Darstellung der moralischen und gattungstheoretischen Maßstäbe vermittelt eine gründliche Kenntnis der engen Zusammenhänge, die zwischen Kunst und Engagement, gedanklichem *envers* und formalem *endroit* be-

---

[39a] *Présence de Camus*, Bruxelles, La Renaissance du Livre, 1961, 1968, 157 S. und Paris, Nizet, 1962, 181 S. Vgl. auch ders., Kap. 6 a.

[40] *Camus*, New Brunswick, Rutgers University Press, 1959, 275 S. Revidierte Ausgaben 1964 und 1972. In deutscher Fassung: *Albert Camus. Gestalt und Werk*, Hamburg, Rowohlt, 1960, 294 S. Neuauflage: 1961, 281 S.

stehen. Ebenfalls von überragender Qualität ist Carina Gadou-
reks *Les innocents et les coupables. Essai d'exégèse de l'oeuvre
d'A. C.* [41]. Es kommen darin nicht nur die um thematische Gra-
vitationszentren kreisenden Hauptwerke und ihre Kompositions-
technik ausgiebig zur Sprache, sondern auch Camus' auf der
Suche nach Gleichgewicht ständiges Pendeln zwischen zwei Extremen. Diese dualistische Struktur steht auch bei Nicola di
Girolamo [42] im Vordergrund, dessen interessante Beobachtungen
über Camus' und Pirandellos Gebrauch der Ironie besonders
hervorgehoben seien. Philosophisch systematisiert wird das dualistische Grundprinzip in John Cruickshanks vorbildlichen Analyse der Revolte [43] als Lebenshaltung und künstlerischer Katalysator.

Emmy Greuters Dissertation über die *Fremdheit im Werk
von A. C.* [44] enthält viele kluge Beobachtungen über das Raum-
erlebnis in *L'Etranger* und die strukturierende Kreisbewegung
in der *Peste*, ist aber von späteren Einzeluntersuchungen und von
B. F. Fitchs [66] Arbeit überholt worden. Das bereits bei Cruickshank und Thody ersichtliche und in letzter Zeit wieder erhöhte
Interesse an Camus' politischer Aussage (s. Kap. 7) spiegelt sich
ebenfalls in Emmett Parkers Studie [45] wider, die sich vorwiegend mit der Korrelation Künstler-Gesellschaft befaßt. Die Bedeutung von Parkers Aussage wird durch den jüngst erschienenen
Sammelband von unveröffentlichten politischen Schriften (*AC 5.
Journalisme et politique*) nicht geschmälert. Kaum von derselben
Ausgewogenheit, dafür aber brillant geschrieben, ist Conor Cruise
O'Briens fulminante Attacke [46] gegen Camus' Abstentionismus.

[41] Den Haag, Mouton, 1963, 246 S.

[42] *Albert Camus, uno e due.* Siena, Casa Editrice Maia, 1959, 156 S.

[43] *Albert Camus and the Literature of Revolt*, London, New York,
Toronto, Oxford University Press, 1959, 248 S. Neuauflage: 1960.

[44] *Die Fremdheit im Werk von Albert Camus*, Horgen, Fritz Frei,
1962, 102 S.

[45] *Albert Camus, The Artist in the Arena*, Madison, The Univ. of
Wisconsin Press, 1965, 245 p.

[46] *Camus*, London, Fontana-Collins, 1970, 94 S. Amerik. Version:

Die Einseitigkeit der Perspektive beruht nicht so sehr auf den gemachten Aussagen, als auf dem zu oberflächlich behandelten Dilemma der künstlerischen Freiheit. Wie sich diese Zwangslage im Indifferenzmotiv niederschlägt, veranschaulicht ausführlich Claude Treil[47], der in seiner Charakterologie der Camus-Figuren einen äußerst fruchtbaren und komplexen Themenkreis anschneidet. Monique Crochets Versuch[48], die primären und sekundären Mythen zu kategorisieren — den wiederbelebten Mythen werden die neugeschaffenen gegenübergestellt —führt zum sich fast aufdrängenden Beweis, daß der Mythos für Camus zugleich ein ästhetisch unifizierendes und didaktisches Grundprinzip darstellt. Schließlich sei auf die sehr gründliche Untersuchung von Donald Lazere[49] verwiesen, in welcher im Rahmen der werk-

Camus of Europe and Africa, New York, The Viking Press, 1970, 116 S. Französische Version: Paris, Seghers, 1970 (coll. « Les Maîtres modernes »).

[47] *L'indifférence dans l'oeuvre d'Albert Camus*, Montréal et Sherbrooke, Editions Cosmos, 1971, 171 S.

[48] *Les mythes dans l'oeuvre de Camus*, Paris Editions universitaires, 1973, 239 S.

[49] *The Unique Creation of Albert Camus*, New Haven and London, Yale University Press, 1973, 271 S. Vgl. ebenfalls folgende Titel: *Albert Camus. Ses amis du livres*, Paris, Gallimard, 1962, 62 S. R. Bakker, *Camus*, Wageningen, Wereldvernster Baarn, 1966, 250 S.; C. G. Bjurström, *Albert Camus: fran främlingskap till landsklykt*, Stockholm, Bonnier, 1971, 114 p.; Henry Bonnier, *Albert Camus ou la force d'être*, Lyon-Paris, Vitte, 1959, 155 S.; Germaine Brée, *Albert Camus*, New York, Columbia University Press, 48 S.; Robert Devismes, Paul Cavellat et F. Boucly, *La justice selon Camus*, Cour d'appel de Caen, Melun, Impr. administrative, 25 S.; Pierre Leclercq, *Rencontre avec... Camus*, Paris, Editions de l'Ecole, 1970, 134 S.; Roberte de Paula Leite, *Notas e estudo crítico*, São Paulo, Editôra Edaglit, 1963, 86 S.; Marco Angelo Madonna, *Uomo e società in Albert Camus*, o. Ortsangabe, Regione Letteraria, 1972, 109 S. (coll. « Saggi » no. 70); Alfonso Palomares, *Albert Camus*, Madrid, E. P. E. S. A., 1970, 199 S.; Carol Peterson, *Albert Camus*, Berlin, Colloquium Verl., 1961, 94 S.; Maurits Pinnoy, *Albert Camus*, Paris, Desclée de Brouwer, 1961, 44 S., Neu-

immanenten Dialektik vor allem Camus' Bedeutung für das amerikanische Publikum analysiert wird.

Die Fülle und Verschiedenartigkeit der biographischen und thematischen Artikel, die mehrere Werke oder das Gesamtoeuvre behandeln, erlauben verständlicherweise nur eine lose Gruppierung. Das Hauptaugenmerk des thematologischen Kritikers richtet sich bald auf den Bedeutungswandel eines philosophisch-literarischen Grundbegriffes, bald auf den symbolträchtigen Charakter einer Landschaft, eines bestimmten Landes oder einer Szene, bald auf die Probleme des politischen und sozialen Ethos, bald auf die Dialektik zwischen philosophischem Begriff und ästhetischem Ausdruck. Einige Autoren versuchen, ein prägnantes Gesamturteil zu formulieren, andere wieder verfolgen Camus' Aufnahme im Ausland.

Unerläßlich und leicht zugänglich sind die in den Einführungen und im zum Teil reichhaltigen textkritischen Apparat der Pléiade-Ausgabe enthaltenen Bemerkungen von Roger Quilliot (Bd. I und II) und Louis Faucon (Bd. II). Allerdings wird der erste Band sich in dieser Hinsicht wie auch in Bezug auf die mannigfachen Probleme der vertrauenswürdigen Textausgabe einer Revision unterziehen müssen. Der zweite Band ist diesbezüglich zufriedenstellender. Einen allgemeinen Einblick in Camus' Werkstatt genießen wir bei der Lektüre eines kaum bekannten Gespräches, das er 1947 [50] mit Michel Sanouillet über den Roman, das Engagement, die Schreibkunst und Kritik gehalten hat. 1950 waren *L'Envers et l'endroit*, die Theatermanifeste und *Révolte dans les Asturies* dem Publikum noch nicht zugänglich. Gestützt auf dieses damals unveröffentlichte Material erläutert Germaine Brée [51] dessen kaum zu überschätzende Bedeutung als thematische

auflage 1972, 45 S. Eine kritische Kurzdarstellung dieser Werke findet sich in der erwähnten Cabeen-Bibliographie.

[50] « Conversations avec Albert Camus ». In: *Le Papyrus* [nouvelle série] 1 (1947), S. 13—18.

[51] "Introduction to Albert Camus". In: *FS* 4 (January 1950), S. 27—37.

Hauptquelle. Auch Georges Joyaux [52] findet in den Frühschriften die grundlegenden Tendenzen, von denen das Gesamtoeuvre bestimmt wird. Camus' Schweigen zum algerischen Problem zum Beispiel ist als Ausdruck seines schuldbewußten Verhältnisses zum verlassenen Vaterland anzusehen, ein Verhältnis, das in « L'Hôte » seinen erzählerischen Ausdruck erfährt. Charles Moeller [53] erläutert aus der katholischen Perspektive den in mehreren Krisen sich kristallisierenden Reifungsprozeß sowie, ausführlich, Camus' Dialog mit den Christen. Moeller verwirft den im *Homme révolté* formulierten Humanismus und heidnischen Liebesbegriff, der die umfassendere christliche Caritas nicht zu ersetzen vermag. Für Guido Piovene [54] sind Camus' Leben und Werk geradezu Ausdruck eines unvollendeten religiösen Dramas, das sich hartnäckig auf ein unreligiöses Ende versteift. Im Gegensatz dazu unterstreicht Henri Peyre [55] den klassisch griechischen Ursprung von Camus' Heidentum, das von der nie erlahmenden Ablehnung des Hoffnungsprinzipes sowie Clamences höhnischem Grinsen bestätigt wird. Den vom exemplarischen Dichterphilosophen Nietzsche beeinflußten Künstler in seiner Zeit stellt Richard Thieberger vor. [56] Nur die schöpferische Tätigkeit erlaubt Camus, einen Ausweg aus der Sackgasse der Absurdität zu finden. « Jonas » und *Le Malentendu* sind autobiographische Zeugnisse seines Künstlerdilemmas. Richard W. B. Lewis [57] vermeidet ausgetretene Pfade, indem er die Indifferenz

[52] "Albert Camus and North Africa". In: *YFS* 25 (Spring 1960), S. 10—19.

[53] « Albert Camus ou l'honnêteté désespérée ». In: Ders., *Littérature du XXe siècle et christianisme*, Bd. I, *Silence de Dieu*, Tournai-Paris, Casterman, 1953, S. 25—90.

[54] « Ritratto di Albert Camus ». In: *Terzo Programma* [Rom] 3 (1966), S. 7—29.

[55] "Camus the pagan". In: *YFS* 25 (Spring 1960), S. 20—25.

[56] „Albert Camus, sein Werk und sein Künstlertum". In: *Universitas* 14 (Januar 1959), S. 21—30.

[57] "Albert Camus: the compassionate mind". In: Ders., *The Picaresque Saint: Representative Figures in Contemporary Fiction*, Phila-

als Vorbedingung der Weisheit hinstellt und *L'Etranger* als parodistische Kritik der traditionellen Tragödie interpretiert. Grundlegende ästhetische Probleme erörtert André Meunier [58]. Von der « création absurde » und «Révolte et art » ausgehend, untersucht er vor allem das Verbindungsnetz der vom klassischen Sparsamkeitsprinzip getragenen Phraseologie. Eben dieses Prinzip veranlaßt Roger Quilliot [59], in Camus' Stil die Tendenz zum

delphia and New York, J. B. Lippincott, 1959, S. 57—108 und 299 bis 302.

[58] « Approches de l'art camusien ». In: *RLM* 212—216 (1969), S. 9—33 [*AC 2*].

[59] Quilliot, Roger, « Introduction critique, biographie, présentation, commentaires, notes et variantes ». In: Albert Camus, *Théâtre, récits, nouvelles*, Paris, Gallimard, 1962, S. 1687—2071. Die *nouveaux tirages* (I, 1963/67/75, II, 1967) sind, trotz kleiner Textkorrekturen und Ergänzungen, nicht als revidierte Neuausgabe gekennzeichnet, eine Tatsache, die korrektes Zitieren nicht eben vereinfacht. Vgl. auch Roger Quilliot et Louis Faucon, « Introduction critique, commentaires, notes et variantes », in: Albert Camus, *Essais*, Paris, Gallimard, 1965, S. IX—XIV und 1169—1930. Vgl. auch: Georges Anex, « L'indifférence », in: *NRF* 8 (mars 1960), S. 522—526; Carlo Bo, « La fortuna di Camus », in: ders., *Da Voltaire a Drieu la Rochelle*, Milano, La Golliardica, 1965, S. 264—289; Pierre de Boisdeffre, « Les paysages d'Albert Camus », in: *RDM* 9 (septembre 1969), S. 81—91; Germaine Brée, "A grain of salt", in: *YFS* 25 (1960), S. 41—43; Pierre Brodin, « Albert Camus », in: ders., *Présences contemporaines*, Bd. I, Paris, Ed. Debresse, 1954, S. 443—460; Lucien Christophe, « Albert Camus », in: *RGB* 93 (novembre 1957), S. 23—40; John Cruickshank, "Tribute to Albert Camus", in: *TC* 167 (April 1960), S. 316—327; Christian Dedet, « Le groupe algérois », in: *Esprit* 5 (mai 1968), S. 930—935; Aimé Dupuy, « A.C. », in: ders., *L'Algérie dans les lettres d'expression française*, Paris, Ed. universitaires, 1956, S. 125—136; Herbert Gillessen, „A. C.", in: W. D. Lange [Hg.], *Französische Literatur der Gegenwart in Einzeldarstellungen*, Stuttgart, Kröner, 1971, S. 213—236; Jean Grenier, « Préface », in: A. C., *Théâtre, récits, nouvelles*, Paris, Gallimard, 1962, S. 9—22 und in: ders., *Réflexions sur quelques écrivains*, Paris, Gallimard, 1973, S. 87—110; Wilhelm Grenzmann, "A. C.", in: ders., *Weltdichtung der Gegenwart. Probleme und Gestalten*, Bonn, Athenäum Verl., 1955,

Schweigen aufzudecken, wobei er in den sprachlichen Entwicklungsphasen *L'Etranger* die Bedeutung des Durchbruchs beimißt: Meursaults Worte drücken unmittelbar ihr tragisches Unvermögen aus.

S. 271—292; Manfred Gsteiger, „A. C.", in: ders., *Literatur des Übergangs*, Bern—München, Francke Verl., 1963, S. 98—106; Helmut Hatzfeld, "A. C.", in: ders., *Trends and Styles in Twentieth-Century French Literature*, Washington D. C., Catholic University Press, 1957, 1966, S. 163—168; Franz Hellens, « Le mythe chez A. C. », in: *NRF* 8 (mars 1960), S. 480—486 und in: ders., *Essais de critique intuitive*, Bruxelles—Amiens—Paris, Societé générale d'Editions Sodi, 1968, S. 119—124; Jacques Howlett, « A. C. », in: Bernard Pingaud [éd.], *Ecrivains d'aujourdh'ui*, Paris, Grasset, 1960, S. 159—168; S. Beynon John, "A. C.", in: *ML* 36 (December 1954), S. 13—18; Rose Lamont, "The anti-bourgeois", in: *FR* 34 (April 1961), S. 445—453; Kermit Lansner, "A. C.", in: *KR* 14 (February 1972), S. 562—578; R. B. Leal, "A. C. and the significance of art", in *AJFS* 3 (January—April 1966), S. 66—78; Robert de Luppé, « La source unique d'A. C. », in *TR* 146 (February 1960), S. 30—40; Manuel Maldonado Denis, « Sobre algunas temas fundamentales en el pensiamento de A. C. », in: *CA* 21 (März—April 1962), S. 148—156; André Maurois, « C. », in: ders., *De Proust à Camus*, Paris, Perrin, 1963 S, 321—347; Vincente Mengod, « A. C. en su aparente soledad », in: *Atenea* 36 (Oktober—Dezember 1959), S. 20—27; Pierre Moreau, « Aspects romantiques », in: *TR* 146 (février 1960), S. 41—46; Henri Perruchot, « A. C. », in: *Revue* de la Méditerranée 11 (novembre—décembre 1951), S. 641—657; ders., « A. C. », in: *La haine des masques. Montherlant-Camus-Shaw*, Paris, La Table Ronde, 1955, S. 107—155; Liano Petroni, « A. C. creatore di miti », in: *Ponte* 3 (März 1950), S. 276—286; Henri Peyre, "The crisis of modern man as seen by André Malraux and A. C.", in: ders. *Historical and critical essays*, Lincoln, Nebraska University Press, 1968, S. 265—282; Robert Poulet, « A. C. ou le manque de tempérament », in: ders., *Aveux spontanés. Conversations avec . . .*, Paris, Plon, 1963, S. 155—160; Emmanuel Roblès, « La marque du soleil et de la misère «, in: *Camus*, Paris, Hachette, 1964, S. 57—75; Rima D. Reck, "A. C.: the artist and his time", in: dies., *Literature and Responsibility. The French Novelist in the Twentieth Century*, Baton Rouge, Louisiana University Press, 1969, S. 43—85; Pierre-Henri Simon, « A. C. . . . et l'homme », in:

In einem tiefgreifenden Essay über Camus' Doppelheit, Heidentum und Technik des Umsturzes unterscheidet Maurice Blanchot [60] die begriffliche Absurdität vom neutralen Absurden, dessen Inkommensurabilität er mit der Unfaßbarkeit des Göttlichen vergleicht. Für Maurice Friedman [61] ist das Absurde zugleich Ausgangspunkt und Grund des Exils und der Indifferenz, die in *La Chute* zur Schuldkrise führen. Die prometheische Rebellion wird in *La Peste* zum Aufstand eines modernen Hiobs umfunktioniert, womit Camus seinen Übergang von der Ideologie zum Dialog anzeigt. Gemäß R. M. Albérès [62] ist der Grund für die Revolte in der Sehnsucht nach dem verlorenen Paradies der Einheit zu suchen, wohingegen François Bondy [63] im Aufstand jakobinistische Spuren entdeckt und glaubt, der Begriff der

ders., *Témoins de l'homme*, Paris, Armand Colin, 1951, S. 175—193; L. V. Simpson, "Tension in the work of A. C.", in: *MLJ* 38 (April 1954), S. 186—190; Annette Smith, "Algeria in the work of A. C.", in: *Claremont Quarterly* 7 (Spring 1960), S. 5—13; Walter A. Strauss, "A. C., stone-mason", in: *MLN* 77 (May 1962), S. 268—281; Fermín de Urmeneta, « Sobre la estética camusiana », in: *RIE* 18 (1960), S. 165—169; Kurt Weinberg, "The theme of exile", in: *YFS* 25 (Spring 1960), S. 33—40, frz. Fassung in: *RLM* 64—66 (1961), S. 329—341; Paul West, "A. C. and the aesthetic tradition", in: *New World Writing* 13 (1958), S. 80—91 (N. Y., The American Library of World Literature); Giancarlo Zizola, « Ritratto di A. C. », in: *Humanitas* (Brescia) 1 (Januar 1958), S. 35—42.

[60] « Le détour vers la simplicité », in: *NRF* 89 (mai 1960), S. 925 bis 937.

[61] "A. C.", in: Ders., *Problematic Rebel. An Image of Modern Man*, New York, Random House, 1963; neu hgg. unter dem Titel *Melville, Dostoievsky, Kafka, Camus*, Chicago and London, University of Chicago Press, 1970, S. 411—433 und 451—455.

[62] « A. C. et la nostalgie de l'Eden », in: Ders., *Les hommes traqués. Essai*, Paris, La Nouvelle Edition, 1953, S. 187—220. Vgl. auch ders., « A. C. dans son siècle: témoin et étranger », in: *TR* 146 (février 1960), S. 9—15.

[63] „Camus' Gegenwart", in: Ders., *Aus nächster Ferne. Berichte eines Literaten in Paris*, München, Hanser, 1970, S. 175—194.

mesure widerspiegele Camus' Essentialismus. Der Mittagsgedanke muß zudem der ihm durch Camus selber auferlegten Begrenzung (Mittelmeerregion) entrückt und in einen allgemeineren mythischen Kontext gestellt werden. Daß Ehrlichkeit und Intelligenz bei Camus Hand in Hand gehen, bezeugt Mario Lancelotti [64], der den Mangel an Klarheit mit dem Bösen gleichstellt. Eine Zwangslage entsteht allerdings dann, wenn die selbstbewußte Luzidität nicht mehr zu urteilen, sondern nur noch sich selbst zu bespiegeln vermag. Einen reichen Themen- und Verfahrenskatalog präsentiert Claude Vigée [64a], der Camus' Sehnsucht und ihr ambivalentes Verhältnis zum Sakralen analysiert. Die ritualistischen Elemente seines Theaters, die Erotik, der Konflikt zwischen dem Apollinischen und Dionysischen, gewisse stilistische Eigenheiten usw. sind mit dieser allumfassenden Sehnsucht in Zusammenhang zu bringen.

Erstaunlich wenige Arbeiten befassen sich gründlich mit dem Begriff des Tragischen bei Camus. Die wichtigste Annahme stellt in dieser Beziehung Jean-Marie Domenach [65] dar, der sich allerdings vorwiegend mit dem tragischen Gefühl und nicht mit konzeptuellen Fragen auseinandersetzt. Camus — wie übrigens auch Sartre — hebt das Tragische bewußt vom Heroischen ab. Domenach konzentriert sich auf das Schuldgefühl, das der Autor der *Chute* in den meisten Werken dadurch illustriert, daß er dem Prozeß den Prozeß macht. Eine sehr gründliche Analyse des Gefühls der Fremdheit finden wir bei Brian T. Fitch [66], der den verschlungenen Pfad vom animalischen Vegetieren zum Selbstbewußtsein nachzeichnet und *Le Mythe de Sisyphe* als Eckstein

[64] « C. y la inteligencia », in: *Sur* 17 (März 1949), S. 71—78.

[64a] « La nostalgie du sacré chez A. C. », in: *NRF* 8 (mars 1960), S. 527—536.

[65] « Le second romantisme », in: Ders., *Le retour du tragique*, Paris, Seuil, 1967, S. 215—236.

[66] « Prisonnier dans cette cage de chaleur et de sang. — *L'Etranger* d'A. C. », in: Ders., *Le sentiment d'étrangeté chez Malraux, Sartre, Camus, et Simone de Beauvoir*, Paris, Minard, Lettres Modernes, 1964, S. 173—219.

des *dédoublement* und der Entfremdung bezeichnet. Ähnlich verfährt er mit Meursaults Entwicklung, die diesen Kritiker zu später verfeinerten Detailbesprechungen der Bilder- und Erzähltechnik anregt. Von Kannibalismus und oraler Fixation ist die Rede in Jean Gassins Essay über den Sadismus bei Camus. [67] Meursaults und Clamences sexueller Infantilismus und Grausamkeit werden auf traumatische Kindheitserlebnisse des zukünftigen Dichters zurückgeführt, die sich auch in der bewußten Verwechslung von Mutter und Liebhaberin bekunden.

Als einer der ersten hat S. Beynon John [68] die Bedeutung und Grenzen der Bildersymbolik studiert. Von den ersten Werken bis zum *Etat de siège*, wo der symbolische Charakter der Sonne vom Autor selber hervorgehoben wird, erscheinen Sonne und Meer als Bedeutungsträger der Zerstörung und Freiheit. Sobald man aber über die offensichtlich vorhandenen Zusammenhänge zwischen Camus' Metaphern und persönlichen Erlebnissen hinausgeht, vermag seine Bilderfusion nicht immer eine künstlerisch zufriedenstellende Symbolik zu schaffen. Michel Benamou [69] hingegen ist der Ansicht, daß bei Camus der Tastsinn einen privilegierten Status einnimmt, weil er visuellen Eindrücken eine ihnen fehlende Dimension verleiht. Diese Erkenntnis führt zu einer brillant durchgeführten Analyse der wichtigsten Erscheinungsformen, der metastilistischen Bedeutung vieler Metaphern und der Funktion des Anthropomorphismus. Mehr psychologisch als ästhetisch fundiert sind Rica Ionescus Ausführungen [70], die auf die Rückwirkungen von Camus' elementaren Landschaftserlebnissen eingehen.

[67] « Le sadisme dans l'oeuvre de C. », in: *RLM* 360—365 (1973), S. 121—144 [*AC 6*].

[68] "Image and symbol in the work of A. C.", in: *FS* 9 (January 1955), S. 42—53. Dazu auch Jean C. Batt, "The themes of the novels and plays of A. C.", in: *Journal of the Australasian Universities Language and Literature Association* 6 (1957), S. 47—57.

[69] "Romantic counterpoint: nature and style", in: *YFS* 25 (Spring 1960), S. 44—51.

[70] « Paysage et psychologie dans l'oeuvre de C. », in: *RSH* 134 (avril—juin 1969), S. 317—330.

18

Die Zurückführung seines Dualismus und Gleichgewichtsstrebens auf eine Reaktion gegen die überreiche Subtropenlandschaft dürfte doch etwas zu vereinfachend sein.

Das Spanienbild der Intellektuellen der dreißiger Jahre und die mütterlicherseits bedingte spanische Abstammung haben Camus' Vorliebe für den iberischen Staat und seine mittelmeerischen Bewohner grundlegend mitbestimmt (s. auch Kap. 5 d, *L'Etat de siège* und 5 f, Bearbeitungen, Übersetzungen und *Révolte dans les Asturies*). Sehr früh haben ihm Kritiker vorgeworfen, daß er das Land und seine Leute nur aus zweiter Hand kenne und seiner Sprache kaum mächtig sei. So zum Beispiel Vincente Marrero [71], der ihm die Verbreitung des Clichés des schwarzen Spaniens ankreidet, andererseits aber das intuitiv erfaßte Bild des spanischen Charakters akzeptiert. Dem komplexen Verhältnis zwischen geographischer Realität und literarischem Symbol geht Jacqueline Lévi-Valensi [72] auf den Grund. Eine zusätzliche Schwierigkeit bietet die Verschmelzung der fiktiven Spanien- und realen Algerienerfahrungen im Spanienbild Camus', der die Fundamente seines Gedankengebäudes aufgrund einer Gefühlsgeographie erstellte.

Der schnell ausgelaugte Begriff des literarischen Engagements erfährt durch Heinrich Balz [73] eine äußerst gründliche Neubearbeitung, die sich vor allem auf den *Discours de Suède* stützt. Balz betrachtet Camus als *den* Mythologen unserer Zeit, der durch den säkularen Konflikt zwischen dem Eroberer und dem Schöpfer entzweigerissen wird. Seine Erzählkunst ist vor allem im kontrapunktiven Verhältnis zwischen Introspektion und Zeugnis begründet. Ideologiebezogen sind die Beiträge von

[71] « La seconde patrie de C. », in: *TR 146* (février 1960), S. 145 bis 153.

[72] « Réalité et symbole de l'Espagne dans l'oeuvre de C. », in: *RLM* 170—174 (1968), S. 149—178 [*AC 1*].

[73] „A. C. Literatur und die Leidenschaft der Zeitgenossen". In: Ders., *Aragon, Malraux, Camus. Korrektur am literarischen Engagement*, Stuttgart—Berlin, Kohlhammer, 1970, S. 114—147.

L. I. Boreva [74] und S. Welikowski [75]. Die von Boreva durchgeführten Personenanalysen münden in eine Geißelung von Camus' Romantik und sozialem Pessimismus ein. Welikowski wirft ihm mangelndes Geschichtsbewußtsein vor und tut die Revolte des Sisyphus als pathetische Geste ab. Die gründlich unter die Lupe genommene *Peste* wird als lobenswerte Ausnahme hervorgehoben, kann aber nicht darüber hinwegtäuschen, daß Camus' Mystifikationen ihn als Opfer des Irrationalismus aufzeigen. Der Purismus der *Justes* zeugt zudem von seiner begrenzten Kenntnis des Kommunismus.

Den rationalistischen Irrationalismus beschreibt Emmanuel Mounier [76], dessen Studie ein fein gerastertes Profil von Camus' poetischem Verständnis einer seinem Wesen nach moralischen Erfahrung abgibt. Dieselbe Reziprozität zwischen ethischer Überzeugung und formalem Ausdruck stellt Carlo Bo [77] in den Mittelpunkt seiner scharfsinnigen Interpretation des Symbolgehalts der Hauptfiguren. Die Ironie der Erzählkunst — von den meisten Kritikern vernachlässigt — wird mit dem Stil Voltaires

[74] [« La conception des personnages dans le théâtre de C. »]. In: [*Problèmes du héros dans la littérature étrangère*], Riga, Zinatne Press, 1970, S. 109—131; in russischer Sprache. Vgl. dazu die ausf. Besprechung in: *RLM* 360—365 (1973), S. 184—187.

[75] „Bei der Gegenüberstellung mit der Geschichte. Bemerkungen über das Schaffen von A. C.". In: *Kunst und Literatur* 13 (Juni 1965), S. 618—648. Eine geringfügig abgekürzte frz. Version findet sich unter dem Namen und Titel Samari Velikovski, « *La Peste* d'A. C. », in: *Recherches internationales à la lumière du marxisme* 50 (1965), S. 142—175. Beide Texte fußen auf der in *Voprossy literatoury* erschienenen russischen Originalfassung.

[76] « A. C. ou l'appel des humiliés », in: *Esprit* 18 (janvier 1950), S. 27—66. Ebenfalls in: Ders., *L'Espoir des désespérés*, Paris, Seuil, 1953, S. 82—145, Neuauflage 1970, S. 65—110 und in: ders., *Oeuvres*, Bd. IV, Receuils posthumes. Correspondances, Paris, Seuil, 1963, S. 326—358.

[77] « Sull'opera di C. », in: *Humanitas [Brescia]* 3 (September 1948), S. 897—912 sowie in: ders., *Della letteratura e altri saggi*, Firenze, Vallecchi, 1953, S. 200—233.

verglichen. Es ist als ob Camus den Umweg über die Künstlichkeit des *Etranger, Caligulas* und des *Malentendu* benötigte, um den natürlichen Realismus der *Peste* zu finden. Für S. John [78] sind der Mangel an Tiefe und die Monotonie, die den Figuren eignen, in Camus' Tendenz zum Abstrakten zu suchen. Diese führt dazu, daß die Personen oft bloß zu Trägern von logisch kohärenten, künstlerisch aber fragwürdigen Ideen werden. Auch Germaine Brées und Marguerite Guitons [79] Übersicht unterstreicht die ethischen Aspekte in Camus' Schaffen und bestimmt damit ebenfalls das in den fünfziger und sechziger Jahren gängige Bild des Philosophen mit, der „auch" ein Künstler ist. Von der griechischen, islamischen und lateinischen Zivilisation und Valérys Meridionalismus ausgehend, analysiert Oscar E. Tacca [80] die elementaren Wurzeln und ihre komplementären geistigen Komponenten des Mittelmeergedankens. Gegenwart, Tod, Körperkult, Glück, Natürlichkeit und Sonnenlicht vereinen sich zu einem eng verschlungenen Verbindungsnetz, ohne welches die *pensée de midi* nicht interpretiert werden kann. Ähnliche Pfade verfolgt auf der bildlichen Stufe J. A. G. Tans [81] in seiner von Bachelards Methode inspirierten Poetik des Wassers und des Lichtes, in der er den Gründen von Camus' mythischer Sinnlichkeit nachgeht. Die philosophischen und thematischen Konstanten veranlassen Manfred Pelz [82], sie als Klammern zu bezeichnen, zwischen denen Camus seine Situationen und Fälle stellt. Pelz

---

[78] "The characters of A. C.", in: *UTQ* 23 (July 1954), S. 362—379.

[79] „A. C. und die zwei Seiten der Medaille". In: Dies., *Aufstand des Geistes. Das Phänomen der französischen Literatur von Gide bis Camus*, Starnberg und München, J. Keller Verl., 1957, S. 282—301.

[80] « El espiritu mediterraneo en la obra de A. C. », in: *Universidad* 37 (Januar—Juni 1958), S. 83—114.

[81] « La poétique de l'eau et de la lumière dans l'oeuvre d'A. C. ». In: P. Guiraud, P. Zumthor, A. Kibédi Varga, J. A. G. Tans, *Style et littérature*, Den Haag, Van Goor Zonen, 1962, S. 75—95.

[82] „Zum Problem der Kontinuität bei A. C.". In: *ZFSL* 80 (1970), S. 258—263. Pelz hat die im Rahmen seiner Diss. unternommenen, erzähltechnischen Untersuchungen kürzlich unter dem Titel *Die No-*

untersucht auch die strukturierende Funktion dieser parenthetischen Kontinuität. Es ist bezeichnend, daß schon kurz nach der Verleihung des Nobelpreises immer wieder die Frage nach Camus' Identität und Weiterentwicklung gestellt wurde, manchmal mit, manchmal ohne spöttischem Unterton. Charles Moeller [83] trauert dem Autor der *Peste* nach und glaubt, wie übrigens viele seiner Zeitgenossen, ein religiöser Wandel stehe unmittelbar bevor. Günter Blöckers [84] Gesamturteil stellt das Einhorn Camus dem Chamäleon Sartre gegenüber und hebt vor allem die verschiedenen Formen der Revolte und den allegorischen Charakter der *Peste* hervor. Die paradoxalen Elemente und Entstehung der geistigen Werte untersucht ausführlich E. Balmas [85] in seinem Künstlerprofil, in dem viele Argumente psychologisch fundiert sind. Camus' Stellung in seiner Zeit bewerten Paulino Garagorri [86] und R. M. Albérès [87]. Garagorri entdeckt zwischen Camus und Ortega y Gasset eine mehr als nur oberflächliche Wahlverwandtschaft, Albérès vergleicht seine Situation mit der Victor Hugos in den achtziger Jahren des letzten Jahrhunderts. Der bereits erwähnte Vorwurf des romantischen Pessimismus wird auch von Rayner Heppenstall [88] in Bezug auf die Jugendwerke erhoben, der zudem Robbe-Grillets Kritik am penetranten Anthropomorphismus (95) teilt. Die *Peste* schließt in diesem Gesamturteil am besten ab.

vellen von Albert Camus. Interpretationen (Freiburg, Universitätsverlag Becksmann, 1973, 198 S.) veröffentlicht.

[83] « Où en est C.? » In: *RevN* 27 (janvier 1958), S. 79—85.

[84] „A. C.", in: Ders:, *Die neuen Wirklichkeiten. Linien und Profile der modernen Literatur*, Berlin, Argon, 1957, S. 267—276.

[85] « Situazione di A. C. ». In: Ders., *Situazioni e profili*, Bd. I, Milano, Instituto editoriale cisalpino, 1960, S. 147—234.

[86] « A. C. y su generación ». In: *Cuadernos (del Congreso por la libertad de la Cultura)* 43 (Juli—August 1960), S. 81—85.

[87] « Le prix Nobel ». In: *Camus*, Paris, Hachette, 1964, S. 217 bis 230.

[88] "The survivor". In: Ders., *The Four-Fold Tradition*, London, Barrie and Rockliff, 1961, S. 187—203.

Sehr pointiert kritisiert Robert Champigny [89] die mythomanischen Grundbegriffe sowie die Kurzatmigkeit ihrer literarischen Gestaltung. Frederick J. Hoffmann [90] vergleicht Meursaults unreflektierte Absurdität mit den Präferenzen der amerikanischen Leser, die sich in den existentiellen Primaten Hemingways wiedererkennen. Der Geschmack an elementarer Einfachheit ist der Grund, warum *L'Etranger*, nicht aber die allegorische *Peste* in den USA zum Erfolg wurde. Die deutsche Rezeption Camus' verfolgt Theodore Ziolkowski [91], für den der Autor des *Etat de siège* ein literarisches Vakuum füllte, ohne daß er die zeitgenössischen Schriftsteller Deutschlands wirklich zu beeinflussen vermochte. Die ersten deutschen Kritiker sind Camus meist wohlgesinnt und sehen in ihm vor allem einen dem Christentum nahestehenden, literarisch begabten Existenzphilosophen. Das deutsche Camus-Bild ist zwar seit den sechziger Jahren von den gründlichen Untersuchungen Noyer-Weidners (140, 222, 288), Balz' (666) und Pelz' (82, 291, 298) beträchtlich verfeinert worden, bedarf aber immer noch der Entmythisierung, die nicht von einer ideologisch fixierten Basis ausgeht, sondern sich wie die genannten neueren Kritiker aus werkimmanente ästhetische oder philosophische Prinzipien abstützt.

[89] « Un jugement personel ». In: R. Gay-Crosier [éd.], *Albert Camus 1970*, Sherbrooke, Faculté des Arts de l'université de Sherbrooke, 1970, S. 14—24.

[90] "C. and America". In: *Symposium* 12 (Spring-Fall 1958), S. 36—42.

[91] "C. in Germany or the return of the prodigal son". In: *YFS* 25 (Spring 1960), S. 132—137. Vgl. auch Giacomo Antonini, « A. C. et l'Italie », in: *NRF* 8 (mars 1960), S. 563—567; Serge Doubrovsky, « C. et l'Amérique », in: *NRF* 9 (1961), S. 292—296; Aimé Dupuy, « C. et l'Alsace », in: *Saison d'Alsace* 12 (1967), S. 405—411.

4. Prosadichtung

a) Allgemeine Studien zur Prosadichtung

Kein Zweig in Camus' Schaffen — außer seiner Bedeutung als Moralist — hat eine solche Fülle von kritischen und unkritischen Reaktionen verursacht wie die Prosadichtungen, allen voran natürlich *L'Etranger*. Grob gesagt sind zwei Tendenzen innerhalb der Fiktionskritik sichtbar: Die bis in die sechziger Jahre vorherrschende, welche unter dem Diktat einiger einheitsstiftenden philosophischen und sozialkritischen Begriffen steht (des Absurden, der Revolte, des Glücks- und Gerechtigkeitsstrebens, usw.) und die mehr der Erzähltechnik oder sprachlichstilistischen Eigenheiten gewidmete.

Zur ersten Kategorie zählen etwa: Robert Champignys [92] früher Nachweis, daß das dem Roman freizügig zugeordnete

[92] Rober Champigny, "Existentialism in the modern French novel". In: *Thought* 31 (1956), S. 365—384. Vgl. auch ders., "The comedy of ethics". In: *YFS* 25 (Spring 1960), S. 72—74, wo Meursaults Ablehnung der Theatralität und Clamences Neigung zu ihr verglichen werden. Pierre Descaves' « Albert Camus et le roman », in: *TR* 146 (février 1960), S. 47—60, ist eine etwas schematisch geratene Gesamtdarstellung, in der *L'Etranger* mit dem Absurden, *La Peste* mit der Revolte assoziiert werden und *La Chute* fehlt. Der philosophischen Betrachtungsweise verhaftet ist David Tylden-Wrights Übersicht "Saint-Exupéry, Malraux, and Camus", in seinem *The Image of France*, London, Secker and Warburg, 1957, S. 142—188. Die thematische Entwicklung von Schuld und Unschuld verfolgt Claude Gerthoffert in « Innocence et culpabilité dans les romans de Camus, en particulier dans *L'Etranger* et *La Chute* ». In: *Etudes de langue et littérature françaises* 18 (1971), S. 98—112. Maurice Nadeaus « Albert Camus romancier » (in seinem *Le Roman français depuis la guerre*, Paris, Gallimard, 1963, S. 101 bis 109, Neuauflage 1970, S. 108—116) kann bestenfalls als feuilletonistischer Beitrag gewertet werden. Für Gaëtan Picon (« Sur Albert Camus », in seinem *L'Usage de la lecture*, Bd. II, Paris, Mercure de France, 1961, S. 163—174) bedeutet *La Chute* ein Rückfall ins Artifizielle, dem *L'Exil et le royaume*, obzwar literarisch unterlegen, als authentischeres

Prädikat „existentialistisch" mindestens zweideutig ist. Der Nachweis wird in einer vergleichenden Interpretation von *La Nausée* und *L'Etranger* erbracht. Weniger existentialistisch als voltairianisch ist die Moral der *Peste*, die derjenigen des *Candide* nahesteht. Gemäß H. Gillessen [93] ist « Le Renégat » der Schlüssel zum Camus-Verständnis, weil diese Erzählung die Unbotmäßigkeit des Egozentrismus anprangert. Auch andere Prosawerke werden primär von einer ethischen Warte interpretiert. Dem kaum besprochenen *Etranger* wird dabei die nachweisbare Schlüsselstellung entzogen. Ebenfalls ethisch fundiert sind die Kriterien Liano Petronis [94], der vor allem die *Peste* als Ausdruck der Revolte, des Kommunikations- und Rechtfertigungsbedürfnisses im Sinne von Camus' Kunstauffassung sieht, eine Ansicht, die in ähnlicher Weise auch Henri Peyre vertritt, für den Camus in erster Linie ein Neuheide hellenistischer Tradition darstellt. Alain Robbe-Grillet [95] kritisiert die bei seinem Schriftsteller-Kollegen vorgefundene anthropomorphisch strukturierte Realitätsauffassung: Die Welt ist für den Autor der *Gommes* nicht absurd, sie ist. Ein weit geflochtenes Symbolnetz (Meer, Flüsse, Sonne, Nacht, Wüste, Gefängnis, Inseln) verleitet Emily Zants [96]

Kompendium der Gegensätze vorzuziehen ist. Auch Roger Quilliots Einleitung beschränkt sich auf die Hervorhebung der Interdependenz der literarischen und philosophischen Themen. Sh. « Albert Camus et le roman » in Camus, *TRN*, Paris, Gallimard, 1962, S. 1885—1887 und, in einer etwas erweiterten Fassung, in *L'Univers théâtral et romanesque d'Albert Camus*, Rodez, Impr. Subervie, 1964, S. 3—10.

[93] „Camus". In: Wolf-Dieter Lange [Hrsg.], *Französische Literatur der Gegenwart in Einzeldarstellungen*, Stuttgart, Kröner, 1971, S. 213—236.

[94] « Il problema dell'arte e del romanzo in Albert Camus ». In: *Centro Studi in Trento dell'Università di Bologna. Settimane cultural storiche-umanistiche* 8 (1960—1961), S. 159—178.

[95] « Nature, humanisme, tragédie ». In: *Pour un Nouveau Roman*, Paris, Gallimard, 1964, S. 55—85 (Coll. Idées).

[96] "Camus' deserts and their allies, kingdoms of the stranger". In: *Symposium* 17 (Spring 1963), S. 30—41.

zur Festellung, daß Camus' Symbole die Aufgabe haben, Fremdlinge von ihrer insularischen Entrückung zu menschlichen Ufern zurückzubringen.

Grattan Freyer [97] geht zuerst ausführlich dem respektiven Einfluß Hemingways und Kafkas auf den ersten und zweiten Teil des *Etranger* nach. Originell ist die Darstellung Meursaults als nicht-didaktische Figur eines absurden Romans. Hingegen sind die psychologischen und strukturalen Gründe für die Überlegenheit der *Peste* heute kaum noch vertretbar. Ebenfalls in Kafkas Fußstapfen tritt Camus bei Marilyn K. Yalom [98]. Kraft seiner Verurteilung und seines eigenen Urteils über die Gesellschaft verwandelt sich Meursault trotz seiner Verständnisbereitschaft zum aufbegehrenden Mitspieler; Tarrous laizistische Heiligkeit ist in einem Prozeßbericht begründet und Clamences Parodie eben dieser Heiligkeit macht ihn zum alleinigen Beteiligten eines verinnerlichten Gerichtsverfahrens. Komparativer Art sind auch W. M. Frohocks Ausführungen [99], die Gionos Einfluß auf die Metaphorik des *Etranger* und der *Peste* unter die Lupe nehmen. Frohock kommt zum Schluß, daß Camus' literarische Verwendung der Bilder in ihrer Symbolisierungsabsicht weiterging als bei Giono, daß die Ähnlichkeit der beiden Dichter als Ausdruck einer wahlverwandtschaftlichen literarischen Sensibilität zu deuten ist.

Der von Östen Södegard studierte ternäre Rhythmus [100] in Camus' Prosa wurde seinerzeit vom überraschten Autor in einem im selben Aufsatz publizierten Brief als unbewußte stilistische Eigenheit akzeptiert, vor deren Mißbrauch er sich allerdings hüten wollte. Södegard weist aufgrund einer repräsentativen

[97] "The novels of Albert Camus", in: *Envoy* 3 (October 1950), S. 19—35.

[98] "Albert Camus and the myth of the trial". In: *MLQ* 25 (December 1964), S. 434—450.

[99] "Camus: Image, influence and sensibility". In: *YFS* 2 (1949), S. 91—99.

[100] « Un aspect de la prose de Camus: le rythme ternaire ». *SN* 31 (1959), S. 128—148.

Statistik nach, daß Triaden vor allem im Satz mit einem Subjekt und drei Verben zu finden sind. Das Dreiheitsprinzip kann auch auf andere phraseologische Elemente ausgedehnt werden und ist ebenfalls in Camus' Übersetzungen ersichtlich. Ballys Unterscheidung zwischen *thème nominal* und *énoncé verbal* und Wartburg/ Zumthors Analysen der *mise en relief* dienen Marie Poch [101] als Grundlage ihrer statistisch untermauerten Kategorisierung des Segmentierungsverfahrens in den drei Romanen sowie in *L'Exil et le Royaume*. Die höchste Frequenz weisen die vorgestellten und abgesonderten Subjekte auf, was Poch auf die größere Flexibilität der Nominalstruktur zurückführt. Edwin P. Grobe geht es in seiner Funktionsanalyse der Temporalität [102] darum, den Gebrauch des Imperfekts in jenen Stellen zu erklären, wo wir den *passé simple* erwarten würden. Das bald *imparfait de fixation,* bald *imparfait de gros plan* genannte Tempus gestattet kinematische Effekte und führt zu einem plastischen Dynamismus, der nur schwer ins Englische übersetzbar ist. Barthes' Begriff der *écriture blanche* wird von Stephen Ullmann in "The two styles of Albert Camus" [103] mit der ästhetischen Distanz in Zusammenhang gebracht. Der Kontrast zwischen metaphorischem und nichtmetaphorischem Stil und zwischen zwei Registern seines bildlichen Ausdrucksvermögens reflektiert Camus' eigenen, in die Fiktion transponierten Dualismus. Der etwas irreführende Titel von Richard Lehans [104] Essay bezieht sich primär auf seine Interpretation der *Peste*, währenddessen *L'Etranger* mit Dreisers *An American Tragedy* und Cains *The Postman Always Rings Twice* verglichen und *La Chute* als *roman à clef* interpretiert wird.

[101] « Prodédés de mise en relief. La phrase segmentée dans quelques oeuvres d'Albert Camus ». In: *Orbis* 8 (1959), S. 161—168.

[102] "Camus and the 'imparfait de fixation'". In: *RomN* 10 (Spring 1969), S. 213—217. Derselbe Autor hat der Tempusfrage eine ganze Reihe Einzeluntersuchungen gewidmet.

[103] In: *The Image in the Modern French Novel*, Cambridge, Cambridge Unversity Press, 1960, S. 239—299.

[104] "Levels of reality in the novels of Albert Camus". In: *MFS* 10 (Autumn 1964), S. 232—244.

Eine fruchtbare, auch heute noch entwicklungsfähige Perspektive eröffnet H. W. Wardman mit seiner Arbeit über die parodistischen Elemente [105] in Camus' Romanen. Wie das Komische, Groteske, Tragische und die Monotonie wird die Parodie als eine Modalität des Absurden verstanden. Meursaults Mord, Ausdruck einer machtlosen Revolte, erscheint als Parodie des wichtigeren Duelles mit der Sonne, *La Peste* präsentiert eine fein abgestufte parodistische Tektonik, und *La Chute* führt die Parodie konsequent zur Satire des Zeitgeistes und der totalitären Demokratie weiter. Von außerordentlicher methodischen Strenge zeugt G. Guglielmis Kapitel [106], dem eine breit angelegte systems- und funktionsanalytische Einleitung vorangeht. *L'Etranger* kommt dabei als ein intellektuelles Drama und Spiel, als ein die Bezugsebenen vermischender und widerspiegelnder Experimentalroman heraus. In dieser Erzählung wird die Fiktion rigoros als Funktion des Begrifflichen verstanden. *La Peste* löst politische Realitäten in metaphysische Wahrheiten auf, *La Chute* dramatisiert den Bewußtseinszustand zum Prozeß gegen den Geist.

In den meisten seiner programmatisch aufgefaßten Aufsätze befaßt sich B. T. Fitch mit den ästhetischen Strukturen der Erzähltechnik Camus'. So wird in einer frühen Arbeit [107] die ästhetische Distanz in den drei Romanen als eine Funktion ihres kontinuitätsstiftenden Innenraums dargestellt. « Le statut précaire du personnage et de l'univers romanesque chez Camus » [108] analysiert die Zurückhaltung der *voix narrative* im *Etranger* und in der *Peste*. In beiden Romanen wird die Sprache durch sinnlose Eigenschafts- und Füllwörter verschleiert. Auch Clamences Wortschwall ist durch eine Fülle von Leerwendungen gekennzeichnet.

[105] "Parody in Camus". In: *EFL* 2 (November 1955), S. 15—29.
[106] « Il romanzo di Albert Camus ». In: *Letteratura come sistema e funzione*, Turin, Einaudi, 1967, S. 75—90.
[107] "Aesthetic distance and inner space in the novels of Albert Camus". In: *MFS* 10 (1964), S. 279—292.
[108] In: *Symposium* 24 (1970), S. 218—229.

Diese Strategie der Zurückhaltung führt zur Vertuschung der physiognomischen Züge des Erzählers, der dem Leser ein unlösbares Rätsel aufgibt. Die *voix narrative* spricht sozusagen neutral aus dem *narrateur* und schirmt ihn gleichzeitig gegen alle Einbruchsversuche ab. Ihre Ambiguität und Autonomie gestatten höchstens, latente Figuren und eine äußerst prekäre Fiktionswelt zu erahnen.

Owen J. Millers Beschreibung der paradoxen Raum-Zeit-Konfigurationen und ihres Verhältnisses zum Selbstbewußtsein [109] fußt auf den von Gautier und Flaubert erarbeiteten Spiegelbildern, die entweder eine realistische oder ironisch verfremdende Funktion besitzen. *L'Etranger* kann in dieser Perspektive als ironische Erzählung gelesen werden. In *La Chute* wird der Spiegel geradezu zum strukturalen Angelpunkt, und im « Renégat » führt die konsequente Selbstbepiegelung zur Selbstzerstörung.

Daß Camus in erster Linie ein Mythenschöpfer sei, scheint bis heute eine in der Kritik weitverbreitete Auffassung zu sein. In einer umfassenden Arbeit über das « jeu des équivalences » [110] versucht Max Bilen, der Frage aus der Sicht der Camus eigenen schöpferischen Dialektik auf den Grund zu gehen. Dabei unterscheidet er vier Stufen im Arbeitsprozeß des Dichters: *dépouillement, dévoilement, dépassement* und *dédoublement.* Ontologische Identifikation wird in diesem Vorgang durch analogische Identität ersetzt. Wie Gide ist Camus weniger ein Schöpfer von Mythen als ein Vertreter eines traditionellen Künstlermythos, dessen vieldeutige Gestaltung (und Kritik zugleich, möchte ich beifügen) in der *Chute* auch das Scheitern der Einzelgängermoral signalisiert.

[109] « L'image du miroir dans l'oeuvre romanesque de Camus ». In: *RLM* 238—244 (1970), S. 129—150 [*AC 3*].

[110] « Le jeu des équivalences chez Camus ». In: Ders., *Dialectique créatrice et structure de l'oeuvre littéraire*, Paris, Vrin, 1971, S. 59.—96

b) *L'Etranger*

Allgemeine Interpretationen. Dem Schlüsselroman Camus'
sind zahlreiche Monographien gewidmet worden, von denen
einige als Einführungslektüre empfohlen werden können. Die
beste Übersicht über den Stand der Forschung bis 1971 findet
man in B. T. Fitchs *L'Etranger d'Albert Camus. Un texte, ses
lecteurs, leurs lectures* [111]. Das dargebotene Material wird in
diesem Forschungsbericht nicht nur kritisch gesichtet, sondern den
spezifischen Forderungen des verschiedenartig motivierten *acte
de lecture* unterworfen. Bibliographisch einseitig informiert ist
Pierre-Georges Castex' Versuch [112], die Gestaltung von Camus'
persönlichen Erfahrungen im *Etranger* aufgrund autobiographischer Elemente zu rekonstruieren. Hauptquelle sind die *Carnets*
und der textkritische Apparat der Pléiade-Ausgabe. Das Resultat ist eine zum Teil bedauerliche Verwischung der Grenze zwischen Autor und Romanfigur. Der von Castex eingeschlagene
Weg führt aber trotz dieser Unzulänglichkeit zu einer wertvollen
Bestandesaufnahme der wichtigsten entstehungsgeschichtlichen
Fragen. Auch Pierre-Louis Rey [113] wendet sich der Genesis des
Romans zu, die aber bloß als Grundlage einer feinfühlig durchgeführten Interpretation der formalen Qualitäten gemeint ist
und in eine Definition des Camusschen Klassizismus ausmündet.
Einen wohl einmaligen Versuch unternimmt Irving Massey [114],
der, heuristisch von der Subjekt-Objektspaltung ausgehend,

---

[111] Paris, Larousse, 1972. Vgl. ders., « Quelques critiques sur
L'Etranger ». In: *RLM* 170—174 (1968), S. 219—236 [*AC 1*]; sowie
« Travaux sur *L'Etranger* ». In: *RLM* 212—216 (1969), S. 149—161
[*AC 2*]. Für wortstatistische Information wende man sich an Jean de Ba-
zin, *Index du vocabulaire de L'Etranger d'Albert Camus*, Paris, Nizet,
1969. W. F. Kearns' *Notes on The Stranger* können nur als Übersicht
ad *usum delphini* gewertet werden.

[112] *Albert Camus et L'Etranger.* Paris, José Corti, 1965.

[113] *Camus: L'Etranger. Analyse critique*, Paris, Hatier, 1970.

[114] *The Uncreating Word. Romanticism and the Object*, Blooming-
ton, Indiana University Press, 1970.

L'Etranger als Maßstab eines erkenntnistheoretisch angelegten Essays anwendet, in dem es vorwiegend um die Relation Sprache-Objekt geht. Dabei spielt Camus' Roman die Rolle eines modernen Spiegelbildes *Don Quichottes*, das mit gattungsverwandten Prosawerken der Jahre 1750 bis 1850 konfrontiert wird. Bis zur 1971 erfolgten Publikation der *Mort heureuse* verstanden viele Kritiker den durch Teilveröffentlichungen bekannten *inédit* als direkten Vorläufer des *Etranger*, eine Annahme, die sich bald als Trugschluß erwies, auf den schon zehn Jahre früher Germaine Brée [115] indirekt aufmerksam gemacht hatte. Nicht nur, daß Patrique Mersault, im Gegensatz zu dem durch Selbsterkenntnis verklärten Abzug Meursaults, einen stufenweisen Fall zum Tod erfährt, die sogenannte Erstfassung, von deren Veröffentlichung Camus ja füglich absah, brachte ihm den eigentlichen erzählerischen Durchbruch mit der Entdeckung des dem *Etranger* eigenen, der *Mort heureuse* fremden Tones. Robert Weber [116] unterstreicht in seiner vorbildlich dokumentierten Entstehungsstudie die Bedeutung des Todes- und Schuldthemas in Meursaults Entwicklung vom präreflexiven Glücksstreben zum eigentlichen Bewußtseinsdurchbruch. Gerald H. Storzer [117] fügt G. Brées Aufsatz zahlreiche Nuancen bei und sieht im *Etranger* mit seinem passiven Protagonisten zwar formal einen neuen Roman, dessen thematischer Ursprung in *La Mort heureuse* aber unbestreibar bleibt.

Eine der wegweisenden generellen ästhetischen Arbeiten wurde von Carl A. Viggiani [118] geleistet. Neben der thematischen

---

[115] "The genesis of *The Stranger*". In: *Shenandoah* 12 (1961), S. 3 bis 10. Vgl. auch Roger Quilliot, « Albert Camus et *L'Etranger* ». In: *La Revue Socialiste* 154 (Juin 1962), S. 32—39 und die etwas kürzere Fassung in *TRN*, S. 1904—1911 (tirage 1962).

[116] „Vom Indifférent zum Etranger: Camus' Adam". In: *NS* 11 (November 1963), S. 485—498.

[117] « La genèse du héros de *L'Etranger* ». In: *FR* 37 (April 1964), S. 542—553.

[118] « Camus' L'Etranger ». In: *PLMA* 71 (December 1956), S. 865—887. Vor durchsichtigem Symbolismus und linearer philosophi-

Struktur untersucht er ausführlich die Symbolik der Namen, Charakter- und Situationseigenschaften. Seiner Ansicht nach ist die Erzählstruktur nicht zwei-, sondern dreiteilig, weil das fünfte Kapitel der zweiten Hälfte sich kompositorisch vom Rest abhebt. Meursault wird als ironisierte Version des Sisyphus dargestellt, in der Camus, den Leser damit irreführend, die mythischen Figuren des Ödipus und zum Gott gewordenen Menschen vereint. Auch die so oft ausgelegten christologischen Motive — vor allem in der Mordszene am Strand — erfahren in Viggianis Arbeit eine gründliche Analyse. Ignace Feuerlichts « L'Etranger reconsidered » [119] ist ebenfalls von überdurchschnittlicher Stringenz. Im Zentrum steht die auf einem revidierten Heldenbild fußende Interpretation der Vieldeutigkeit des *récit*. Meursault ist weder eine Romanversion des absurden Menschen, noch eine sich selber fremde Instinkt-Marionette. Seine Handlungsweise zeugt im Gegenteil von innerer Logik, seine betont antiliterarische Sprache enthält nachweisbare Koordinationen, Subordinationen und Kausalstrukturen, die nicht auf ein unreflektiertes Dasein, sondern auf eine intuitiv erfaßte, konsequent gelebte und kohärent erzählte Weltanschauung hinweist. Dem animalischen *je* verhaftet bleibt Brigitte Coenen-Mennemeier [120], für die diese

scher Interpretation warnt Louis Hudon in "*The Stranger* and the critics". In: *YFS* 25 (Spring 1960), S. 59—74. Vgl. auch Herbert Gershman, "On *L'Etranger*"; in: *FR* 29 (February 1956), S. 299—306; René Etiemble, « *L'Etranger* », in: *Hygiène des Lettres*, Bd. V: *C'est le bouquet*, Paris, Gallimard, 1967, S. 341—346. Zu Viscontis filmischer Gestaltung des Romans vgl. B. T. Fitch, « De la page à l'écran. L'Etranger de Visconti », in: *Esprit Créateur* 8 (1968), S. 293—301 und Mary Ann F. Witt, « *L'Etranger* au cinéma et l'imagerie visuelle de Camus », in: *RLM* 212—216 (1969), S. 111—122 [*AC* 2].

[119] "Camus' *L'Etranger* reconsidered". In: *PLMA* 78 (December 1963), S. 606—621.

[120] „Erzähler und Welt in *L'Etranger* von Camus". *Praxis des neusprachlichen Unterrichts* 10 (1963), S. 143—149. John K. Simon stellt *L'Etranger* noch im Sartreschen Sinne als Exponenten des Antiromans hin. Vgl. "The glance of idiots: the novel of the absurd", in: *YFS* 25

neutrale Persona der Erzählung ihre poetische Struktur und moralische Absicht verleiht. Wenn auch ohne Tiefe und besonderes Erinnerungsvermögen, ist Meursault dennoch ein realistischer Charakter, der aber die sich klar abhebende Tendenz der zum Schattendasein oder zum Verschwinden bestimmten Figuren einer sich erneuernden Romantechnik anzeigt. Eine "journey to consciousness" [121] nennt William M. Manley die Erweckung Meursaults zu sich selbst und parallelisiert diese mit der Entdeckung des Intellekts im *Mythe de Sisyphe*. Vom absurden Objekt ausgehend, nähert sich Meursault auf einem von Symbolen gesäumten Pfad dem luziden, absurden Subjekt. Die Mordszene wird zur Epiphanie und besitzt einen metaphorisch übersättigten Offenbarungscharakter, dessen jüdisch-christliche Mythologie A. B. Smith [122] als Ausdruck einer absurden Schicksalshaftigkeit

(Spring 1960), S. 111—119. J. H. Matthews vergleicht Camus' Erstling mit *La Chute* und sieht in der Konfession und Komplizität die erzählerischen Pole. Vgl. "From *The Stranger* to *The Fall*: Confession and complicity", in: *MFS* 10 (1964), S. 265—278.

[121] "Journey to consciousness: the symbolic pattern of Camus' *L'Etranger*". In: *PLMA* 74 (June 1964), S. 321—328. Dazu auch A. B. Smith, "Restriction and consciousness in Camus' *L'Etranger*", *SSF* 3 (1965—66), S. 451—453.

[122] "Eden as symbol in Camus' *L'Etranger*", in: *RomN* 9 (Autumn 1967), S. 1—5. Als Dramatisierung einer existentialistischen Position stellt in seinem in der Ausführung oberflächlichen Kapitel Edwin P. Moseley die Problematik Meursaults dar. Vgl. "Christ as existential Antichrist: Camus' *The Stranger*", in: *Pseudonyms in the Modern Novel. Motifs and Methods*, Pittsburgh, University of Pittsburgh Press, 1962, S. 195—203. Christologische und andere Symbole interpretiert als Stationen des Selbsterkenntnisprozesses David Madden in "Camus' *The Stranger:* an achievement in simultaneity", in: *Renascence* 20 (1967 bis 68), S. 186—197. In den Rahmen der Schicksals- und Freiheitsdialektik der griechischen Tragödie stellt Anselm Atkins den Roman (vgl. "Fate and freedom: Camus' *The Stranger*", in: *Renascence* 21 [1970], S. 64 bis 75), indem er das Todes- und Freiheitsmotiv kategorial dem *Mythe de Sisyphe* zuordnet. Für Roland Barthes (« *L'Etranger*, roman solaire », in: *Bulletin du Club du meilleur livre* 12 [avril 1954], S. 6—7, sowie

interpretiert. Für René Andrianne [123] ist der Vatermord das Grundthema des Romans, in dem das Metaphernsystem auf die Wiedergabe des unlösbaren Konfliktes der Elemente ausgelegt ist. Licht, Sonne und der von ihnen erhellte Himmel spielen in diesem Kampf die Rolle des aggressiven Gegners. Meursault wird von der als männliches Symbol agierenden Sonne bis zu dem Punkt verfolgt, wo er in seiner Ausweglosigkeit auf die Ursache seiner Verblendung schießen muß. Psychologisch, allerdings in einer etwas vereinfachenden Weise, erörtert Renée Quinn [124] den latenten Rassismus Meursaults, dessen Handlungsweise angeblich von Hochmut und Schuldbewußtsein gegenüber den Arabern gekennzeichnet ist, die nur in ihrer auffordernden Hostilität als Zielscheiben des Hasses auftreten. Unbewußt soll Camus damit seinen ersten Sühneversuch zum algerischen Problem geleistet haben. Damit sind wir bei den zahlreichen psychologisierenden Erklärungsversuchen und den fachlich meist kompetenteren, lite-

---

in: J. Lévi-Valensi [Hrsg.], *Les critiques de notre temps et Camus*, Paris, Garnier, 1970, S. 60—64) entfacht sich der tragische Konflikt zwischen solarer Hitze und solarer Luzidität. Dagegen vertritt Murray Krieger die Auffassung, daß Meursaults Konstitution das Tragische geradezu ausschließt und in Gleichschaltung und Indifferenz endet. Vgl. "Albert Camus. Beyond nonentity and the rejection of the tragic", in: *The Tragic Vision*, New York, Holt, Rinehart, and Winston, 1960, S. 144—153. Auch eine der ersten systematischen amerikanischen Auslegungen, nämlich die von H. A. Mason ("M. Camus and the tragic hero", in: *Scrutiny* 14 [December 1946], S. 82—89) unterstreicht die unreflektierte Gleichgültigkeit Meursaults. Dieser wird bei Marilyn G. Rose ("Meursault as Pharmakos: a reading of *L'Etranger*", in: *MFS* 10 [Autumn 1964], S. 258—264) zum Neubekehrten, der auf dem Pfade seiner Erkenntnis und Erleuchtung den jüdisch-christlichen Konventionen und Traditionen heroisch trotzt und mit Würde einem ritualisierten Tode entgegensieht.

[123] « Soleil, ciel et lumière dans *L'Etranger* », in: *RevR* 7 (1972), S. 161—176.

[124] » Le thème racial dans *L'Etranger* «, in: *RHLF* 69 (novembre—décembre 1969), S. 1009—1013.

rarisch aber oft nicht sehr ergiebigen psychoanalytischen Interpretationen angelangt.

Leider fast unbekannt ist die schon 1952 publizierte Untersuchung von Alcyon Baer Bahia [125]. Meursaults end- und fruchtlose Rationalisierungsversuche — eher in den Text hineingelesen als faktisch vorhanden — werden darin klinisch mit schizophrenen Symptomen konfrontiert. Der Autor kommt zum Schluß, daß die Begräbnisszene einen Muttermord, die Schüsse am Strand einen Vatermord und der Sühnecharakter des zweiten Teiles eine Selbstkastration indizieren. Kreative Tätigkeit — gemeint ist die Camus' — muß als Anstrengung des Ichs gedeutet werden, die schizophrene Dissoziation schreibend zu überwinden. Die ödipalen Elemente im *Etranger* und « Le Renégat » sind nach John Fletcher [126] im Zusammenhang mit der erotisch gefärbten Mordszene zu sehen und dienen der Betonung von Meursaults tragisch-heroischen Verstrickung. Systematischer geht Joseph Gabel [127] vor, der, den Ödipus-Mythos und das schizophrene Drama des modernen Intellekts verbindend, im Roman dem Prozeß der Verdinglichung nachspürt. Aufgrund einer Reihe marxistischer und psychiatrischer Definitionen der Verdinglichung analysiert er deren Korrelation mit der Entfremdung. Meursaults Diskontinuität zeigt seine Absicht an, der Temporalität und der ihr innewohnenden tragischen Komponente zu entgehen. Er ist ein schizoider, wenn nicht gar ein schizophrener Typus, der bloß verdinglichte Konzepte zu perzipieren vermag und in einer Welt der Panaktualität verharrt. Wie schon zum Teil bei Baer Bahia werden in diesem aufschlußreichen Aufsatz Entpersönlichung, Kastration, Unaffektivität, materialisierte Zeit, Schuld und Angst als schizophrene Symptome gewertet.

---

[125] » El contenido y la defensa en la creacíon artistica «, *Revista de Psicoanàlisis* [Buenos Aires] 9 (Juli—September 1952), S. 311—341.

[126] "Interpreting *L'Etranger*", in: *FR* 43 (Winter 1970), S. 158 bis 167.

[127] „Die Verdinglichung in Camus' *L'Etranger*", in: *Jahrbuch für Psychologie und Psychotherapie* 5 (1957), S. 123—140. Vgl. auch Anm. 150 u. 151.

Harry C. Slochowers [128] Ausführungen beschränken sich auf die metaphernstiftende Abwesenheit des Vaters und des vieldeutigen Mutter-Sohn-Verhältnisses, das bekanntlich von Camus selber als Ursprung des bedeutungsreichen Schweigens hervorgehoben wird. Ob Roland C. Wagners [129] Assoziierung dieses Schweigens mit dem Schuldgefühl Grund genug ist, *L'Etranger* als unausgegorenes Werk eines Schriftstellerlehrlings zu sehen, der sich vor der Klärung seiner unbewußten Ambitionen scheut, bleibe dahingestellt. Subtiler, obzwar auch psychologisch fundiert, sind Nathalie Sarrautes Bemerkungen [130], die hinter Meursaults Indifferenz eine verräterisch einfache Raffinität vermutet und *L'Etranger*, entgegen der oberflächlichen Evidenz, in die Gattung des psychologischen Romans einstuft. Brillant ausgeführt ist René Girards Essay [131], der den Prozeß Meursaults wiederaufrollt und in ihm einen jugendlichen Delinquenten feststellt. Camus' erster veröffentlichter Roman wird zur objektiven Projektion seiner *mauvaise foi* umfunktioniert, die in *La Chute* die ihr ge-

---

[128] "*The Stranger*. The silent society and the ecstasy of rage", *American Imago* 26 (Fall 1969), S. 291—294.

[129] "The silence of *The Stranger*", in: *MFS* 16 (Spring 1970), S. 27—40. Mitsuo Nakamura ("A propos of *L'Etranger*", in: *Japan Science Review. Literature Philosophy and History* 5 (1954), S. 34 bis 38) warnt ausdrücklich vor der verzerrten Perspektive, die eine Beschränkung auf Verhaltensmerkmale nach sich zieht.

[130] Vgl. *L'Ere du soupçon*, Paris, Gallimard, 1956, S. 22—31. Als Beispiel einer undifferenzierten psychologischen Betrachtungsweise diene etwa José Julio Perlados « En torno a Albert Camus. Dos reflexiones y un requiem », in: *CHA* 105 (September 1958), S. 295—315, wo Meursault als Double seines Autors herhalten und ohne das Geschenk des Glaubens sterben muß. Im Gegensatz dazu etwa Jean-François Cabillau, « L'expression du temps dans *L'Etranger* d'Albert Camus », in: *Revue Belge de Philologie et d'Histoire* 49 (1971), S. 866—874, der Sartres und Barriers Erkenntnisse im Rahmen der Tempusverwendung verwertet.

[131] "Camus' *Stranger* retried", in: *PLMA* 74 (1964), S. 519—533. In französischer Fassung in: *RLM* 170—174 (1968), S. 13—52 [*AC* 2].

bührende Sühne erfährt. Der durchsichtige Symbolismus der *Chute* enthüllt zudem die prätentiöse Metaphorik des *Etranger,* dessen strukturale Schwächen der falschen Prämisse des „unschuldigen Mordes" zuzuschreiben ist. Von einer ganz anderen Warte aus urteilend, beschreibt Edgar Marsch [132] den kriminologischen Fundus, aus dem Meursaults Erzählerperspektive gespeist wird. Die Indifferenz des Protagonisten eines verkappten Kriminalromans kann auch als Objektivität interpretiert werden. Für Marsch besteht die ästhetische Substanz der Erzählung in der Spannung zwischen dem akkumulativ aufgebauten ersten und dem irreführenden, als Investigation camouflierten zweiten Teil.

Es versteht sich von selbst, daß die frühesten philosophischen Arbeiten über *L'Etranger* im Banne des kurz darauf veröffentlichten *Mythe de Sisyphe* standen, ja, daß, wie bereits erwähnt, eine von der Philosophie des Absurden losgelöste Betrachtungsweise kaum für möglich gehalten wurde. Meursault, so folgerten zahlreiche Kritiker, statuiere ein romanhaftes Exempel *par excellence* des absurden Menschen. Zu dieser weitverbreiteten Lesart hat aber Maurice Blanchot [133] nicht beigetragen, der im Gegenteil die eigenartige Außenseiterperspektive hervorhebt, die nicht nur Meursault, sondern auch den Leser davon abhält, die undurchdringliche Oberfläche der Phänomene zu durchbrechen. Blanchot gehört auch zu den ersten Kritikern, die strukturale und thematische Schwächen des zweiten Teiles sofort erkannten. So, unter anderen, Victor Brombert [134], für den die Kompositionsschwächen und Stilbrüche in dem von Camus gesuchten Realismus begründet sind. Bromberts Essay ist in erster Linie als Korrektur von Sartres brillanter, bis in die späten fünfziger

---

[132] „Das Zufallsverbrechen und die Konstruktion seiner Vorgeschichte. (Albert Camus: *Der Fremde*)", in: *Die Kriminalerzählung. Theorie, Geschichte, Analyse*, München, Winkler, 1972, S. 213—220.

[133] « Le roman de L'Etranger », in: *Faux pas*, Paris, Gallimard, 1943, S. 256—261.

[134] "Camus and the novel of the 'absurd'", in: *YFS* 1 (Spring-Summer 1948), S. 119—123.

Jahre als exemplarisch geltende Interpretation (vgl. Anm. 153) aufzufassen. Einen bedeutenden Anteil am heute ungleich nuancierteren Meursault-Bild hat Robert Champigny [135], der, wie in den meisten seiner wegweisenden Arbeiten, sich nicht durch die falsche Transparenz und Kohärenz der einstufigen Interpretation blenden ließ, sondern stets den engen Bezug zwischen ethischer Aussage und ästhetischer Form im Auge behielt: *L'Etranger* fußt auf einem ästhetischen Apperzeptionsmodus, der sich in Meursaults Rebellion gegen die Pseudomoral der Gesellschaft äußert und damit sein Ethos statuiert. Auch Peter Spycher [135a] gewährt ihm mehr Selbstbewußtsein und Intelligenz als die meisten Kritiker. Ob Meursaults Erzählstrategie und ihre philosophische Basis auf einen ehrlichen und authentisch unschuldigen modernen Christus hinweisen, hängt allerdings davon ab, wieviel ironische Distanz man ihm zutraut.

Struktur und Erzähltechnik. Mit seiner 1960 erstmals erschienenen und vor allem in der 1968 in erweiterter Fassung neuaufgelegten Studie über *Narrateur et narration dans L'Etranger d'Albert Camus. Analyse d'un fait littéraire* [136] leistete B. T.

[135] "Ethics and aesthetics in *The Stranger*", in: *Germaine Brée* [Hrsg.], *Camus. A Collection of Critical Essays*, Englewood Cliffs, Prentice Hall, 1962, S. 122—131. Dazu auch: Joyce Elbrecht, *"The Stranger* and Camus' transcendental existentialism", in: *HSL* 4 (1972), S. 59—80, eine Gegenüberstellung von Camus' ontologischer Situation, Heideggers Augenblick der Offenbarung und Merleau-Pontys *corps-sujet* als präreflexivem Erfahrungsbereich. Jean Greniers « Une oeuvre, un homme » (in: *CS* 30 [février 1943], S. 224—227, abgedruckt in: J. Lévi-Valensi, a. a. O., S. 36—40) befaßt sich vorwiegend mit den ethisch-ästhetischen Korrelationen von Meursaults Revolte. *"The Stranger by Albert Camus"*, von Stephen D. Ross (in: *Literature and Philosophy: An Analysis of the Philosophical Novel*, New York, Appleton-Century-Crofts, 1969, S. 175—196) untersucht ebenfalls die philosophische und moralische Bedeutung des Romans.

[135a] « A. C.' *L'Etranger*. Eine Studie über „den einzigen Christus, den wir verdienen" ». In: *NS* 4 (April 1965), S. 159—180.

[136] Paris, Minard, 1960 und 1968. Pierre de Boisdeffres vielver-

Fitch bedeutende Pionierarbeit, die, von einer kritischen Auseinandersetzung mit Sartres Interpretation ausgehend, den Roman systematisch vom Standpunkt der komplexen Beziehungen zwischen Protagonist, Text und Leser erläutert. Einbezogen in diesen Kreis komplementärer Relationen sind die folgenden Strukturen: Held—Erzähler, Leser—Meursault, Leser—Text. Die auch in anderen Arbeiten (vgl. Anm. 107 u. 108) gebrauchten Schlüsselbegriffe des Innenraums und der ästhetischen Distanz werden über ihre Bezogenheit hinaus als Funktionen der alles umfassenden Ambiguität dargestellt. Fitch unterstreicht die Mehrstufigkeit der Romanstruktur, die den Leser zwingt, gegen undurchsichtige Glaswände anzurennen, hinter denen er eine Realität vermutet, die sich nie offenbart. Die *voix narrative* spricht unabhängig vom unmittelbaren Erfahrungsbereich Meursaults, der zudem ein wenn auch anfänglich noch so geringes Selbstbewußtsein besitzt. Der Leser verfügt zwar über eine ästhetisch faßbare Romanstruktur, der Eintritt in die eigentliche Romanwelt aber bleibt ihm verwehrt, weil sie nicht existiert. Neben einer brauchbaren Synthese der französischen Kritik bis 1961 liefert M. G. Barriers *L'art du récit dans L'Etranger de Camus* [137] einen auf *Noces* und *L'Etranger* fußenden lexikographischen Index, mit dessen Hilfe der literarische Stil von der dem Roman eigenen Sprache abgehoben wird. Die konsequent betriebene Neutralisierung traditioneller literarischer Zeichen trägt zur Verlängerung von Meursaults Entfremdung bei. Barriers Originalität besteht in der Gegenüberstellung von Stilmitteln und Stileffekten. Die dritte Monographie stammt von Bernard Pingaud [138]. Trotz ihrer Gedrängtheit gibt sie nicht nur einen guten Überblick über

sprechende Absicht, *L'Etranger* als Vorläufer des Nouveau Roman zu erörtern (vgl. *La Cafetière est sur la table. Contre le nouveau roman,* Paris, La Table Ronde, 1967, S. 53—57) geht leider nicht über eine oberflächlich begründete Bestätigung seiner Ablehnung dieser literarischen Gattung hinaus.

[137] Paris, Nizet, 1962.
[138] *L'Etranger de Camus*, Paris, Classiques Hachette (Coll. Poche critique), 1971.

die einschlägige Kritik bis Ende der sechziger Jahre, sondern versucht auch, von einer betont unpsychologischen, strukturalistischen Warte aus, Meursaults narrative Strategie zu durchleuchten. Dessen *discours* erscheint als Funktion seiner Entfremdung, die sich auf den Leser überträgt und ihn wie den Protagonisten zum Schweigen verurteilt. Indem Pingaud Camus' Stilökonomie in die Tradition der Radierungstechnik Flauberts stellt, hebt er die Bedeutung der materiellen Textualität des *récit* hervor, die den Bedeutungsinhalt in den Hintergrund verdrängt.

Lange vor dem Erscheinen dieser bedeutenden Essays bemühte sich schon John Cruickshank [139] um die Klärung der wichtigsten erzähltechnischen Fragen. Als einer der wenigen Kritiker seiner Zeit warnte er vor der seit Sartre kaum in Frage gestellten Abhängigkeit des *Etranger* vom *Mythe de Sisyphe*. Neben Problemen der Perspektive und Wortwahl diskutiert er die Tempusfrage und kommt, Meursaults Unreflektiertheit etwas überbetonend, zum Schluß, daß das Perfekt als Zeit der erlebten Erfahrung die ideale Fusion zwischen Idee und Form darstellt. Einen der wichtigsten Beiträge zur Form- und Inhaltsfrage leistete A. Noyer-Weidner mit der Arbeit über „Absurdität und Epik als ästhetisches Problem in Camus' *Etranger*" [140], die, darin Champigny ähnlich, die engen Beziehungen zwischen der philosophischen und ästhetischen Kategorie untersucht. Der *Mythe de Sisyphe* wird dabei nicht als einzige Quelle von Meursaults Absurdität fraglos akzeptiert, sondern als ergänzungsbedürftiges Werk dargestellt, dessen philosophische Kurzatmigkeit der ungelösten Spannung zwischen mythischem und logischem Denken zuzuschreiben ist. Ausführlich zur Sprache kommen Meursaults Impressionismus, die Symbolik und die sich graduell erhöhenden Bewußtseinsstufen. Noyer-Weidners Ergebnis: Absurdität ist eine epische Notwendigkeit im *Etranger*, Meursault ein absurder

---

[139] "Camus' technique in *L'Etranger*", in: *FS* 10 (July 1956), S. 241—253. Französische Version: « La technique de Camus dans *L'Etranger* », in: *RLM* 64—66 (1961), S. 83—102.

[140] *AUS* 4 (1963), S. 257—295.

Christus. Gemäß Jean-Claude Pariente [141] ist der Roman das revidierte Tagebuch von Meursaults Double, die durch eine Drittperson übertragene Beichte eines Ichs vor dem Hintergrund einer motivhungrigen Gesellschaft, mit deren Hilfe der Protagonist seine Selbsterkenntnis und die Nichtigkeit seiner Fiktion demonstriert. Mit Sorgfalt versucht Pariente die sechs oder sieben Augenblicke auf der fiktiven Zeitachse zu identifizieren, in denen die Erzählung angeblich komponiert wurde.

Das wohl ausführlichste Themen- und Motivinventar des *Etranger* hat Eugene Falk [142] zusammengestellt. Aufgrund psychologischer und handlungsbedingter Perspektivschnitte paraphrasiert er ausgiebig die lineare Entwicklung der Erzählung. Im Mittelpunkt steht die Analyse der thematischen Kohärenz, die durch strukturbezogene "linking phrases and images" erarbeitet wird. Mathematische Modelle verwendet J. C. Coquet [143] für den Nachweis der Tiefenstruktur des Textes. Coquets Studie der Relationen und ihrer Elemente vertritt die bis jetzt am konsequentesten angewandte strukturalistische Methodologie. Hennig Krauss' „Zur Struktur des *Etranger*" [144] hingegen gründet auf einer von Jung und Neumann inspirierten Perspektive und interpretiert den Roman als tagebuchartige Reflexionen über eine intensive Totalität des Absurden. Meursaults Weg zur Luzidität erfolgt in drei Etappen, die ihre entsprechenden Stilstufen be-

[141] « L'Etranger et son double », in: *RLM* 170—174 (1968), S. 53—80 [*AC 1*]. Einen ähnlichen Standpunkt vertritt auch O. Tacca in *El Extranjero*, unos « *papeles hallados* » de Meursault, Resistencia-Chaco [Argentinien], Faculdad de Humanidades, Universidad Nacional del Nordeste, 1974, 31 S. Er stützt seine Theorie der verlorenen Tagebuchblätter ausschließlich auf erzähltechnische Argumente. Vgl. dazu die Bespr. in *AC 8*, 1976.
[142] "L'Etranger", in: *Types of Thematic Structure: The Nature and Function of Motifs in Gide, Camus, and Sartre*, Chicago, University of Chicago Press, 1967, S. 52—116.
[143] « Problèmes de l'analyse structurale du récit dans *L'Etranger* de Camus », in: *Langue Française* 3 (1969), S. 61—72.
[144] *ZFSL* 80 (September 1970), S. 210—229.

sitzen: die unreflektierte vorabsurde Existenz, die Erkenntnis des *divorce* und die bewußte Rebellion gegen das Absurde. Die Dialektik der Innen- und Außenwelt veranlaßt Georges Poulet[145], *L'Etranger* mit der klassischen Tragödie zu vergleichen, deren Raumstruktur derjenigen der pseudo-objektiven Fiktionswelt ähnlich ist. Balkon, Zimmer, Kino, Hafen, usw. sind Schachtelstrukturen, die Meursaults Glück begründen. Im Gegensatz dazu sind offene Räume meistens das Anzeichen einer drohenden Krise. Der Roman verläuft von der Öffnung zur Außenwelt zur Einkapselung in der ausweglosen Innenwelt. Auch Leo Bersani[146] geht vom egozentrischen Epizentrum Meursaults aus, das Camus scheinbar gestattet, seine „klassische" Postur beizubehalten. Aber der artifiziell natürliche Ton, Meursaults Voreingenommenheit und absichtlich unterentwickeltes Porträt, die stets vorhandene Ambiguität und die klare Strategie der psychologischen Ausbeutung machen den Roman zur etwas gestelzten Satire eines literarischen Genres, der sich in seiner Eigenbezogenheit selbst überlebt hat.

Die beiden nächsten Arbeiten befassen sich mit den Modalitäten der Icherzählung. W. M. Frohock[147] wiederholt zum Teil die Ergebnisse eines früheren Aufsatzes (vgl. Anm. 99) über die Metaphorik im *Etranger*, vor allem am Schluß des ersten Teils, der nicht als Ausdruck eines Einflusses der natürlichen Elemente auf die Verhaltensweise eines verstörten Individuums, sondern als Synthese der beiden Themen zu deuten ist. Dieser Umstand erheischt die Interpretation des Romans als Gedicht. Die Metapher ist im *Etranger* der Schlüssel zur psychologischen Analyse,

---

[145] « La structure de l'espace dans *L'Etranger* », in: *EF* 7 (1971), S. 359—372.

[146] "The Stranger's secrets", in: *Novel: A Forum of Fiction* 3 (Spring 1970), S. 212—224. Auch in: *Balzac to Beckett. Center and Circumference in French Fiction*, New York, Oxford University Press, 1970, S. 247—272.

[147] "First-person narration. Albert Camus in *L'Etranger*", in: ders., *Style and Temper*, Oxford, Basil Blackwell and Cambridge, Harvard University Press, 1967, S. 103—115.

der Wechsel in Meursaults Bildersprache und Stil entspricht den Veränderungen innerhalb seiner Persönlichkeitsstruktur. Dieser Perspektive von Meursaults Subjektivität steht Gerda Zeltner-Neukomms Ansicht [148] gegenüber, nach der das *je* des Protagonisten ein falsches Ich ohne Innenwelt darstellt, das hauptsächlich als Träger der moralischen Absicht der Erzählung fungiert. Deren Kennzeichen ist die objektive und objektale Welt, die in einer Sprache ohne Tiefe ausgedrückt wird. Das Ich des zweiten erscheint als groteskes Echo des Ichs des ersten Teiles.

Meursault. Ein Markstein der Camus-Interpretation bildet Robert Champignys brillanter Essay *Sur un héros païen* [149]. Darin geht es nicht etwa um ein psychologisches Porträt der Romanfigur, sondern um Meursault als fiktionalisierte Konfiguration einer nahezu perfekten Synthese von Weltanschauung und Erzählprinzip. Meursaults Treue zu sich selbst, die ihn schließlich zum Helden erhebt, wird durch die vielschichtige Trugmonotonie des Stiles getragen und läßt ihn realistischer als die verballhornte Gesellschaft erscheinen. Pathologische Aspekte des Protago-

---

[148] „Das falsche Ich", in: dies., *Das Wagnis des französischen Gegenwartsromans*, Rowohlt, 1960, S. 66—72. Französische Version in: *La grande aventure du roman français aux XXᵉsiècle. Le nouveau visage de la littérature*, Paris, Gonthier, 1967, S. 86—93.

[149] *Sur un héros païen*. Paris, Gallimard, 1959. 208 S. Philip Thody untersucht in « Meursault et la critique » (in: *RLM* 64—66 [1961], S. 11—23) eine Auswahl von Interpretationen und unterstreicht Camus' Absicht, ein paradoxales Werk zu schaffen, dessen Erfolg allerdings an dem zu ambitiösen Unterfangen scheitert. Als aufgeweckten und glücklichen Sisyphus, dessen Name angeblich den Todessprung voranzeigt, stellt Jerry L. Curtis Meursault dar. Vgl. "Meursault or the leap of death", in *Rice University Studies* 57 (Spring 1971), S. 41—48. Ders. wiederholt in einem anderen Aufsatz — "Camus' outsider: or the games people play", in: *SSF* 9 (Fall 1972), S. 379—386 — die oft vertretene Interpretation, daß Meursault es vorzieht, das Spiel anderer Leute durcheinanderzubringen, um seinen Antikonformismus zu dokumentieren.

nisten — und nicht etwa des Autors — untersuchen Arminda A. Pichon Rivière und Willy Baranger [150]. Meursaults latente Indifferenz und Unterdrückung der Trauer nehmen immer mehr schizoparanoide Züge an, vor allem dann, wenn er mit der Mutter auch den Zeitsinn verliert. Nicht nur, daß er sein Mutterimago in sein Naturbild projiziert, sein unstillbares Verlangen nach physischem Kontakt entspricht der Frustration des dem Mutterleib entrissenen Kleinkindes. Die Hinrichtung läuft auf einen Selbstmord hinaus, mit dem er unbewußt den Tod seiner Mutter zu sühnen sucht. Auch Nathan Leites [151] analysiert Meursaults Psyche und erkennt in dessen Affektlosigkeit eine zugleich defensive und aggressive Grundhaltung, die ego-syntonische und somatische Symptome indiziert. Seine Wut ist gegen die von den Eltern auferlegte Frustration gerichtet, seine Labilität drückt sich in Kastrationsängsten, Selbstbestrafungstendenz und Exhibitionismus aus. In den Augen Julian L. Stamms [152] enthält Meursaults Benehmen zudem homo-und heterosexuelle sowie sadistische Syndrome. Der Mord entspricht in seiner ganzen Anlage und Ausführung dem Liebesakt.

Die bereits mehrfach erwähnte brillante Interpretation Jean-Paul Sartres [153] stützt sich vorwiegend auf Meursault als zeitgenössischen Sisyphus und schreibt der *technique américaine*, vor-

[150] « Répression du deuil et intensifications des mécanismes et des angoisses schizo-paranoïdes ». In: *Revue française de psychanalyse* 23 (mai—juin 1959), S. 409—420. Simplistisch mutet dagegen die Mixtur psychologischer und moralischer Kriterien in der Beurteilung von Meursaults unlogischen Verhaltensweise an; vgl. William D. Dennis, « Meursault: consistent or nonconsistent », in: *CLAJ* 6 (Sept. 1962), S. 23 bis 27.

[151] "*The Stranger*". In: William Phillips [ed.], *Art and Psychoanalysis*, New York, The World Publishing Company, 1963, S. 247—267.

[152] "Camus' *Stranger*. His act of violence". In: *American Imago* 26 (Fall 1969), S. 281—290.

[153] » Explication de *L'Etranger* «. In: *CS* 253 (1943), S. 189—206. Auch in *Situations I*, Paris, Gallimard, 1947, S. 99—121 sowie mehrfach übersetzt. Finn Jacobis « La métamorphose de Meursault. Une

nehmlich Hemingway, einen doch etwas zu ausschließlichen
Einfluß zu, der auch durch den Hinweis auf Voltaire nicht ge-
mildert wird. Meursault ist ein absurder Mensch, der nichts
erklärt, sondern sich auf die Beschreibung beschränkt. Im *Etranger* findet der Leser das Gefühl des Absurden, im *Mythe de Sisyphe* den Begriff. Trotz der ausführlich analysierten Beziehungen
des Romans zum philosophischen Essay, sieht Sartre *L'Etranger*
nicht als *roman à thèse*, sondern als Exemplifikation des *roman
absurde*, in dem der Autor den Mut gehabt hat, das Prinzip der
philosophischen und künstlerischen Zwecklosigkeit, die « stérili-
té magnifique » (*op. cit.* S. 106) konsequent zu vertreten. Camus'
Technik des beredten Schweigens führt Sartre auf den stilistischen
Einfluß Hemingways zurück, währenddessen er Kafka als
Quelle ablehnt. Um die Absurdität zu verstärken, schiebt Camus
zwischen dem Leser und den Romanfiguren eine Glaswand, die
die Kontakte, mit Ausnahme des visuellen, unterbricht. Die damit erzeugte Durchsichtigkeit « est transparente aux choses et
opaques aux significations » (ebd., S. 115), sie führt zur humoristischen — weil distanzierten — Analyse. Meursaults Sätze
wirken wie Inseln, die in ihrer Abgeschlossenheit die Diskontinuität seines Stils begründen.

Für Dieter Wellershof [154] scheint die Unreflektiertheit des
Protagonisten auch im zweiten Teil kaum modifiziert zu werden.
Diese an Nuancen arme Lesart ist der einseitig behavioristischen
Perspektive zuzuschreiben. Ebenfalls restriktiv interpretiert Ka-
rin Holter [155] in ihrem psychologischen Profil Meursaults untra-
gischen Konflikt, in dem er nicht gegen die Natur, sondern gegen

interprétation du premier chapitre de *L'Etranger* de Camus » (in: *RevR*
4 [1969], S. 138—147) vergleicht Meursaults Entfremdung mit jener
von Kafkas Gregor Samsa und Josel K. Er weist auch auf den „Einfluß" der *Eumeniden* und Stavrogins hin.

[154] „Camus". In: Ders., *Der Gleichgültige. Versuche über Hemingway, Camus, Benn und Beckett*, Köln, Kiepenheuer und Witsch, 1963,
S. 41—70.

[155] « Meursault. Personnage camusien à la Robbe-Grillet? » In:
RevR 6 (1971), S .17—24.

seine eigenen Unzulänglichkeiten anzukämpfen hat. Ergiebiger ist J. H. Matthews [156] Studie über Meursaults visuelle Erfahrung als Erfassungsmodalität der absurden Welt. Die Diskontinuität ist eine Funktion seines Impressionismus, die Indifferenz Ausdruck eines sich bewußt von der Gesellschaft abkapselnden Einzelgängers, der die Absurdität zuerst instinktiv und später intellektuell erfaßt. Auch Meursaults Sündenfall, d. h. der Verlust seiner Unschuld, muß als eine Dimension des Absurden gesehen werden. So schlägt es wenigstens Gerald Morreale [157] vor, der ihn als Opfer elementarer und kosmischer Gewalten darstellt, eines Kräftespieles, in dem er sich zwar seiner Handlungen, nicht aber deren Konsequenzen bewußt ist.

Linguistische und stilistische Arbeiten. Schon 1956 warnte John C. Cruickshank [158] vor der einseitig absurdistischen Interpretation des *Etranger*, die bloß auf der kurzatmigen Philosophie des *Mythe de Sisyphe* fußt. Vielmehr müsse der Roman von der ästhetischen Warte aus betrachtet werden. Die besten Lesarten bestätigen denn auch die Richtigkeit von Cruickshanks Appell. Sein eigener Beitrag weist Camus' Wertpuritanismus nach, mit dem der Dichter seine Furcht vor dem Schweigen und sein Mißtrauen gegenüber der Aussagekraft der Sprache ausdrückt. Armand Renauds Essay [159] kategorisiert die quantitativen und qualitativen Elemente des sogenannten einfachen Stils des *Etranger*. Auffallend sind die Kürze der Sätze und das Um-

---

[156] « L'oeil de Meursault ». In: *RLM* 64—66 (1961), S. 137—150.

[157] "Meursaults absurd act". In: *FR* 40 (February 1967), S. 456 bis 462. Vgl. dazu auch A. C. Nuttal, "Did Meursault mean to kill the Arab? — The intentional fallacy fallacy" (in: *CritQ* 19 [Spring-Summer 1968], S. 95—106), der Meursaults Erzählung als Fallstudie für seine Darlegung des Intentionsproblems verwendet und die erzählte mit der erlebten Geschichte konfrontiert.

[158] "Camus and language". In: *Letterature Moderne* 6 (März bis April 1956), S. 197—202.

[159] « Quelques remarques sur le style de *L'Etranger* ». In: *FR* 30 (February 1957), S. 290—296 und in: *RLM* 64—66 (1961), S. 73—82.

schlagen der Eindrücke in ihr Gegenteil: Einfaches wird kompliziert, Transparenz verdichtet sich, Komisches verrät Empfindsamkeit, ausgeklügelte Monotonie und widersprüchliche Metaphern werden für unpoetische Zwecke verwendet.

Das Tempusproblem wird zwar oft, wie etwa bei Cruickshank u. a., angeschnitten, gründlicher aber erst von Harold Weinreich [160], Jere Tarle [161] und Renée Balibar [162] besprochen. Weinreich sieht im Roman eine kritisch distanzierte Erzählung der Begebenheiten, der die Zweideutigkeit des Perfekts zuzuschreiben ist, das zugleich als erzählendes und beschreibendes Tempus fungieren muß. Jere Tarle stellt die sich oft widersprechenden stilistischen Interpretationen gegenüber. Aufgrund von Benvenistes Tempusdefinition und Barthes Begriff der *écriture* als formale Realität zwischen Sprache und Stil schließt Tarle, daß nur das Perfektum imstande ist, die dynamische Einheit der konfliktgeladenen Stilpluralität wiederzugeben. Der komplementären Funktion des Perfekts ist es zuzuschreiben, daß sowohl der Diskurs (vor allem im ersten Teil des *Etranger)* als auch die Geschichte (Kern des zweiten Teils) im selben Tempus erzählt werden kann. Balibar geht von Sartres Interpretation aus, die sie Benvenistes linguistischen, Freuds traumdeuterischen, marxistischen und formalistischen Theorien einverleibt. Meursaults Fiktion, eine Art verlängertes "day-dreaming", erscheint als Sublimation eines unterdrückten Konfliktes. Er verfremdet systematisch den Schulgebrauch des Perfekts sowie die literarische Anwendung dieses Tempus und baut eine Erzählfassade auf, deren Zweck es ist, die von der Gesellschaft aufgezwungene

[160] « Camus' *L'Etranger* ». In: Ders., *Tempus. Besprochene und erzählte Welt*, Stuttgart, Berlin usw., Kohlhammer, 1964, S. 262—270.

[161] « Sur l'emploi du passé composé dans *L'Etranger* d'Albert Camus. De la grammaire à l'écriture et au style ». In: *Studia Romanica et Anglica Zagrabiensia* 25—26 (Juli—Dezember 1968), S. 87—101.

[162] « Le passé composé fictif dans *L'Etranger* d'Albert Camus ». In: [*Le discours de l'école sur les textes*] *Littérature* 7 (Octobre 1972), S. 102—119.

linguistische Praxis zu entlarven. Damit leistet Camus seinen Beitrag zum sprachlichen Klassenkampf.

Eine nach-saussuresche Stilistik möchte J.-C. Coquet [163] skizzieren, indem er eine lexikalische (das Wort *taquet*) und eine strukturale Einheit (ein Kapitel) untersucht. Coquets Beitrag ist eine der frühesten methodologisch fundierten linguistischen Interpretationen. Traditionellere Kriterien verwendet hingegen J. Hugon de Scoeux [164], der es um den Nachweis des „hyperklassischen" Stils auf der lexikalischen und grammatikalischen Ebene geht. Die bewußte Vermischung literarischer und populärer Ausdrucksweisen erklären sich dadurch, daß Meursaults gewählterer Stil immer dann zum Zuge kommt, wenn seine Fremdheit vorübergehend in den Hintergrund tritt, wenn der Charakter jener Einheit teilhaftig wird, nach der der Roman als Kunstwerk strebt. Ambiguität, mimetische und potentiell ironische Elemente sind S. Ullmanns Grundbegriffe, die B. T. Fitch [165] in Meursaults *discours indirecte libre* als distanzstiftende rhetorische Kategorien nachweist. Sehr ausführlich analysiert Aldo Rossi [166] die Entstehungsgeschichte der Diskontinuitäten im Text, vor allem Meursaults Wochenend-Monotonie und Doppelinkarnation als Christ und Antichrist. Die in algebraische Formeln schematisierten Erzählstrukturen krönen Rossis bedeutenden Beitrag, der grundsätzlich zwei Erzählebenen festhält: eine romanhafte und eine anti-romanhafte. Ebenfalls ausführlich und auf einer klar konzipierten Methodologie fußend verfolgt André Abbou [167] die Entwicklung von der direkten Rede zur indirekten Schreibweise. Er unterscheidet dabei den handelnden und erzählenden Prot-

[163] « L'objet stylistique ». In: *FM* 35 (1967), S. 53—67.

[164] « Etude stilistique d'une langue hyperclassique dans *L'Etranger* de Camus ». In: *Le Lingue Straniere* 16 (März—April 1967), S. 3—20.

[165] « Aspects de l'emploi du discours indirect libre dans *L'Etranger* ». In: *RLM* 170—174 (1968), S. 81—91 [*AC 1*].

[166] « Analisi del discorso di *L'Etranger* ». In: *Paragone* 20 (Juni 1969), S. 3—40.

[167] « Les paradoxes du discours dans *L'Etranger:* de la parole directe à l'écriture inverse ». In: *RLM* 212—216 (1969), S. 35—76 [*AC 2*].

agonisten und die jedem zugeordneten Erzählebenen und „Manuskripte", deren Chronologie er wiederherzustellen versucht. Meursaults direkte und indirekte Aussagen sowie die Theatralität von Camus' *écriture masquée* erfahren in dieser Untersuchung eine breit angelegte strukturale und transformationelle Auslegung. Den psychologisierenden Pfad der Stilanalyse schlägt Henri Mitterand [168] ein, indem er den Ton, die Sanftmut, Naivität und Gefühlsdistanz in Meursaults Monolog nachweist. Dessen Stil entspricht den Modalitäten seines Perzeptionsvermögens, er ist ebenso einzig und komplex wie der Charakter. John Fletcher [169] sieht in der Tempuswahl einen Systole- und Diastoleeffekt, der genial Ambiguität und Unmittelbarkeit vereint. Meursaults überzeugende Rhetorik und spitzfindige Artistik erlauben den Schluß, daß er seine Geschichte nach der Ablehnung seines Gnadengesuches verfaßt haben muß. Für Gerald Kamber [170] gründet die Zweideutigkeit Meursaults im widersprüchlichen Charakter seiner Aussagen. Sein Stil, d. h. sein Spruch führt unweigerlich zum Widerspruch, weil er ständig zwischen einem formellen und einem intimen Ton hin und her pendelt.

Komparatistische und Quellenstudien. L'Etranger und *La Chute* — neuerdings mehr und mehr als art- und strukturverwandte Werke betrachtet — haben eine auffallend hohe Zahl an komparatistischen Arbeiten in die Wege geleitet. Wenn sich aber im Hinblick auf Camus' letzten Roman die Mehrzahl der Kritiker auf Dostojewski und zeitgenössische Hintergründe berufen,

[168] « Le langage de Meursault ». *FMonde* 62 (janvier—février 1969), S. 6—12.

[169] "Meursault's Rhetoric". In: *CritQ* 13 (Summer 1971), S. 125 bis 136. Zum Übersetzungsproblem vgl. Helen Sebba, "Stuart Gilbert's Meursault: Strange Stranger" (*ConL* 13 [Summer 1972], S. 334—340, wo der unerwünschte Verfremdungseffekt der rationalisierenden und motivierenden Übertragung gut erläutert wird.

[170] « Diction et contradiction dans un texte de *L'Etranger* ». *Neophil* 55 (October 1971), S. 387—399.

so verleitet sein Erstling viele Autoren dazu, ein weitgespanntes Netz möglicher Einflüsse zu vermuten, das sich allerdings oft als zu weitmaschig erweist.

Phillip H. Rheins publizierte Dissertation, *The Urge to Live. A Comparative Study of Franz Kafka's 'Der Prozeß' and Albert Camus' L'Etranger* [171], darf füglich einer der wichtigsten komparatistischen Beiträge genannt werden. Dank der Beschränkung auf den Vergleich mit Kafka, gelingt es Rhein, Parallelen nicht nur anzudeuten, sondern ihre Varianten erzähltechnisch und stilistisch zu begründen. Es muß aber hinzugefügt werden, daß Kafkas und Camus' erzähltechnische Mittel als solche nicht immer analysiert, sondern eher katalogisiert, und daß Camus' Aussagen über den tschechischen Autor nicht gebührend in Betracht gezogen werden.

Das im Zweiten Weltkrieg vorherrschende literarische Klima in Frankreich führte, gemäß Leon S. Roudiez [172], in geradezu natürlicher Weise zur außerordentlichen Aufnahmebereitschaft des Publikums für *L'Etranger*. Die wegbereitende Bedeutung Alains, Bernanos', Saint-Exupérys und Malraux' wird von Roudiez gründlich nachgewiesen. Im Rahmen der Quellenstudien gehört sein Essay ebenfalls zu den Pionierarbeiten.

Auf Dante zurück greifen Rupert T. Pickens und James Tedder [173], die den ersten Teil des Romans als Höllenfahrt und die Mordszene am Strand als den siebten Kreis des Inferno interpretieren. Mit Hilfe einer Statistik des Verbes *descendre*, das den

---

[171] Chapel Hill, North Carolina University Press, 1964, 123 S. Vgl. auch Maja Goth, Anmerkung, 697.

[172] "The literary climate of *L'Etranger*: sample of twentieth-century atmosphere". In: *Symposium* 12 (Spring-Fall 1958), S. 19—35.

[173] "Liberation in suicide: Meursault in the light of Dante". *FR* 41 (1967—1968), S. 524—531.

Raoul Alheincs « Les ancêtres de *L'Etranger* d'Albert Camus » (in: *Simoun* 14 [1954], S. 27—36) geht nicht über Gemeinplätze hinaus, in denen von der romantischen Verzweiflung und vom Bovarysmus bis zu Nietzsche und dem Kulturbanausentum ziemlich alles durcheinandergebracht wird.

neutralen Tatwörtern gegenübergesetzt wird, vergleichen die beiden Autoren Meursaults „Abstieg" mit Vergils Niedergang, die « porte du malheur » mit dem Höllentor und Camus' Auffassung von Meursault mit Dantes Bild des Cato von Utika. Einige Vergleiche sind eher forciert als überzeugend.

Mehrere Studien sind dem Einfluß Stendhals gewidmet. In fundierter Weise hat als erster W. D. Redfern [174] die oft zitierte Ähnlichkeit zwischen den beiden "outlaws", Meursault und Julien Sorel, untersucht. Er sieht in der Gefängniszelle ein vorwiegend dramatisches Instrument, mit dessen Hilfe Ideen und Gefühle manipuliert werden. Stendhals Romantik wirkt, gemäß Redfern, glaubhafter als Camus'. Glen Sandstrom [175] sieht in den strukturellen und psychologischen Parallelen zwischen *Le Rouge et le Noir* und *L'Etranger* einen philosophischen Positionsbezug, der den Beylismus zum Vorläufer des Absurdismus Camusscher Prägung macht. Sehr gründlich, wenn auch bibliographisch unzulänglich informiert, zergliedert A. Abbou [176] Stendhals Präsenz in den Werken Camus', vor allem aber die erzähltechnischen Komponenten der beiden Romane. Zur Diskussion stehen: Der symphonische Bau, situationsbedingte und psychologische Parallelen und Unterschiede, Juliens und Meursaults Glücksstreben und Opposition gegen die gesellschaftliche Inauthentizität, ihre Funktion als leidenschaftliche Rebellen, die sich ihre Luzidität und Selbsterkenntnis durch kriminelle Taten erkämpfen und, vor allem, die Beziehungen zwischen objektivem Realismus und Stilvermögen.

Victor Hugos und Camus' Ablehnung der Todesstrafe fand, unter anderem, ihre thematische Gestaltung in *Le dernier jour*

[174] "The prisoners of Stendhal and Camus". *FR* 41 (April 1958), S. 649—659.
[175] "The outsiders of Stendhal and Camus". *MFS* 10 (Autumn 1964), S. 245—257.
[176] « A la rencontre d'un univers romanesque: Camus et Stendhal à travers *L'Etranger* et *Le Rouge et le Noir* ». In: *RLM* 170—174 (1968), S. 93—146 [*AC 1*].

d'un condamné und *L'Etranger*. Auf Ähnlichkeiten und Unterschiede in dieser Gestaltung weist Marianne C. Forde [177] hin, die der fatalistischen Resignation von Hugos Helden Meursaults Durchbruch zur Freiheit im Tode gegenübersetzt.

Robert W. Webers Essay [178] befaßt sich mit drei typischen Vertretern des Byronismus. Wie seine Artgenossen Raskolnikow und Addie Bundren ist Meursault ein Adam vor dem Sündenfall, der schließlich zur Selbsterkenntnis gezwungen wird, sich aber tapfer der Lüge versagt. Als dämonischer Held nimmt er an einem Kreuzzug zur Eroberung des menschlichen Paradieses teil. Auch Sergei Hackel [179] geht der gemeinsamen Spur Raskolnikows und Meursaults nach, die beide zu einem Mord unter der Sonne führt. Textvergleiche ergeben, daß Camus mit dem *Etranger* zugleich Dostojewski seinen Tribut zollt und eine Dichterpolemik anfacht. Im Rahmen seiner Studie über den Justizirrtum als literarische Problematik kommt Wolfgang W. Holdheim [180] ebenfalls auf Dostojewskis Einfluß auf Camus, speziell auf *L'Etranger*, zu sprechen. In sehr gedrängter Weise erörtert er dabei das Thema des Vatermordes und die Strukturähnlichkeiten zwischen den *Brüdern Karamasow* und dem *Etranger*. Er hebt die falsche Auffassung des Realismus in vielen kritischen Stellungnahmen hervor, der er die Stilisierung und die Distanz zwischen Leser

[177] "Condemnation and imprisonment in *L'Etranger* and *Le dernier jour d'un condamné*". In: *RomN* 13 (1973), S. 211—216. Vgl. dazu auch Marie Naudin, Anm. 657.

[178] « Raskol'nikov, Addie Bundren, Meursault. Sur la continuité d'un mythe ». In: *Archiv* 202 (August 1965), S. 81—92.

[179] "Raskolnikov through the looking-glass: Dostoevsky and Camus' *L'Etranger*". In: *ConL* 9 (Spring 1968), S. 189—209. Eric Sellins "Meursault and Myshkin on execution: a parallel" (in: *RomN* 10 [Fall 1968], S. 11—14) schlägt den *Idioten* als mögliche Quelle des *Etranger* vor, versäumt es aber, biographisch wichtige Fakten im Zusammenhang mit dem Hinrichtungserlebnis anzuführen.

[180] „Erste Variation. Der Fremde". In: Ders., *Der Justizirrtum als literarische Problematik. Vergleichende Analyse eines erzählerischen Themas*. Berlin, de Gruyter, 1969, S. 43—80.

und Erzähler gegenüberstellt. Meursault ist ein *pour-soi*, der sich wie ein *en-soi* gebärdet. Die beiden Teile des Romans sind in ihrer komplementären Paradoxie zu sehen: Teil I deckt den Sinn der Sinnlosigkeit auf, Teil II zeigt die Sinnlosigkeit des Sinnes. Andere thematologische Fragen werden in dieser sehr ergiebigen Arbeit angeschnitten, so etwa der Zufall, die Spontaneität und das Groteske als Kategorien des Tragischen.

Daß E. de Goncourts *La Fille Elisa* aufgrund der Mordszene als mögliche Vorlage des *Etranger* in Betracht fällt, dürfte auch nach der Lektür von J. H. Matthews Essay [181] über den Naturalismus und das Absurde immer noch zweifelhaft sein. Die Unwahrscheinlichkeit dieser Vermutung wird denn auch von ihm selber bekräftigt, wenn er den Unterschieden der beiden Romane größere Bedeutung als den kaum nachweisbaren Ähnlichkeiten beimessen muß.

Aufschlußreich ist Patricia J. Johnsons Versuch [182], Bergsons *Le rire* als erzählstrategische Vorlage des *Etranger* zu erörtern. Ausgiebig zur Sprache kommt dabei die Form-, Bewegungs-, Sprach- und Situationskomik, zu kurz hingegen die Analyse der ironischen Elemente. Der Vergleich zwischen *La Nausée* und *L'Etranger* ist in der Camus-Literatur oft anzutreffen. Jean Guiguets Aufsatz [183] dürfte wohl eine der frühesten Arbeiten dieser Art sein. Roquentins Morbidität, Freude am Experiment und Intellektualismus stellt er Meursaults gesundheitsstrotzende Lebensauffassung und Indifferenz entgegen. Dem Roman Camus' gebührt der Vorrang, weil er unreflektiert den Bericht über eine Existenz vorlegt, wohingegen Sartres Werk fiktionalisierte Exi-

[181] "From naturalism to the absurd: Edmond de Goncourt and Camus". In: *Symposium* 22 (Fall 1968), S. 241—255.

[182] « Bergon's *Le Rire*: game plan for Camus' *L'Etranger*? » In: *FR* 47 (October 1973), S. 46—56.

[183] « Deux romans existentialistes: *La Nausée* et *L'Etranger* ». In: *FR* 23 (December 1949), S. 86—91. Dazu auch die einschlägigen Abschnitte in den allgemeinen Interpretationen Camus' oder des Prosawerks Camus'.

stenzphilosophie darstellt, eine Charakterisierung, die heute eher als zu schematisiert empfunden wird. Als weitere moderne französische Quelle des *Etranger* schlägt wiederum Patricia J. Johnson [184] Malraux' *Conquérants* vor, weil beide Romane von der Voruntersuchung eines Verbrechens dominiert werden. Diese Argumentierung entgeht nicht dem Verdacht des zufälligen, bestenfalls möglichen Parallelismus, der natürlich auch auf zahlreiche andere französische und nichtfranzösische Werke zutrifft.

Subtil fundiert untersucht Guido Favati [185] mögliche Kongruenzen zwischen Pirandellos *Uno, nessuno e centomilla* und *L'Etranger*, indem er vor allem auf die ähnlichen Persönlichkeitsstrukturen der beiden Protagonisten und die Schlüsselprobleme der Identität und Kommunikation hinweist.

Seit Sartres richtungweisenden Interpretation ist der *roman américain* des öfteren als eine der wichtigsten Quellensammlung für die Gestaltung Meursaults angekündigt worden. So glaubt auch Richard Lehan [186] den Symbolcharakter des Romans auf den Stil Hemingways und der amerikanischen Neorealisten zurückführen zu müssen, kraft dessen die Zwecklosigkeit, die Zufälligkeit des Mordes und Meursaults „kosmische" Indifferenz erklärt werden können. Im Vergleich ist Cains *The Postman Always Rings Twice* [187], trotz überraschender Ähnlichkeiten mit dem *Etranger*, ein zweitrangiges Werk, dem die symbolische Struktur fehlt. Auch Lehan erwähnt, allerdings eher beiläufig, Kafka, Malraux, Dostojewski und Moravia als mögliche Quellen.

[184] "A further source for Camus' *L'Etranger*". *RomN* 11 (Spring 1970), S. 465—468. Michel Blanchards « De *L'Immoraliste* à *L'Etranger*: Meursault est-il le fils de Michel: » (in: *La Revue de l'Elite européenne* 141 [juin 1962], S. 58—59) ist trotz der an sich plausiblen Hypothese nichts als eine Kurzstatistik der offensichtlichen Ähnlichkeiten.

[185] « In margine all'*Etranger* di Albert Camus: coincidenze con Luigi Pirandello ». In: *RLMC* 17 (Juni 1964), S. 136—149.

[186] "Camus' *L'Etranger* and American neorealism". *BA* 38 (Summer 1964), S. 233—238.

[187] Dazu auch David Madden, "James M. Cain's *The Postman Always Rings Twice* and Albert Camus' *L'Etranger*" (in: *PLL* 6 [Fall

Die Metaphorik und Allegorik in *Billy Budd* und dem *Etranger* vergleicht Leon S. Roudiez [188], der die Absurdität bei Melville und Camus vornehmlich in ihrer Entfremdungsfunktion behandelt und bei beiden Autoren christologische Elemente und unschuldiges Verbrechertum feststellt. Roger Shattuck [189] schließt zwar einen direkten Einfluß *Billy Budds* auf den *Etranger* aus, hebt aber in ausgewogener Weise auffallende Strukturähnlichkeiten und wichtige Stilunterschiede hervor. Besonders wichtig erscheint ihm die haut- und seelennahe Innenwelterzählung, die Meursault zur Selbsterkenntnis führt, in Billy aber keine sichtbare Änderung hervorruft. Eine weitere Parallele eröffnet Strother S. Purdy [190] in seinem Vergleich zwischen Dreisers *An American Tragedy* und dem *Etranger*. Einmal mehr geht aber auch hier eine komparatistische Studie nicht über die thematische Feststellung hinaus, daß es sich in beiden Fällen um die Geschichte eines Mannes handle, der zum Opfer seines Verbrechens wird.

Hispanistische Einflüsse dürften bei Camus' nie verhehlten Vorliebe für die iberische Zivilisation nicht überraschen (vgl. dazu Anm. 12 u. 380). Der synchronisch angelegte Vergleich zwischen dem französischen und kastilianischen Verbalsystem in Celas *La Familia de Pascual Duarte* und *L'Etranger* — beide Romane sind Icherzählungen zweier zum Tode verurteilten Individuen — führt Albert Barrera-Vidal [191] zur Feststellung, daß die Wahl des im spanischen Werk vorherrschenden *passé défini*

1970], S. 407—419), der einen Katalog formaler und inhaltlicher Parallelen aufstellt.

[188] "Strangers in Melville and Camus". In: *FR* 31 (1958), S. 217 bis 226. In französischer Fassung « Les étrangers chez Melville et Camus », in: *RLM* 64—66 (1961), S. 343—357.

[189] "Two inside narratives: *Billy Budd* and *L'Etranger*". In: *Texas Studies in Literature and Language* 4 (Autumn 1962), S. 314—320.

[190] "*An American Tragedy* and *L'Etranger*". In: *CL* 19 (Summer 1967), S. 252—268.

[191] « La perspective temporelle dans *L'Etranger* de Camus et dans *La Familia de Pascual Duarte* de José Camilo Cela ». In: *ZRP* 84 (1968), S. 309—322.

und im *Etranger* dominierenden *passé composé* nicht nach temporalen, sondern stilistischen Kriterien erfolgt ist. Kontrastiv interpretiert Mary Julia Dyer [192] die unter ähnlichen Umständen und im selben Jahr (1942) erschienenen Romane Celas und Camus', die auf einer grundverschiedenen Lebensphilosophie fußen. Sherman H. Eoff und José Schraibman [193] vergleichen schließlich *L'Etranger* mit Martín-Santos' *Tiempo de silencio*, indem sie den modernen Begriff des Absurden von der Cervantesschen Absurdität abheben. Beide Romane verbinden den sozialen Protest mit der physischen und metaphysischen Rebellion eines Durchschnittsbürgers, dem der Sühne- und Schuldgedanke fremd ist.

c) *La Peste*

Von den vier Bändchen [194], die der *Peste* gewidmet wurden, sind jene von Donald Haggis und Pol Gaillard am ergiebigsten, finden sich doch darin nicht nur die üblichen bio-bibliographischen Daten und thematischen Kommentare, sondern, bei Haggis, wertvolle Erläuterungen zur Entstehungsgeschichte, Metaphorik und zum Stil, bei Gaillard, eine Auseinandersetzung mit den zahlreichen, vornehmlich reservierten oder negativen Kritiken. Der letztere zerlegt denn auch Camus' „populärsten" Roman in seine ethischen (aktive Opposition gegen Unterdrückungsversu-

[192] « *L'Etranger* y *La Familia de Pascual Duarte*: un contraste de conceptos ». In: *PSA* 44 (März 1967), S. 265—301.

[193] « Dos novelas del absurdo: *L'Etranger* y *Tiempo de silencio* ». *PSA* 56 (März 1971), S. 213—241.

[194] Maurice Bruézière, *LA PESTE d'Albert Camus*, Paris, Hachette, 1972, 96 S. (Coll. « Lire aujourd'hui ») eine der Serie entsprechende schulbuchartige Einleitung; Gary Carey, *THE PLAGUE. Notes, including life of Camus, Camus and the absurd, list of characters, critical commentaries*, Lincoln, Nebraska, Cliff's 1967, 74 S. ist kritisch anspruchslos; Pol Gaillard, *LA PESTE. Analyse critique*, Paris, Hatier, 1972, 80 S. (Coll. « Profil d'une oeuvre »); Donald R. Haggis, *Camus: LA PESTE*, London, Edward Arnold, 1962 und 1970, 64 S.

che), metaphysischen (Meditation über die *condition humaine*)
und ästhetischen Komponenten (Erzähltechnik und Charakterologie). Gaillard ist sich bewußt, daß seine Untersuchung der
komplexen Erzählproblematik dem Roman nicht gerecht werden
kann, weshalb er ausdrücklich ihre vertiefte Behandlung fordert.

Mehr noch als *L'Etranger* hat *La Peste* eine Flut meist wohl-
gemeinter, oft aber nicht kompetenter Interpretationsversuche
verursacht, die die Auslese nicht eben erleichtern. Unter den besseren allgemeinen Betrachtungen findet man, allen voran, Etiem-
bles Kritik am falschen Realismus [195], die sich ebenfalls auf den
allegorischen Charakter des Romans erstreckt und Camus als
Opfer seiner inneren Gegensätze darstellt. Dagegen sieht Glauco
Natoli [196] — wie viele seiner italienischen Kollegen — in der
Peste einen Markstein der modernen französischen Prosa, der,
ohne Descartes' *doute méthodique* zu verneinen, genial Hoffnung und Verzweiflung ausbalanciert und sich als Chronik füglich mit Froissarts *Prise de Constantinople* messen kann. Germaine Brée [197] hebt Camus' Unvoraussagbarkeit hervor: Von
der individuellen Revolte im *Etranger* ist er zum kollektiven
Aufstand übergegangen, der im Artaudschen Doppelsymbolismus
der Pest sowohl im Roman als auch im *Etat de siège* seinen Nie-
derschlag findet und eine Übergangsphase in Camus' Denkweise
anzeigt. Den Zusammenhang zwischen dem Pest- und Belage-
rungsthema erläutert aufgrund einiger Charakteranalysen Philip
Jolivet [198], der die Frage der didaktischen Kunst aufwirft, mit

[195] « Peste ou péché? » In: *TM* 26 (novembre 1947), S. 911—920.
Ebenfalls in: Ders., *C'est le bouquet*, Paris, Gallimard, 1967, S. 237 bis
241.

[196] « A. C. o la lotta contro l'assurdo ». In: Ders., *Scrittori francesi,
situazioni ed espetti*, Firenze, La Nuova Italia, 1950, S. 161—173. Dazu auch: Ettore Bonora, « C. e la vocazione al romanzo ». In: Ders.,
Gli ipocriti di Malebolge e altri saggi di letteratura italiana e francese,
Milano, R. Ricciardi, 1953, S. 148—158.

[197] "A. C. and *The Plague*". In: *YFS* 8 (1951), S. 93—100.

[198] « Le motif de la peste chez A. C. ». In: *OL* 13 (1958), S. 163 bis
168.

der sich auch O. Wilson Clough befaßt [199]. Dieser unterscheidet den didaktischen *roman à thèse* vom „explorativen" Prosawerk, das nicht durch Thesen, sondern thematisch strukturiert wird. *La Peste* sollte als eine Parabel der wichtigsten Camus-Themen gelesen werden. Dem Absolutismus Othons und Paneloux' macht Camus, gemäß Emily Zants [200], gründlich den Prozeß, indem er der richterlichen und priesterlichen Gewalt die Selbstgenügsamkeit des menschlichen Relativismus gegenüberstellt, der vor allem die ärztlichen Betreuer eignet. L. Haroutunian [201], selber Arzt von Beruf, vergleicht die einander ähnlichen Pest-, Tuberkulose- und Bluthustensymptome. Da Camus an den beiden letzten litt, erscheint der ähnliche Krankheitsverlauf, den der Roman ja ausführlich schildert, in einem besonderen Licht. Auch Jean Starobinski [202] beschreibt als Arzt und Kritiker Camus' metaphysische Erhöhung des Pestsymbols. Er beruft sich dabei auf eine Unterredung, die er 1947 mit dem Dichter gehabt hat und minimisiert die Bedeutung des Quellenmaterials. Frappierend sind für ihn die systematische Verwechslung zwischen dem Henker und dem Gehenkten, der stilisierte Realismus sowie das überhöhte Arztmythos.

Stellvertretend für die zahlreichen kritischen Rezeptionen, die der Roman verursachte, sei André Wurmsers [203] Pseudoeinleitung genannt, die sehr ausfällig Camus' Mangel an Geschichtsbewußtsein und politischer Aktivität rügt. Der Aufsatz muß auf dem Hintergrund der Polemik nach der Publikation des *Homme ré-*

---

[199] "C.'s *The Plague*". In: *ColQ* 7 (Spring 1959), S. 389—404.

[200] "Relationship of judge and priest in *La Peste*". In: *FR* 37 (February 1964), S. 419—425.

[201] "A. C. and the white plague". In: *MLN* 79 (May 1964), S. 311—315. Dazu auch die *causerie* von Dr. A. Lacroix, « Les médecins dans l'oeuvre d'A. C. et plus particulièrement dans *La Peste* ». In: *Histoire de la Médecine* 16 (1966), S. 2—11.

[202] "A. C. and *The Plague*". In: *Ciba Symposium* 10 (1962), S. 62 bis 70.

[203] « Préface à *La Peste* ». In: *NCRMM* 160 (novembre 1964), S. 92—110.

volté (1951) gelesen werden, deren politische Hauptargumente von Wurmser ausgiebig und einseitig wiederholt werden. Die politische, menschliche und künstlerische Entstehungsgeschichte ist weit differenzierter dargestellt von Paul Sérant [204], der den Roman mit Camus' Bestrebungen während der Nachkriegsjahre in Zusammenhang bringt, die politische Aktion ethisch zu untermauern. Eine christliche Kritik des relativistischen Ethos Rieux' findet sich in David Andersons [205] Arbeit, die der tragischen Rebellion in der *Peste* zwar ihren Tribut zollt, ihr aber die Aktualisierung Gottes innerhalb eines absurden Existenzbezirkes als ebenso heldische Haltung gegenüberstellt. Eine der wenigen Arbeiten, die sich nicht nur oberflächlich mit den Beziehungen zwischen der *Peste* und der Résistance befaßt, ist Jacqueline Bernards [206] Aufsatz, der leider mehr anekdotischen als systemati-

---

[204] « Cahiers d'études: L'histoire des événements qui ont inspiré le roman et l'engagement politique d'A. C. ». In: A. C., *La Peste*, Paris, Culture, Art, Loisirs, 1969, S. 7—43 (Coll. « Bibliothèque de culture littéraire: les grands romans de notre temps »). Dazu auch Donald R. Haggis, « La Peste ». In: *FMonde* 38 (janvier—février 1966), S. 29 bis 33, der, wie schon in seinem in englischer Sprache erschienenen Essay (vgl. Anm. 194), die Quellen, die Symbolik, Zweideutigkeiten sowie ethische Implikationen erörtert.

[205] "The Sisyphean hero". In: Ders., *The Tragic Protest. A Christian Study of Some Modern Literature*, London, SCM Press, 1969; Richmond, John Knox Press, 1972, S. 82—103. Vegl. u. a. auch: A. Baltes, "A. C. La Peste". In: *NS* 9 (1958), S. 435—440; Albert Barrera-Vidal, « La Peste. Essai d'explication d'un extrait de l'oeuvre », in: *Praxis des neusprachlichen Unterrichts* 15 (1968), S. 115—122; Rober Kanters, « Moralistes et prophètes », in: ders., *Des écrivains et des hommes*, Paris, René Juillard, 1952, S. 183—191; Gaëtan Picon, « Remarques sur La Peste d'A. C. », in: *Fontaine* 61 (septembre 1947), S. 453—460 sowie in: ders., *L'usage de la lecture*, Paris, Mercure de France, 1960, S. 79—87; Pierre-André Stucki, « La Peste », in: ders., *Essai sur les catégories de l'histoire littéraire*, Neuchâtel, Messeiller, 1969, S. 35—39.

[206] "The background of *The Plague*: A. C.'s experience in the French Resistance". In: *KRQ* 14 (1967), S. 165—173. Mme. Bernard war C.'s Sekretärin. Dazu auch: Yvonne Guers-Villate, "A few notes concerning

schen Charakter besitzt. Die Parallelen zwischen dem Roman und den Arbeitsbedingungen innerhalb der Gruppe *Combat* sowie einige autobiographische Elemente (so die von Camus selber hervorgehobene Trennung von der Familie) sind bestenfalls angedeutet, in ihren literarischen Bezügen aber kaum behandelt.

Im Rahmen der literarischen und philosophischen Nachkriegsatmosphäre überrascht es kaum, daß *La Peste* vornehmlich inhalts-, nicht formproblematische Essays inspirierte. Die im Erscheinungsjahr 1947 veröffentlichten Interpretationen widerspiegeln ziemlich genau die bis heute ambivalente Reaktion der Kritik (aber nicht des Publikums). Auch wenn viele der damals vorgebrachten Argumente mehr politisch oder religiös als literarisch begründet waren, so ist die bereits erwähnte Ähnlichkeit des Tones zwischen der *Peste*-Literatur und jener über den *Homme révolté* nicht zu übersehen. Damit sei angedeutet, daß sich die Fronten für oder gegen Camus im stets regen Schrifttum über ihn nicht erst seit 1951 versteiften.

Krieg, Pest und *conditio humana* sind für Michel Carrouges [207] drei subtil orchestrierte Hauptmotive des symphonisch aufgebauten Romans. Die darin enthaltenen Zweideutigkeiten können allerdings nicht als sinnerweiternde Bereicherungen empfunden werden, sie vermindern im Gegenteil die Aussagekraft der aus-

Rambert in *The Plague*". In: *Renascence* 22 (1969—70), S. 218—222. Skizziert werden darin Ramberts Genesis in den *Carnets* und sein Journalismus, der mit Camus' verglichen wird. Auch Rieux' und Darus (in « L'Hôte ») Zurückhaltung werden von ihr autobiographisch erläutert und auf C.'s Ablehnung zurückgeführt, andere mit seinen inneren Zwisten zu belästigen. Vgl. « Rieux et Daru ou le refus délibéré d'influencer autrui », in: *PLL* 3 (1967), S. 229—236. Für Rosa Chacel (« Breve exegesis de *La Peste* », in: *Sur* 169 [November 1948], S. 65 bis 82) stellen Rieux und Tarrou zwei Seiten Camus' dar: seine intellektuelle und seine menschlich-poetische. Diese personalisierte Bipolarität wurde in der *Peste*-Literatur recht oft vertreten und von Camus nicht ungern gesehen.

[207] « La philosophie de *La Peste* ». In: *La Vie Intellectuelle* 7 (juillet 1947), S. 136—141.

tauschbaren Pest- und Kriegssymbole und lassen Paneloux' Intransigenz und Mangel an Nächstenliebe unglaubwürdig erscheinen. Schärfer noch gehen Georges Bataille [208] und Jean Pouillon [209] mit Camus ins Gericht. Bataille vergleicht Camus' Abscheu vor dem legalisierten Mord einer Hinrichtung mit jener Sades und kreidet dem Autor der *Peste* an, die authentische Kirche des Lasters, der er kraft *Caligulas* und des *Malentendus* angehörte, verlassen zu haben. Pouillons Argumentation ist stringenter: Der nostalgische Optimismus des Romans ist nichts als eine pathetische Version der Camusschen Absurdität, mit der das Übel in der *Peste* zum exemplarischen Dekor und das Buch zum idealisierten Résistance-Bild gemacht werden. Der dialektisch nie überwundene Gegensatz Mensch—Welt, aus dessen Fundus die gesamte Absurditätsthese gespeist wird, läßt Camus in einer sterilen Weltanschauung verharren.

Als Psychiater diskutiert R. Laforgue [210] die Psychologie des Kollektivs im Roman. Cottard ist ein Paradebeispiel für den Konflikt zwischen dem Ich und dem latente Schuldgefühle vermittelnden Über-Ich, das ihn schließlich in den sozialen Desintegrationsprozeß stürzt. Kraft der schon in den *Lettres à un ami allemand* signalisierten und in der *Peste* gleichsam zementierten moralischen „Evolution" läßt Mario Gozzini [211] Camus das Ende des Zeitalters des Individualismus verkünden, dem er, unter dem Banne von Nietzsches Voluntarismus stehend, in seiner Jugend frönte. Eine der literarisch feinfühligsten unter den frühen Interpretationen findet sich in Victor Steigers [212] leider wenig bekann-

[208] « La morale du malheur: *La Peste* ». In: *Critique* 13 (juin—juillet 1947), S. 3—15.

[209] « L'optimisme de C. ». In: *TM* 26 (novembre 1947), S. 921—929.

[210] « *La Peste* et la vertu ». In: *Psyché* (avril—mai 1948), S. 406 bis 420.

[211] « C., l'uomo e *La Peste* ». In: *Ultima* 30 (25. Februar 1948), S. 21—28.

[212] « *La Peste* d'A. C. Essai d'interprétation ». In: *Jahresbericht der Aargauischen Kantonsschule 1951/52*, Aarau, H. R. Sauerländer, 1952, S. 53—74.

tem Essay. Von dem erwachenden Selbstbewußtsein und der *éthique de quantité* ausgehend, erläutert er die kriegsbedingten Einflüsse, um sich dann aber auch gründlich der ästhetischen Lesart zuzuwenden, in der ausführlich strukturale und erzähltechnische Charakteristika in ihren Zusammenhängen mit drei Interpretationsstufen analysiert werden: Belagerung, Gewalttätigkeit und Totalitarismus, metaphysische Angst. Gemäß Roland Barthes[213] gehört *La Peste* nicht zum Genre der Chronik, sie ist vielmehr der Gründungsakt einer umfassenden Ethik der Freundschaft. Orans labyrinthische Architektur macht die Stadt zur prädestinierten Falle, deren Bürger und Opfer die Pest zur Selbstfindung geradezu herbeifordern. Um der Geschichte zu entgehen, verwandelt Camus im Roman die isolationistische Luzidität in eine vage altruistische Ethik. Der moralische Imperativ der *Peste* veranlaßt Angelo P. Bertocci[214], sie als *roman à thèse* zu verurteilen, in dem Camus eben gegen jene Prinzipien verstößt, die er im *Mythe de Sisyphe* als für den Roman wegweisend hinstellte. Konventionell interpretiert P.-M. Borel[215] den Symbolgehalt der Pest und der Personen. Camus' Chronik wird als bekennerisches Dokument seiner Abkehr vom absurdistischen Absolutismus gedeutet. Eine der nuanciertesten kritischen Interpretationen in italienischer Sprache liefert Gianni Nicoletti.[216] Der chronikale Genre ist Camus' stilistisches und rhetorisches Hauptmittel, mit dem er sein ethisches Anliegen vorbringt. Da-

---

[213] « *La Peste*. Annales d'une épidémie ou roman de la solitude? ». In: *Club* (février 1955), S. 4—8. Dazu Camus' « Lettre à R. Barthes », *ibid.*, S. 7, auch in: *TRN*, S. 1965—1967, in dem der Vorwurf des Antihistorismus zurückgewiesen und die Mehrstufigkeit der Bedeutungsebenen unterstrichen wird.

[214] "C.'s *La Peste* and the absurd". In: *RR* 49 (February 1958), S. 33—41.

[215] « Qu'est-ce que la peste et comment la combattre? ». In: *Les Cahiers de la Licorne* 4 (1958), S. 25—39. Dazu C.'s zustimmender Brief von 1947, *ibid.*, S. 40—41.

[216] « La cronaca di C. ». In: *Convivium* 28 (Januar—Februar 1960), S. 83—88.

bei entgeht er allerdings nicht der Gefahr, sein monistisches Weltbild einer übersteigerten ästhetischen Kohärenz unterzuordnen. Wie Paneloux erliegt er dem Exzeß seiner Ordnungsliebe. Ohne politischen Unterton, der bei vielen französischen Rezensenten unüberhörbar ist, verfolgt George Kateb [217] die symbolische Funktion der Seuche. Die Fragwürdigkeit ihrer Wahl ist darin begründet, daß sie den menschlichen Verantwortungskreis und damit die von Camus selber geforderten Grenzen durchbricht. Mit einer Ethik der Ehrlichkeit und Sittsamkeit kann man den irrationalen Angriffen der Geißel nicht beikommen, weshalb die Pest in Camus' Roman kein einheitsstiftendes, sondern ein verwirrendes Symbol ist. In Joseph Grands tragikomischen Ausdrucksunvermögen stellt Edwin T. Grobe [218] die Verzweiflung des modernen abendländischen Denkens fest. Diese Lesart des nie vollendeten ersten Satzes von Grands „Roman" unterschätzt die primär ironisch gemeinte Funktion der Figur. Religionsphilosophisch begründet ist George Ladds [219] Ablehnung des in der *Peste* gepredigten aktiven Relativismus. In seinem Kampf gegen das Absolute mußte Camus unterliegen, da ein Sieg der relativistischen Kräfte das Ende der metaphysischen Rebellion andeuten würde. Mit einer kürzlich erschienenen Studie von Frank P. Neilson [220] scheint sich der Kreis der inhaltsorientierten

[217] "C.'s *La Peste*: a dissenting view". In: *Symposium* 17 (Winter 1963), S. 292—303.

[218] "C. and the parable of the perfect sentence". In: *Symposium* 24 (Fall 1970), S. 254—261.

[219] "Rebellion and the death of hope: a study of *The Plague*". In: *Religion in Life* 39 (Autumn 1970), S. 371—381. Den Konflikt zwischen göttlicher und menschlicher Moral analysiert auch Paul Lecollier in « Sur la Peste d'A. C. ». In: *Les Cahiers rationalistes* 244 (février 1967), S. 21—48.

[220] "*The Plague*: C.'s pro-fascist allegory". In: *Literature and Ideology* 15 (1973), S. 17—26. Weitere Beiträge zur ethischen Frage: Paul Henderickx, « Comment les personnages de *La Peste* font-ils vivre la pensée de C.? ». In: *RLV* 30 (mars—avril 1964), S. 99—120. Nicht eben scharfsinnig sind Heilwig Eulenburgs psychologische Erklärungen der

Interpretation vorderhand wieder zu schließen. Der schon im Titel ersichtliche politische Positionsbezug führt den Autor zum kaum ernst zu nehmenden Schluß, *La Peste* als profaschistische Allegorie versuche, nichtsahnende Leser in der antikommunistischen Wiege des halbherzigen Aktivismus einzulullen.

Ästhetisch und stilistisch orientierte Arbeiten über *La Peste* sind nicht gerade Legion. Wenn auch John Cruickshank [221] das Geflecht der Symbole, Figuren und Gegenstände in ihrer allegorischen Funktion durchleuchtet, kommt er unvermeidlich wieder auf die im *Homme révolté* entwickelte Form-Inhalt Dialektik und auf Camus' Haltung gegenüber der Geschichte zu sprechen, was natürlich der Anlage der Studie zuzuschreiben ist. Cruickshank meint, die Pest sei ein Symbol, dessen Wert auf der politischen Ebene eher zweifelhaft, auf der künstlerischen Stufe aber befriedigend ist. Die bis heute immer noch bedeutendste Arbeit über das Formproblem ist ohne Zweifel Alfred Noyer-Weidners [222] umfassende Studie. Sie verbindet kompetent Quellen- und Genrefragen mit grundsätzlichen Stil- und Strukturproblemen. Nach einer Kurzgeschichte der Chronik als Genre und einem Vergleich von Camus' Roman mit de'Angelis *Peste a Urana* (vgl. dazu Anm. 229), erörtert Noyer-Weidner die Statik von

Leidensbewältigung in *La Peste: Bewältigung des Leidens im französischen Roman nach dem zweiten Weltkrieg*, München, Max Hübner, 1967, S. 13—20. Vgl. auch John Dosta, « *La Peste* d'A. C. dans l'esprit catholique ». In: *RUL* 19 (janvier 1965), S. 459—468; F. Goossens, « Présentation de *La Peste* », in: S. Renard et J. Gueritte [éd.], *Le chrétien devant le mal*, Paris, Ed. St. Paul, 1949, S. 19—22; Gaston R. Renaud, « Saint Tarrou, martyr laïque ou C. et le problème de la sainteté », in: *RUO* 41 (1971), S. 322—330; Kurt Reinhardt, "A. C.: *The Plague*", in: ders., *The Theological Novel of Modern Europe*, New York, Ungar, 1969, S. 155—169.

[221] "The art of allegory in *La Peste*". In: *Symposium* 11 (Spring 1957), S. 61—74.

[222] „Das Formproblem der *Pest* von A. C.". In: *GRM* 8 (1958), S. 260—285. Vgl. auch die der *Peste* gewidmeten 8. Nr. der Camus-Serie (*RLM*), die bis jetzt noch nicht erschienen ist.

Camus' Stil, der im Gegensatz zur epischen Tradition versucht, individuelle Kräfte und Leidenschaften zum kollektiven Fatum zu erhöhen. Die verschiedenen Inhaltsstufen werden durch einheitsstiftende Strukturen verbunden. Ebenfalls zur Sprache kommen die der *Peste* eigenen Ironie und Stileinheit, nicht aber nachweisbare Schwächen im Aufbau des Romans. Die Mehrstufigkeit der Metaphorik hebt ebenfalls Josef Heistein [223] hervor, der die Polyvalenz des Pestthemas von den Notizen zu den medizinischen Problemen bis zum *Etat de siège* verfolgt. *La Peste* kontaminiert die symbolischen, allegorischen und mythischen Ebenen der Erzählung.

Gilbert Guisan [224] anerkennt den einheitlich neutralisierenden Stil Rieux' nur bedingt. Schon bald ist der Arzt nicht mehr in der Lage, seine Gefühlsausbrüche zu unterdrücken, und vom zweiten Teil an erleben wir eine erfaßbare Steigerung seiner Subjektivität, ein subtiles Gemisch von Stilen, die bald Rieux als handelnde Figur oder als Erzähler, bald Camus als Autor zuzuordnen sind. Die in der Peste nur scheinbar weniger wichtige Tempusfrage greift Edwie T. Grobe [225] einmal mehr auf, der im unvermittelt auftauchenden *passé simple* in Tarrous Beichte eine grammatische und eine ethische Komponente sieht: Kraft der Tempuswahl verleiht Tarrou seinem Bericht einen didaktischen und einen extratemporalen Status. Damit wird seine Beichte auf die Stufe eines objektiven Berichtes über sein geistiges Wachstum erhoben. Die repräsentative Funktion der Sprache im Roman untersuchte Jere Tarle [226] anhand von Beispielen, die ihm die

[223] « L'allégorie de la peste camusienne ». In: *Romanica Wratislaviensia* 1 (1968), S. 33—45.

[224] « Esquisse stylistique de *La Peste* ». In: C. A. I. E. F. 16 (mars 1964), S. 31—41.

[225] "Tarrou's confession: the ethical force of the past definite". In: *FR* 39 (February 1966), S. 550—558.

[226] « Sur le style, la signification et la vraisemblance de *La Peste* d'A. C. ». In: *Mirko Deanovič octogenario in honorem. Studia Romanica et Anglica Zagrabiensia* 29—32 (1970—71), S. 197—205. Dazu auch die im lehrmeisterlichen Ton verf. Bemerkungen von Criticus alias

Hauptpersonen liefern. Es stellt sich heraus, daß Sprache für Camus und seine Figuren in erster Linie einen Sieg über das Schweigen und Verschweigen bedeutet. Sein ambivalenter Stil ist ein Spiel mit zwei Kulturhintergründen des gebildeten Lesers: dem realistischen und dem klassischen.

Im Vergleich zum *Etranger* und trotz zahlreicher bedeutender Vorläufer, die das Pestthema künstlerisch gestalten, sind komparatistische Arbeiten über Camus' Roman wie die stilistischen und erzähltechnischen eher dünn gesät. Eine Einführung in das Problem liefert Karl Büchner [227], der in der Darstellung kollektiver Verhaltensweisen während der Seuchenzeit den Ausdruck des Zeitgeistes zu lesen versucht. Als Quellenstudie kann aber sein Beitrag nicht gewertet werden. Den literarischen Stellenwert und die erzählerische Gestaltung der Pest bei Boccaccio, Manzoni und Camus untersucht M. F. Maggioni [228]. Für Boccaccio ist die Seuche bloßer Rahmen der Erzählung, bei Manzoni tritt sie als Stimme Gottes auf, und Camus macht aus ihr schließlich einen realistischen Protagonisten. Bald nach dem Erscheinen des Romans (1947) wurden Stimmen laut, die Camus des Plagiats von R. M. de'Angelis *La Peste a Urana* (1943) verdächtigten oder kurzerhand bezichtigten. Stellung zum Problem nehmen A. R. Chisholm und, fundierter, André Lebois [229], die beide die Ober-

Marcel Berger, «A. C., *La Peste*». In: Ders., *Le style au microscope: jeunes gloires*, Paris, Calman—Lévy, 1951, Bd. II, S. 43—63.

[227] „Die Pest. Ihre Darstellung bei Thukydides, Lukrez, Montaigne und C.". In: Ders., *Humanitas romana*, Heidelberg, Carl Winter, 1957, S. 64—79. Charles Glicksberg ("The novel and the plague", in: *University of Kansas City Review* 21 [Autumn 1954], S. 55—62) geht dem Verhältnis der Angst zu der von ihr produzierten Werten in Pestdarstellungen nach.

[228] « La peste di Boccaccio, Manzoni e C. ». In: *Realtà* 5 (März bis April 1955), S. 18—20.

[229] A. R. Chisholm, "Was C. a plagiarist?". In: *Meanjin* 9 (Winter 1950), S. 131—133; André Lebois, « Peste à Urana et peste à Oran ». In: *RLC* 4 (octobre—décembre 1952), S. 465—476. Später erneuerte Carlo Fonda die Debatte, ohne aber seine Vermutungen glaubwürdig

flächlichkeit der Ähnlichkeiten zwischen den zwei Romanen unterstreichen und den Verdacht, trotz Camus' wahrscheinlicher Kenntnis des zeitgenössischen italienischen Werkes, von der Hand weisen. Beide sind sich über die künstlerische Überlegenheit der *Peste a Urana* einig. Unter den unzähligen möglichen literarischen Parallelen greift Ellen D. Leyburn [230] in nicht sehr überzeugender Weise jene mit S. Johnsons *Rasselas, Prince of Abyssinia* heraus. Auch Joseph Sungolowskys [231] vergleichende Lektüre der *Peste* und *Germinals* geht nicht über die fast unbegrenzt anwendbare Feststellung hinaus, daß es sich um zwei „absurde" Romane handle, die zur Revolte gegen das Schicksal aufrufen.

d) *La Chute*

La Chute (1956) erschien weniger als ein Jahrzehnt nach der *Peste*, mitten in der „algerischen Tragödie" und säte unter jenen Anhängern Camus', die in ihm den Verfechter eines definitionsträchtigen abendländischen Neuhumanismus sahen, so viel Zweifel und Benommenheit, daß ihre Reaktionen an die hitzigen Debatten anläßlich der Publikation des zweiten Romans und vor allem des *Homme révolté* (1951) gemahnten. Nur waren diesmal die Fronten vertauscht: Viele von Camus' schärfsten Kritiker der späten vierziger und frühen fünfziger Jahre — unter ihnen Sartre — glaubten mit der *Chute* das Wiedererwachen des frühen, „authentischen" Kämpfers und Dichters des *Etranger* und des *Mythe de Sisyphe* feiern zu können. Dagegen vertraten die aus dem Tritt gebrachten Anhänger die Meinung, es handle sich bei der *Chute* bloß um eine Art Betriebsunfall, um eine einmalige

zu untermauern. Vgl. « Les accusations de plagiat portées contre C. à propos de *La Peste* ». In: *Culture* 27 (mars 1966), S. 3—8.

[230] "The allegorical treatments of man: Rasselas and *La Peste*". In: *Criticism* 4 (Summer 1962), S. 197—209.

[231] « Vue sur *Germinal* après une lecture de *La Peste* ». In: *CNat* 16 (1970), S. 42—48.

Entgleisung. Einerseits bewies Camus' Vielseitigkeit einmal mehr, daß ihm weder mit wohlgemeinten Clichés noch mit vergifteten Pfeilen beizukommen war, andererseits setzte er sich verstärkt dem Vorwurf aus, ein Chamäleon oder Proteus zu sein, dem es in erster Linie um Camouflage und Vertagung des Positionsbezuges ging. Besonnenere Leser versuchten, den Roman als Indiz eines langwierigen Läuterungsprozesses zu sehen, wobei sich allerdings nicht wenige theologisch inspirierte Rezensenten auf die Behauptung verstiegen, Camus' Bekehrung zum Christentum stehe unmittelbar bevor.

Von den der *Chute* gewidmeten Büchern empfiehlt sich als fein abgestufte Einleitung Pierre-Louis Reys [232] *La Chute. Analyse critique,* die einen guten Überblick über die biographischen Hintergründe und möglichen Quellen des Textes vermittelt (Baudelaire, Nietzsche, Kafka, Buzzati, Dostojewski werden erwähnt, nicht aber Dante, Green, Des Forêts, Pirandello u. a. m.). Die Genesis des Romans und dessen Platz in Camus' Gesamtwerk werden kurz erläutert. Von größerer Bedeutung ist aber die Diskussion des Genreproblemes des *récit* und die damit zusammenhängenden theatralischen Elemente. Die in Saigon publizierte Diplomarbeit Phan Thi Ngoc-Mais [233] liegt nun in revidierter Fassung vor. Sie behandelt einen weit über den Rahmen der *Chute* hinausgehenden Fragenkomplex, nämlich die Beziehungen zwischen Zweideutigkeit, Ambivalenz und Duplizität. Clamence erscheint als Opfer seiner zum System erhobenen Ambiguität und läßt den, allerdings anfechtbaren, Schluß zu, sein vom Satanismus geprägtes Benehmen sei ein verkappter Ausdruck von Camus' Erlösungsnostalgie. Ernest Sturms [234] vergleichende Stu-

[232] Paris, Hatier, 1970, 79 S. (Coll. « Profil d'une oeuvre », no. 1).

[233] *De la responsabilité selon LA CHUTE,* Saigon, Les Presses de Kim Lai An Quan, 1971, 329; Revidierte Fassung in Zusammenarbeit mit Pierre N. Van-Huy: *LA CHUTE de C. ou le dernier testament. Etude du message camusien de responsabilité et d'authenticité selon LA CHUTE,* Neuchâtel, La Baconnière, 1974, 240 S.

[234] *Conscience et impuissance chez Dostoïevski et Camus. Parallèle entre LE SOUS-SOL et LA CHUTE,* Paris, Nizet, 1967, 125 S.

die erfüllt zwar die in sie gesetzten Erwartungen nicht, skizziert aber das schwierige Problem des Einflusses von Dostojewski, von dem im Abschnitt über komparatistische Arbeiten vermehrt die Rede sein wird (vgl. Anm. 275—281).

Die der *Chute* gewidmete Nummer der Camus-Serie (*AC 3*) enthält zwei kurze Forschungsberichte von A. Abbou und B. T. Fitch [235], die eine Auswahl der kritischen Literatur von 1956 bis 1970 sichten. Die meisten allgemeinen Betrachtungen und Einführungen sind thematisch orientiert und befassen sich vorwiegend mit dem Fall- und Schuldmotiv oder zeit- und biographisch bedingten Hintergründen. Von einigen Ausnahmen abgesehen, richtet sich das Interesse anfänglich auf ideologische oder politische Fragen, was natürlich der noch in frischer Erinnerung stehenden Polemik mit den *Temps modernes* (August 1952) zuzuschreiben ist. *La Chute* wird weniger als ein von seiner Eigengesetzlichkeit bestimmter Roman gelesen als ein Dokument der persönlichen Rechtfertigung oder ein Katalog psychoanalytischer Symptome des Autors. [236] Als Allegorie eines Mannes, der

[235] A. Abbou, « La Chute et ses lecteurs. I. Jusqu'en 1962 ». In: *RLM* 238—244 (1970), S. 9—19. B. T. Fitch, « La chute et ses lecteurs. II. Depuis 1962 ». In: *Ibid.*, S. 20—32 [*AC 3*].

[236] Vgl. etwa: Louis Allen, "A. C.: *La Chute*", in: *Downside Review* 75 (Summer 1957), S. 259—274; Sanford Ames, « *La Chute*: from summitry to speleology », in: *FR* 39 (February 1966), S. 559—566; John Cruickshank, « Camus: *La Chute* », in: Peter H. Nurse [ed.], *The Art of Criticism*, Edinburgh, Edinburgh University Press, 1969, S. 301—311; Daniel Durosay, « Présentation de *La Chute* », in: *FMonde* (avril—mai 1970), S. 25—34; Olivier de Magny, « Un juge qui plaide coupable », in: *Monde nouveau-paru* 11 (juillet 1956), S. 74—79; John W. Moore, "C. and *The Fall*", in: *Kinesis* 2 (Fall 1969), S. 52—60; William R. Mueller, "The theme of the fall: A. C.'s *The Fall*", in: ders., *The Prophetic Voice in Modern Fiction*, New York, Association Press, 1959, S. 56—82; Gaëtan Picon, « *La Chute* d'A. C. », in: *Mercure* 327 (août 1956), S. 688—693 sowie in: ders., *L'Usage de la lecture*, Paris, Mercure de France, 1961, S. 163—174; Gunnar von Proschwitz, "C.: *La Chute*", in: *MSpr* 54 (1960), S. 384—395; Robert J. Starrat, "An Analysis of A. C.'s *The Fall*", in: *Cithara* 1 (1969), S. 27—38;

sich im Netz der Forderungen seiner Zeit verstrickt und aus seinen Sünden eine Tugend macht, schildert *La Chute* angeblich Camus' Rückzug ins Refugium der sterilen Selbstbetrachtung. Clamence, der zu oft kurzerhand mit Camus identifiziert wird, ist ein trickreicher Spiegelfechter, dessen Aufruf zur Anerkennung der Kollektivschuld bei näherem Zusehen hohl tönt. Auch über das meist unsystematisch aufgeworfene Formproblem gehen die Meinungen weit auseinander (vgl. etwa Picon und Arland, Anm. 236 u. 237). Die von Marcel Arland [237] hervorgehobene Ambiguität des Stiles und der Person wird von Roger Quilliot [238] als Reaktion auf einen umfassenden politischen und ästhetischen Illusionsverlust, als ein Akt der öffentlichen Selbstreinigung gedeutet. Wenn Maurice Blanchot [239] Clamences — und nicht etwa Camus' — Ironie als Eskapismus taxiert, der sich im freien Fall der Wörter seines Geschwafels ausdrückt, so erblickt Felix Rysten [240] in ihr einen von negativen christlichen Symbolen durchtränkten Protest gegen jegliche Ideologie. Clamences theatralische Gestik und Diktion führt John J. Lakich [241] dazu, aus ihm eine Parodie des klassischen Theaterhelden zu machen, von der Camus' eigene dramaturgischen Schwierigkeiten der fünfziger Jahre nicht ausgenommen sind. Clamences Katharsis erfolgt in seiner clownesken Umstürzung der bürgerlichen Wertpyrami-

Warren Tucker, « *La Chute*: Voie du salut terrestre », in: *FR* 43 (April 1970), S. 737—744.

[237] « *La Chute* ». In: *NNRF* 8 (juillet 1956), S. 123—127.

[238] « Un monde ambigu ». In: *Preuves* 110 (avril 1960), S. 28—38 sowie in: ders., *La mer et les prisons*, zweite, erweiterte Aufl., Paris, Gallimard, 1970, S. 98—103. Vgl. dazu auch W. D. Redfern, "C. and confusion". In: *Symposium* 20 (1966), S. 329—342.

[239] « La confession dédaigneuse » .In: *NNRF* 4 (1956), S. 1050 bis 1056 sowie in: ders., *L'Amitié*, Paris, Gallimard, 1972, S. 228—235.

[240] *False Prophets in the Fiction of Camus, Dostoevsky, Melville, and Others*, Coral Gables, Univ. of Miami Press, 1972, S. 52—70.

[241] "Tragedy and satanism in C.'s *La Chute*". In: *Symposium* 24 (1970), S. 262—276. Dazu auch J. P. Samson, «Humanisme et péché ». In: *Témoins* 15—16 (Hiver-printemps 1957), S. 17—25.

de, der *dénouement* des Romans versetzt sowohl den Protagonisten als auch den Leser in einen ausweglosen Teufelskreis.

Claude Mauriac [242] vergleicht Camus' Wort- und Metaphernvirtuosität mit jener Barrès': Beide Schriftsteller zersprühen ein verbales Feuerwerk, das zuerst fasziniert, bei näherer Betrachtung aber enttäuscht. In einem mutigen Selbst-Verleugnungsakt kehrt Camus in seinem Roman den Spieß allerdings um und richtet ihn gegen sich selbst. Leider greift er wieder zum selben Trick, den er schon im *Homme révolté* angewandt hat: Indem er auf unlösbaren Gegensätzen und der allgemeinen Selbstanklage beharrt, schafft er beim Leser die gewünschte Aufnahmebereitschaft für das Schuldbewußtsein. Mit dem Todes- und Urteilsthema schließt sich, gemäß Carl A. Viggiani [243], der schon beim frühen Camus ersichtliche Themenzyklus. *La Chute* deutet gleichzeitig auf eine sich abzeichnende Entwicklung hin, die ihn im unvollendeten *Premier homme* den Dichterpropheten Dostojewski und Nietzsche noch näher gerückt hätte. Gefängnis, Turm von Babel, Fuchshöhle, Labyrinth, Zimmer, Balkon, usw. sind endlose Variationen eines monothematisch veranlagten Talentes. Mit seinem letzten veröffentlichten Roman, glaubt Anne-Marie Amiot [244] zu erkennen, führe Camus diese selbstgewählte Themenarmut konsequent zu dem sich schon in den Frühwerken abzeichnenden Schluß: Philosophie und Ideologie werden endgültig der Poesie geopfert, der metonymische Aspekt des Stils nimmt vollends überhand. Fast so trickreich wie der Autor mit dem Leser geht Allen H. Whartenby [245] mit Clamences Camouflage des Gesprächpartners vor. Anhand offener und versteckter Textbelege rekonstruiert er eine Art Dialog, in dem der unsichtbare Teil-

---

[242] « A. C. ». In: Ders., *L'allitérature contemporaine*, Paris, Albin Michel, 1958, S. 107—120.

[243] "C. and the fall from innocence". In: *YFS* 25 (Spring 1960), S. 65—71.

[244] « *La Chute* ou de la prison au labyrinthe ». In: *Annales de la Faculté des Lettres et Sciences humaines de Nice* 2 (1967), S. 121—130.

[245] "The interlocutor in *La Chute*: A key to its meaning". In: *PMLA* 83 (October 1968), S. 1326—1333.

nehmer dem Leser gestattet, Clamence mit den Augen Camus',
d. h. kritisch distanziert zu sehen. Nach wie vor ist Adele
Kings [246] Interpretation eine der empfehlenswertesten Einfüh-
rungslektüren. Autobiographische, historische und literarische
Elemente werden in ihrer Strukturbezogenheit gründlich analysiert. Von besonderem Interesse sind ihre Funktionsanalysen der
Ironie, Parodie und Satire. Clamence bewegt sich offensichtlich
in einem urbanen Inferno, in dem ihm gleichzeitig mehrere
Rollen aufgebürdet werden, von denen er aber keine voll aus-
spielt. Das Fallthema wird in seinen vielfachen Modalitäten von
Brian T. Fitch [247] aufgrund einer detaillierten Besprechung der
mehrschichtigen Metaphorik (so etwa der verschiedenen Anwen-
dungsformen des Verbes « glisser ») analysiert. Die ästhetische
Kohärenz des Romans ist nicht nur dem Erzähler, sondern in
besonderem Maße der einheitsstiftenden Bildstrategie zuzuschreiben. Roger Quilliot [248] wendet sich Clamences Manieriertheit zu
und weist vor allem auf das Masken- und introspektive Spiegel-
spiel sowie auf die Ähnlichkeit mit Meursault hin. Übersteigerte
Luzidität, der Camus wie auch dem *dédoublement* bekanntlich
mehrere Eintragungen in den *Carnets* widmete, führt bei Clamence zum Verfolgungswahn und verunmöglicht schließlich die
klare Unterscheidung zwischen Verschleierung und Enthüllung,
Traum und Wirklichkeit. Clamences von Lügen und Halbwahr-
heiten gespickte Pseudobeichte gehört zur Tradition der seit dem
19. Jahrhundert verbreiteten unglaubwürdigen Konfessions-
literatur, die Jacqueline Lévi-Valensi [249] kurz darstellt. Meur-

[246] "Structure and meaning in *La Chute*". In: *PMLA* 77 (December
1962), S. 660—667.

[247] « Clamence en chute libre. La cohérence imaginaire de *La
Chute* ». In: R. Gay-Crosier [éd.], *Albert Camus 1970*, Sherbrooke,
Faculté des Arts, 1970, S. 47—68.

[248] « Clamence et son masque ». In: *RLM* 238—244 (1970), S. 81 bis
100 [*AC 3*].

[249] « *La Chute* ou la parole en procès ». In: *RLM* 238—244 (1970),
S. 33—57 [AC 3].

sault scheint das Opfer, Clamence der Meister der legalistisch verbrämten Rhetorik zu sein. Die von seinem nervösen Lachen skandierte Phraseologie des letzteren macht nicht nur den überlieferten kulturellen Werten den Prozeß, sondern der verbalen Artikulation schlechthin.

Philosophische und theologische Interpretationen der *Chute* sind, wie bereits erwähnt, durch die zum Teil in krassem Widerspruch stehenden Schlußfolgerungen gekennzeichnet. Enttäuschte Bewunderer von Camus' „Lauterkeit" und — tatsächlich nicht bestehenden — klaren und einfachen Aussage vermuten etwa, der Roman sei ein verspäteter Gegenangriff auf die Existentialisten und Sartre, in dem Camus die ihm üblicherweise vorhandene *générosité* vermissen läßt. Andere wieder sehen Rieux' kategorischen Sozialimperativ bedroht und bezichtigen den Dichterphilosophen des ihm schlecht stehenden nihilistischen Zweckzynismus, der sich um so verheerender auswirkt, als die abendländischen Werte im Zeitalter des kalten Krieges einer fünften Kolonne nicht bedürfen. Die „Entgleisung" der *Chute* wird auch mit den persönlichen Problemen des Autors in Zusammenhang gebracht, die in den mittleren fünfziger Jahren seine Gefühlswelt durcheinander brachten. [250] Überhaupt besteht in der frühen Literatur über den Roman die Tendenz, die Studie des *Falls* in eine Fallstudie umzufunktionieren, die sich ungeachtet der werkimmanenten Elemente gleichsam außerhalb des *récit* abspielt. So wird etwa das Prozeßthema universalisiert und *La Chute* als ein Totalangriff auf die dem europäischen *way of life* eigene Mischung von abgekartetem Konformismus und selbst-

---

[250] Dazu etwa: Carlo Fonda, « *La Chute* ou de la mauvaise foi dans les relations humaines », in: *Culture* 28 (septembre 1967), S. 293—303; Luigi Losito, « *La Chute* », in: ders., *Libri, profili e fatti di Francia*, Bari, Culture française, 1963, S. 19—22; Dante della Terza, « *La Chûte* » [sic], in: *Belfagor* 12 (Mai 1957), S. 346—350; Jean A. Mazoyer, « A propos de *La Chute* d'A. C. », in: *Comprendre* 17 (1957), s. S. 220—222; Nicola Chiaromonte, « C. e la rivolta dell'individuo », in: *TPr* 1 (July 1956), S. 317—319.

zerstörerischem Kritizismus interpretiert. Clamence tritt als luzider Jedermann auf, der sich in der Hölle der Selbstbespiegelung und Verdammung zur Freiheit verirrt und schließlich nur noch um sein Überleben kämpft. [251] Historisierende Betrachtungen stellen den Roman in die vom Autor gleichsam autorisierte Dreiphasen-Perspektive (Absurdität—Revolte—Nemesis): Von Sisyphus'Amoralismus ausgehend, gerät Camus auf dem Umweg über Rieux' relativistischem Humanismus mit der *Chute* in den Bereich der metaphysisch konzipierten Schuld und des mit ihr zusammenhängenden Bösen, dem weder er noch der Leser zu entrinnen vermag. Camus ironisiert den modernen, inhaltsarmen *modus vivendi* und die in ihm gründende *libido dominandi*, begeht aber dann Clamences Irrtum der Selbstüberschätzung, indem er den Schuld- und Sühnegedanken *ad absurdum* führt. Dieser ziemlich verbreiteten Lesart stehen jene gegenüber, welche die Ironie nicht als destruktiven Katalysator, sondern als redemptorischen Akt werten. [252]

Eine brillante christliche Interpretation liefert Louis Barjon [253], der Clamences Berufsbüßertum in den Rahmen seiner entstehungsgeschichtlichen Faktoren stellt. Mit der *Chute* gerät Camus in die Nähe von Bernanos, ihre unterschwelligen Konflikte deuten nicht so sehr auf eine Bekehrung zum Christentum, als auf

---

[251] So etwa Charles B. Brockmann, "Metamorphoses of hell: the spiritual quandary in *La Chute*". In: *FR* 35 (February 1962), S. 361 bis 368.

[252] Vgl. dazu: Maria Carazzolo, « La crise de la pensée de C. dans *La Chute* », in: *Comprendre* 17—18 (1957), S. 216—220; E. Cassa Salvi, « La caduta originale di A. C. » in: *HumB* 12 (Mai 1957), S. 378—387; Robert M. de Rycke, "*La Chute*: the sterility of guilt", in: *RomN* 2 (Spring 1969), S. 197—203; Judith Miller, "The problem of guilt and judgment in C.'s *The Fall*", in: *Discourse* 6 (Autumn 1963), S. 285 bis 292.

[253] « A. C.: *La Chute* ». In: *Etudes* 89 (octobre 1956), S. 47—59 und in: ders. *Mondes d'écrivains — Destinées d'hommes*, Paris, Castermann 1960, S. 195—210. Deutsche Version: „A. C.'s neue Dimensionen des Absurden". In: *Dokumente* 13 (Februar 1957), S. 65—70.

eine Verinnerlichung der unlösbaren Spannungen hin, denen der Autor ausgesetzt ist. Clamences höhnisches Grinsen und überraschende Pirouetten sind eher ein Indiz eines unmittelbar bevorstehenden Neubeginnes als einer Flucht vor der Wirklichkeit. Für André Niel [254] stellt der Roman einen künstlerischen Krafakt *par excellence* dar, mit dem Camus Meursaults erwachendes Bewußtsein konsequent zur monstrosen Luzidität des *homo duplex* weiterführt. Das Duplizitätsprinzip spiegelt sich auch in den antithetischen Strukturen der *Chute* wider, in der Dialektik des Konfliktes zwischen dem Selbstbewußtsein, das den Anderen verneint, und dem Bewußtsein des Anderen, das das Selbst negiert. Im Bußrichter sieht Robert F. Roeming [255] nicht nur eine säkularisierte Version des Sündenfalls, sondern auch eine Vertiefung der bis zur *Chute* bloß intellektualisierten ethischen Werte, die Camus nun genuin in ihrer Bezogenheit zur Leidensproblematik darstellt. Der mit seiner Freiheit die damit verbundene Verantwortung endeckende moderne Adam sucht sein Heil in einem kollektiven Schuldpakt. Gerald Stourzh [256] möchte allerdings Clamences höhnisch verächtliches Lachen von Camus' intellektuell distanziertem unterscheiden. Clamence wird aus seinem endlosen Sturz nicht etwa erlöst, er bezahlt wie Don Juan und Sisyphus den Preis für seine selbsttrügerische Unschuld. Mit der *Chute* projiziert Camus Dantes allegorische Welt in den psychologischen Realismus unserer Zeit. Wenn Ambiguität auch eines der Gütezeichen der *Chute* ist, so glaubt Mildred Hartsock [257] in ihr trotzdem eine eindeutige Botschaft entziffern zu

[254] « C. et le drame du Moi ». In: *Revue de la Mediterrannée* 82 (novembre—décembre 1957), S. 603—622.

[255] "The concept of the judge-penitent of A. C.". In: *TWA* 48 (1959), S. 143—149.

[256] "The unforgivable sin: an interpretation of *The Fall*". In: *ChiR* (Summer 1961), S. 45—57.

[257] "C.'s *The Fall*: dialogue of one". In: *MFS* 7 (Winter 1961—62), S. 357—364. Vgl. auch Pierre N. Van-Huy, « *La Chute* — somme philosophique camusienne ». In: *Univ. of South Florida Language Quarterly* 11 (Fall-Winter 1972), S. 2—10.

können, in der Camus gleichsam negativ und pseudo-dialogisch die Synthese seiner Philosophie liefert.

Neurotische Züge in der „Beichte des Atheisten" entdeckt Georg Siegmund [258], der Camus' Konfession mit Rousseaus vergleicht. Mit den *Confessiones* des Augustinus haben Clamences Bekenntnisse angeblich nichts gemein. Einmal mehr beugt sich ein klinisch geschulter Leser über einen symptomträchtigen Text von Camus (vgl. Anm. 125, 127, 128 u. 152). Mit Hilfe von A. Murrays Definition des Ikarus-Komplexes (eine Kombination von Narzismus, Aszensionismus verbunden mit Fallfurcht, Vorliebe für Wassermetaphern und Unsterblichkeitswahn) demonstriert Michael Sperber [259] in eindrücklicher Weise, daß Camus von ihm befallen ist. Ausführlich werden dabei die psychoanalytische Bedeutung des gestohlenen Van Eyck-Altarflügels und seiner Beziehungen zu Jean-Baptiste Clamences Persönlichkeitsstruktur untersucht. Affektgebundene Elemente (Don Juanismus, Unschuldsnostalgie, *libido dominandi*) verbindet David Anderson [260] mit Camus' „verfehlter" Absurditätsprämisse, die zielgerichtetes Handeln *a priori* verunmöglicht. Clamences betrügerische Handlungs- und Denkweise muß zum Fiasko führen, weil Camus in der *Chute* einem seriösen menschlichen Problem bloß einen ironischen Kommentar gegenüberzustellen weiß. Diese Lesart vertritt die nicht unübliche Beschränkung auf die negativen Komponenten der ironischen Rhetorik.

Wie bei der *Peste* sind kompositions- und erzähltechnisch orientierte Arbeiten über *La Chute* nicht eben zahlreich. Eine kompetente Untersuchung in deutscher Sprache liefert Klaus Friedrich [261], der die scheinbar unkontrolliert sich ergießenden

[258] „Die Beichte des Atheisten". In: *Dorstale* 17 (Januar 1962), S. 7—11.

[259] "C.'s *The Fall*: The Icarus complex". In: *American Imago* 26 (Fall 1969), S. 269—280.

[260] "Nostalgia for the primates". In: Ders., *A Christian Study of Some Modern Literature*, London, SCM Press, 1969; Richmond, John Know Press, 1972, S. 144—155.

[261] „La Chute". In: W. Pabst [Hrsg.], *Der Moderne französische*

Aussagen Clamences vom inneren Monolog unterscheidet, weil im Gegensatz etwa zu Kafkas *Urteil* die Distanz zwischen Erzähler und Erzähltem zu groß ist. Wichtiger als die eher beiläufig vermittelten Quellenstudien sind in diesem Aufsatz die Erläuterungen über das Paradoxon der einheitsstiftenden Duplizität und über die Querverbindungen zwischen Lachen und Spiel, *récit* und *récitation*. Die ausgewogene *conclusio* präsentiert *La Chute* als eine ironische Rekapitulation früherer Werke (vgl. dazu Anm. 257, Van Huy), als ein anti-ideologisches Pamphlet. Tiefschürfend ist auch Marten Nøjgaards Essay [262], der die syntaktischen und erzählerischen Korrelationen von Zeit und Raum erörtert. *La Chutes* strukturale Neuerung ist in der Behandlung ihrer temporalen Dimension zu suchen: Die konventionelle Vergangenheit-Gegenwart-Struktur einer Erzählung wird von Camus um eine offene, polyvalente Zukunftssperspektive bereichert, kraft deren sich der Gesprächspartner und Leser „bekehren" lassen. Von Brian T. Fitch [263] liegt eine Weiterführung seiner Untersuchungen der Leser-Werk-Beziehung vor, die sich in eine synchronische (Clamences Psychologie, Universum und Botschaft) und eine diachronische Komponente (vor allem autobiographische Elemente) unterteilen läßt. Anhand vieler textlicher Belege analysiert Fitch die strukturierende Funktion von Clamences geistigem und physischem Raum sowie die Anwendungsebenen des Duplizitätsprinzips. *La Chute* erscheint in

Roman, Berlin, Erich Schmidt, 1968, S. 273—293. Vgl. auch Josef Blanck, „Am Rande des Kontinents oder Die spätbürgerliche Hölle". In: Ders., [Hrsg.], *Der Mensch am Ende der Moral*, Düsseldorf, Patmos, 1971, S. 9—33. Wiederabgedruckt in: H. R. Schlette [Hrsg.], *Wege der deutschen Camus-Rezeption*, Darmstadt, Wissenschaftl. Buchgesellschaft, 1975, S. 357—385.

[262] « Temps et espace dans *La Chute* de C. L'importance des faits linguistiques comme signaux physiques de la structuration littéraire ». In: *OL* 26 (1971), S. 291—320.

[263] « Une voix qui se parle, qui nous parle, que nous parlons ou l'espace théâtral de *La Chute* ». In: *RLM* 238—244 (1970), S. 59—79 [*AC 3*].

dieser Perspektive einmal mehr als ein sich mit dem Paradoxen befassendes paradoxales Werk, als ein existentialistischer Roman über den Skandal des Selbstbewußtseins. Neben fundierten Hinweisen auf Céline und Beckett sind auch die Erläuterungen zur Theatralik von Clamences Weitschweifigkeit erwähnenswert. André Abbous [264] Studie hat, wie viele seiner Beiträge, programmatischen Charakter. Ihm geht es vor allem um die Festlegung einiger von der modernen Linguistik inspirierten Fixpunkte, von denen aus Clamences mehrschichtiger *discours* ausgelotet werden kann. Interpretationen können demnach auf den Stufen der Konnotation, Entstehungsgeschichte und Motivation erfolgen. Kernpunkt von Abbous Ausführungen ist ein syntaktisches Inventar, mit dessen Hilfe er die Oberflächenstruktur von Clamences Phraseologie sowie sein Spiel mit der Personensubstitution analysiert.

Viele der hier angeführten Arbeiten enthalten zum Teil wohlfundierte komparatistische Hinweise, denen selbstverständlich im Rahmen dieses Forschungsberichts nicht einzeln nachgegangen werden kann. Es ist denn auch nicht erstaunlich, daß vergleichende und Quellenstudien über die von offenen und verdeckten Anspielungen an das bürgerliche Kulturgut geradezu strotzende *Chute* den Großteil ihrer kritischen Literatur ausmachen. Die drei meist- und oft gemeinsam genannten Vorbilder sind Dostojewski, Dante und die Bibel. Darüber hinaus werden eine Reihe französischer (Baudelaire, Lorrain, Montherlant, Gide, Sartre, Céline, Beckett), italienischer (Pirandello, Buzzati), russischer (Dostojewski, Lermontow), amerikanischer und englischer Autoren (Faulkner, Golding) genannt, die entweder einen möglichen Einfluß auf Camus gehabt haben oder für eine Parallelenstudie beigezogen werden.

Wie schon erwähnt, zeichnet sich in der jüngeren Kritik die Tendenz ab, *La Chute* und *L'Etranger* vermehrt gemeinsam zu behandeln. Meursault und Clamence werden als artverwandte

---

[264] « Les structures superficielles du discours dans *La Chute*. Essai d'analyse des formes linguistiques ». In: *Ibid.*, S. 101—125.

Wesen betrachtet. William D. Dennis [265] fragt kurzerhand, ob Clamence nicht einfach eine Reinkarnation seines jüngeren Vorläufers Meursault sei, da beide ähnliche geistige Entwicklungsstufen durchlaufen, ein hochnäsiges Überlegenheitsgefühl besitzen und — angeblich — in absurder Verzweiflung enden. *La Chute* hätte ursprünglich wie « Le Renégat » im *Exil et le Royaume* erscheinen sollen, geriet dann über den Rahmen der Kurzgeschichte hinaus und verselbständigte sich. Die Ähnlichkeit der beiden Werke erschöpft sich aber nicht im endlosen Wortschwall des abtrünnigen Priesters und Clamences, wird aber gerade deshalb in vielen Interpretationen gestreift. Systematisch untersucht sie Fernande Bartfeld [266], die vor allem die sich steigernde Konfusion, Entsagung, Ablenkungsmanöver, den Fall und das selbstgewählte Exil als verbindende Themen hervorhebt. Wichtig ist ihre textvergleichende Analyse von « L'Esprit confus » (1956) und « Le Renégat » (1957), die den Zusammenhang zwischen *La Chute* und « Le Renégat » noch enger erscheinen läßt.

Eine interessante Analogie zwischen Gides anerkanntem (*L'Immoraliste, La Porte étroite*) und Camus' vermutetem (*L'Etranger, La Chute*) Roman-Diptychon erstellt Leon S. Roudiez [267], der damit als einer der ersten die gemeinsame Behandlung der beiden *récits* forderte. Ausgehend von der Katharsisfunktion, die die Kunst als Dialog zwischen Leben und Tod bei beiden Autoren hat, vergleicht er die antithetischen Strukturen ihrer *récits* und ihre bewußt kontrastive Technik der Erlebnis-

---

[265] "Jean-Baptiste Clamence — a resurrected Meursault?" In: *CLAJ* 8 (September 1974), S. 81—87. Dazu auch die bereits angeführten Essays von Gerthoffert (Anm. 92), Girard (Anm. 131) und Matthews (Anm. 120).

[266] « Deux exilés de C.: Clamence et le renégat ». In: *RLM* 360 bis 365 (1973), S. 89—112 [*AC* 6].

[267] "*L'Etranger, La Chute* and the aesthetic legacy of Gide". In: *FR* 32 (February 1959), S. 300—310. Nicht zu überzeugen hingegen vermag Léon-François Hoffmanns « A. C. et Jean Lorrain. Une source de *La Chute: Monsieur de Bougrelon* », in: *RHLF* (1969), S. 93—100.

Wiedergabe, die Unterstreichung der Querverbindungen durch die *mise en abîme*. In den Augen von Robert B. Johnson [268] summiert sich in Clamence der bis 1939 starke, später allerdings abflauende Einfluß Montherlants auf Camus. *La Chute* soll u. a. auch eine parodistische Gestaltung seiner Abkehr von Montherlant sein. Ebenfalls als Parodie liest Barbara C. Royce [269] den Roman, der angeblich das von Sartre in seiner Genet-Studie heroisierte Schuldkonzept lächerlich macht.

Dantes Präsenz wird in den meisten Interpretationen zum Teil ausführlich geschildert. Zwei wichtige Untersuchungen befassen sich ausschließlich mit dieser Frage: Alfred Galpin [270] skizziert die Übertragung des Inferno nach Amsterdam nach und sieht schon im Titel eine direkte Anspielung an Luzifers Fall. Wenn auch inhaltlich zu einem verschiedenen Zweck, so verwendet Camus in direkter Anlehnung an den Autor der *Divina Commedia* in den holländischen Höllenkreisen das Thema des jüdischen Viertels und, vor allem, des Verrats. Vermehrt auf die Analyse der satanischen Metaphorik zielend, führt F. W. Locke [271] Galpins Erörterungen weiter, und er stellt einen eingehenden Bilderkatalog auf. Der unsichtbare Gesprächspartner gemahnt ihn an einen ironischen Vergil, Clamence an Thomas Manns Settembrini im *Zauberberg*. Auch Baudelaire, vor allem das in der « Invitation au voyage » vorherrschende Klima, dürften in der Gestaltung von Clamences ausgesprochenen Begabung, seine mannigfachen Rollen ins Satanische zu steigern, mitgespielt haben. Im zweiten Teil seines bereits erwähnten Aufsatzes kommt Galpin [272] auch auf die ähnlichen Episoden auf dem Pont Royal

[268] "C.'s *La Chute*, or Montherlant s'éloigne". In: *FR* 44 (May 1971), S. 1026—1032.

[269] «*La Chute* and *Saint Genet*: the question of guilt ». In: *FR* 39 (April 1966), S. 709—716.

[270] "Italian echoes in A. C. Two notes on *La Chute*. I. Dante in Amsterdam". In: *Symposium* 12 (Spring-Fall 1958), S. 65—71.

[271] "The metamorphoses of Jean-Baptiste Clamence". In: *Symposium* 21 (1967), S. 306—315.

[272] A. a. O., S. 71—79.

und der Tiberbrücke in Pirandellos *E due* zu sprechen, wo Bronner wie Clamence trübselig in seine Gedanken versunken dahindämmert. Eine zusätzliche Variation dieses Themas findet sich in *Non si sa come*. 1955 adaptierte Camus Buzzatis *Un caso clinico* vor allem deshalb, weil das Schicksal des Helden des Stückes, Giovanni Corte, die exemplarische absurde Existenz eines modernen Industriemagnaten darstellt, der zum Opfer seines eigenen Erfolges wird. Albert Chesneau [273] ist der Ansicht, Corte, dessen Niedergang mit Clamences ähnlich ist, müsse aus zeitlichen und thematischen Gründen einen mehr als nur oberflächlichen Einfluß auf die Gestaltung der *Chute* gehabt haben.

Wie die mannigfachen Anspielungen an Dante sind auch biblische Entlehnungen textlich und bildlich nachweisbar, selbst dort, wo sie Camus durch zweideutige Formulierungen verfremdet. Eben diesen Verfremdungsprozeß studiert David Madden [274], der meint, es sei völlig unzulässig, Clamence und seine Welt auf der realistischen Stufe zu begegnen. Die auffallend linkische Weise, mit der Camus mit den christlichen Symbolen in seinem Roman umgeht, führt Sandy Petrey [275] zur Festellung, der Autor wolle damit Clamence in den Augen des aufgeweckten Lesers im voraus als unglaubwürdig erscheinen lassen. Ihr Beitrag analysiert die wichtigsten biblischen Analogien, vor allem die im Evangelium vorliegenden Beschreibungen von Johannes dem Täufer — dem ja Van Eyck ebenfalls einen Flügel seines Altarbildes widmete — und die systematische Verkehrung der christlichen Symbolik in ihr Gegenteil.

Dostojewskis Einfluß verursachte, trotz oder vielleicht wegen der im Roman nicht offensichtlichen Präsenz, nicht nur quanti-

---

[273] « Un modèle possible du héros de *La Chute* ». In: *FR* 40 (1967), S. 463—470. Zur Frage des Einflusses der Bibel, vgl. auch Jacques Goldstain, « C. et la bible » . In: *RLM* 264—270 (1971), S. 97—140 (Anm. 603).

[274] "Ambiguity in A. C.'s *The Fall*". In: *MFS* 12 (Winter 1966 bis 67), S. 461—472.

[275] "The function of Christian imagery in *La Chute*". In: *TSLL* 11 (Winter 1970), S. 1445—1454.

tativ, sondern auch qualitativ die bedeutendsten vergleichenden
Beiträge. Schon bevor E. Sturm (vgl. Anm. 234) seine komparatistische Studie über die *Aufzeichnungen aus dem Untergrund*
und *La Chute* vorlegte, befaßte sich Sara Toenes [276] mit den beiden Werken, die sich mehr formal als inhaltlich gleichen. Elisa-
beth Trahan [277] beschränkt sich in ihrer ausführlichen Arbeit
nicht nur auf eine Parallelenstudie, sondern stellt die Frage von
Dostojewskis Einfluß schlechthin. Subtil zeichnet Irina Kirk [278],
wiederum auf die *Aufzeichnungen* und *La Chute* eingehend, die
Absicht ihrer Autoren nach, kraft ihrer Figuren mehrere Rollen
zugleich zu spielen, gleichzeitig ihre Themen metaphorisch zu
orchestrieren, um ihnen damit eine strukturale und textliche Einheit zu verleihen. In einer sehr gründlich dokumentierten Studie
ergänzt Christina H. Roberts [279] die 1967 von Sturm vorgelegte
Arbeit. Bei Camus sind der Dialog, die hellsichtige und zugleich
tragische Annahme der Nächstenliebe bloß impliziert, bei Dostojewski sind sie explizit. Der französische Dichter bevorzugt die
ironische Perspektive, die er auch durchhält, der russische hingegen die religiöse. In seinem brillanten, leider aber kaum dokumentierten Aufsatz sieht Jean Perrot [280] in der Wahl Amsterdams
eine bewußte Verbindung zweier maßgebenden Geistesströmun-
gen, die von Dostojewski und Descartes ausgehen. *La Chute*
schildert die unheilbare Nostalgie nach dem verlorenen Paradies,
die Camus in sein Dostojewski-Bild projiziert. Fixpunkte im

[276] "Public confession in *La Chute*". In: *Wisconsin Studies in Contemporary Literature* 4 (Fall 1966), S. 337—350.

[277] "Clamence vs. Dostoevsky: an approach to *La Chute*". In: *CL*
18 (Fall 1966), S. 337—360.

[278] "Dramatization of consciousness in C.'s *La Chute* and Dostoevsky's *Notes From Underground*". In: *BuR* 16 (1968), S. 96—114. Vgl.
dies., *Dostoevsky and Camus*, München, Fink, 1973, 150 S.

[279] « C. et Dostoïevski. Comparaison structurale et thématique de
La Chute de C. et du *Sous-sol* de Dostoïevski ». In: *RLM* 264—270
(1971), S. 51—70 [*AC 3*].

[280] « Le Descartes dostoïevskien de *La Chute* d'A. C. ». In: *RLM*
315—322 (1972), S. 129—153 [*AC 5*].

geistig-fiktiven Koordinationssystem Clamences sind Descartes'
poële, Dostojewskis Untergrund und die Mexiko-City Bar. In
seinem Roman integriert Camus die feindlichen Kräfte des
abendländischen Dualismus, indem er die Opposition zwischen
exzessivem Rationalismus und Irrationalismus in einem unauf-
lösbaren Patt erstarren läßt. Perrot glaubt auch in Hegels Jo-
hannes-Interpretation ein Vorbild für Clamence gefunden zu
haben. Da der ethische und ästhetische Einfluß des russischen
Dichters auf Camus des Beweises nicht mehr bedarf, legt Myrna
Magnan-Shardt [281] eine interessante Hypothese zur Genrefrage
vor: Es besteht die Möglichkeit, daß Camus bei Dostojewski
nicht nur das Thema des gestürzten Rebellen entlehnte, sondern
auch die Skaz-Form, eine Erzählung, in der der Autor seinen
eigenen Stil und damit sich selber in der Ausdrucksweise des Protagonisten verballhornt. Magnan-Shardts Arbeit ist auch nützlich als historischer Überblick über diese literarische Form der
russischen Erzählkunst. Raymond Davison [282] schließlich vergleicht den Beginn von *Schuld und Sühne* und *La Chute* und
glaubt, aufgrund von Clamences närrischem Benehmen, auf einen
direkten Einfluß von Dostojewskis Hauptwerk schließen zu
können. Da die englische Version der *Chute* mit einem Zitat von
Lermontow erschien, versucht Marilyn K. Yalom [283] eine Wahlverwandtschaft zwischen Pechorin (*Ein Held unserer Zeit*) und
Clamence herzustellen. Als „Quelle" von *La Chute* erscheint
Lermontows Roman aber deshalb kaum in Frage zu kommen,

---

[281] « *La Chute* comme Skaz: une hypothèse génétique ». In: *RLM*
360—365 (1973), S. 145—165 [*AC 6*].

[282] "Clamence and Marmeladov: a parallel". In: *RomN* 14 (1972),
S. 226—229.

[283] "*La Chute* and *A Hero of Our Time*". In: *FR* 36 (December
1962), S. 138—145. Auf Miller MacLures Parallelenstudie "Allegories
of innocence" (in: *DR* 40 [1960—61], S. 145—156, über Faulkner,
Golding und Camus) sowie Gianna Manzinis Essay über den Einfluß
der toskanischen Landschaft auf Camus' und Clamences Introspektion
(« Insidiato dalla poesia », in: dies., *Ritratti e pretesti*, Milano, Il Sag-
giatore, 1960, S. 69—77) sei bloß hingewiesen.

weil eine ähnliche geistige Brüderschaft zwischen Clamence und vielen anderen romantischen Helden der Ichbezogenheit „entdeckt" werden könnte.

e) Kurzgeschichten und *La Mort heureuse*

L'Exil et le royaume. Wenn auch Camus' Novellen meistens einzeln besprochen werden, so enthält die Literatur über *L'Exil et le royaume* dennoch eine Anzahl mehr oder weniger bedeutender Gesamtstudien, die alle überragt werden durch Peter Cryles jüngst erschienenes Buch [284]. Darin widmet er in seinem Eingangskapitel der oft oberflächlichen Sekundärliteratur einen ausgedehnten Forschungsbericht, um sich dann einer minutiösen Interpretation jeder Kurzgeschichte hinzuwenden. Anhand einer zwar gründlichen, aber nicht über alle Zweifel erhabenen Definition des strukturstiftenden Begriffspaares bewußte Vieldeutigkeit/physischer Realismus weist Cryle nach, wie Camus mit dieser Novellensammlung seinem Prosawerk eine neue ästhetische Richtung geben wollte. *L'Exil et le royaume* wird dabei in der Perspektive des Gesamtoeuvre gelesen. Daß, wie Cryle meint, die Bedeutung dieser Anthologie meistens unterschätzt wurde, dürfte nicht von der Hand zu weisen sein. Seine Studie läuft allerdings Gefahr, ins gegenteilige Extrem zu fallen und *L'Exil et le royaume* einen Stellenwert beizumessen, den die Novellen als Ausdruck einer Übergangs- und Suchphase (vgl. Anm. 287, 288) kaum besitzen dürften. In einem im selben Jahr erschienenen Artikel [285] legt Cryle dar, wie Camus in den Kurzgeschichten mehr nach

---

[284] *Bilan critique: L'EXIL ET LE ROYAUME d'Albert Camus — essai d'analyse*, Paris, Lettres Modernes, 1973, 265 S. (Coll. « Situation » no. 28).

[285] « Diversité et symbole dans *L'Exil et le royaume* ». In: *RLM* 360—365 (1973), S. 7—19 *[AC 6]*. Dazu auch Walter Jens' allgemein gehaltene Bemerkungen über „C.: Erzählungen und Essays". In: Ders., *Zueignungen*, München, Piper, 1962, S. 45—51. Darin wird ebenfalls die thematische und symbolische Einheit unterstrichen.

Pluralität als nach Vielfältigkeit strebte, indem er — im Vollbesitz seiner Kunst — bewußt den Pfad der unscharfen Bedeutung einschlägt und ständig zwischen Symbol und Realität pendelt.

Typisch für die zeitgenössische kritische Aufnahme sind etwa D. Aurys, Henri Hells und Gaëtan Picons [286] zum Teil recht ausführliche Rezensionen. Während Aury die gediegene Einfachheit von Camus' Denken und dessen variationsreiche Ausdrucksweise lobt, betont Henri Hell mit Recht, daß der Autor von *L'Exil et le royaume* in erster Linie ein Künstler, nicht ein Philosoph sei, weshalb, wie bei Gide, die ästhetisch ausgerichtete Kritik eindeutig vorzuziehen sei. Als Leitmotiv entpuppt sich in dieser Analyse die Einsamkeit, das in exemplarischen, nicht etwa didaktischen Novellen von Camus auf allen Registern seiner Kunst variiert wird. Picons Besprechung hebt vor allem die zwar aufdringliche, dennoch allgegenwärtige Ironie hervor, die in Cryles eben erwähntem Buch als Modalität der *ambiguïté* gründlich behandelt wird. *L'Exile et le royaume* liest sich wie eine kritische Bestandsaufnahme der in *La Peste* und *La Chute* verwendeten Erzählprinzipien, von deren zum Teil überladenen Symbolik Camus zugunsten einer Rückkehr zu einem bescheideneren Realismus abrückt. Noch distanzierter wertet I. H. Walker [287] den Novellenband, den er als Wegweiser auf dem von Camus eingeschlagenen Scheideweg betrachtet. Entweder steht der Dichterphilosoph am Ende einer Entwicklungsphase und tastet nach neuen Stilverfahren, oder er hat vollends die Herrschaft über seine Schreibkunst verloren.

Einmal mehr erweist sich Alfred Noyer-Weidners [288] von französischen Berufskollegen leider oft nicht beachteter Essay über das Formproblem als programmatische Pionierarbeit. Neben

---

[286] D. Aury, « La vérité commune ». In: *NNRF* 9 (mai 1957), S. 890—893; Henri Hell, « L'Exil et le royaume », in: *TR* 114 (juin 1957), S. 202—205; Gaëtan Picon, « L'Exil et le royaume », in: *Mercure* (1957), S. 127—131.

[287] "C. at the cross-roads". In: *TC* 166 (August 1959), S. 73—77.

[288] „A. C. im Stadium der Novelle". In: *ZFSL* 70 (Juni 1960), S.

einer vergleichenden Analyse des Schlußteiles widmet er sich vor allem gattungspoetischen Fragen, der Polarität des Titels sowie dessen in jeder Novelle ersichtlichen strukturalen Bezogenheit. Als Übergangswerk zeigt *L'Exil et le royaume* Camus in einer wichtigen schöpferischen Umbruchsphase. Am stringentesten und tadellos dokumentiert weist Owen J. Miller [289] das Einheitsprinzip der scheinbar nur lose verbundenen Kurzgeschichten nach. Wie Noyer-Weidner stützt er sich anfänglich vor allem auf die unifizierende *ambiguïté*, in die uns schon der Titel versetzt. Jede Novelle wird in ihrer strukturalen Funktion innerhalb der Sammlung untersucht, die angeblich einen Übergang vom Absurditäts- zum Nemesiszyklus anzeigt. Das Zweiheitsprinzip zeigt sich auch in der bewußten Gegenüberstellung von « La femme adultère » und « Le Renégat » auf der einen, « Les Muets », « L'Hôte » und « Jonas » auf der anderen Seite: Innerhalb jeder dieser zwei Gruppen besteht eine zusätzliche, vertiefte Strukturähnlichkeit.

Eigenartigerweise interpretiert Jean Onimus [290] « La femme adultère » als einen humoristischen *récit*, in dem sich der Zivilisationsmensch in seinem läppischen Verhaltensblödsinn und der naturverbundene Wüstenmensch gegenüberstehen. Janine bricht

---

1—38. Vgl. Anm. 222. Gattungspoetischer Art sind ebenfalls Forrest Ingrams Erläuterungen in seiner breit angelegten Studie über Novellenzyklen des 20. Jahrhunderts (*Representative Short Story Cycles of the Twentieth Century. Studies in a Literary Genre*, Den Haag, Mouton, 1971, S. 34—39). Trotz der gedrängten Darstellung gelingt es ihm, die "symbolic texture" und die bedeutendsten "connective links" zwischen den einzelnen Geschichten herauszuarbeiten.

[289] « *L'Exil det le royaume*: cohérence du recueil ». In: *RLM* 360 bis 365 (1973), S. 21—50 [*AC 6*]. Ann Minors "The short stories of A. C." (in: *YFS* 25 [Spring 1960], S. 75—80), wirft die interessante Frage der Beziehungen zum Nouveau Roman auf, geht ihr aber nicht auf den Grund.

[290] « C., la femme adultère et le ciel étoilé ». In: *Cahiers universitaires catholiques* 10 (1960), S. 561—570. Eine tiefsinnige, wenn auch in ihren Schlußfolgerungen anfechtbare Interpretation der Novelle lie-

aus der durch die Ehe institutionalisierten Pseudoeinheit aus, „vereint" sich vorübergehend mit dem Kosmos und kehrt dann freiwillig ins Gefängnis der barbarischen Zivilisation zurück. Manfred Pelz [291] steuert einen wichtigen Beitrag über zwei Stilmodalitäten von Camus bei, deren Textbelege aus der » Femme adultère » stammen. Im ersten Beispiel besitzen die Objekte eine Autonomie, die auf Kosten der Personen geht; ein Minimum an Mitteln drückt ein Maximum an Fakten im Telegrammstil aus. Sobald die Ausdrucksweise aber durch Gefühle bestimmt wird, nimmt die Länge der Sätze zu (zweites Textbeispiel) und die Objekte verlieren ihre Selbständigkeit. Eine ähnliche Beobachtung ließe sich auch in Bezug auf *L'Etranger* machen. Anthony Zahareas [292] erblickt in « La femme adultère » die Kulmination der tragischen Ironie, die Camus stets mit dem menschlichen Schicksal verbindet. Janines „Ehebruch" erfolgt in vier dramatischen Etappen und besteht schließlich in der Erringung ihrer Unabhängigkeit. Den in den fünfziger Jahren wieder steigenden Einfluß Dostojewskis glaubt Stirling Haig [293] in einer situationsbedingten Entlehnung nachweisen zu können: Raskolnikows Oasentraum und Wüstenvision und Janines Wüstenerlebnis deuten auf eine direkte Patenschaft von *Schuld und Sühne* hin. Die beiden Autoren verleihen allerdings den äußerlich parallelen Begebenheiten verschiedene Bedeutungen.

Am meisten Interesse erweckte bei den Kritikern « Le Renégat ». Dessen parabolische Eigenschaften untersucht Victor H. Brombert [294], indem er den abtrünnigen Priester als Vertreter

fert Nguyên Van-Huy in *La métaphysique du bonheur chez A. C.* Vgl. Anm. 418.

[291] „Die beiden Stilweisen bei A. C.". In: *ZFSL* 73 (April 1963), S. 59—65. Vgl. Anm. 82 u. 298.

[292] "'La femme adultère': C.'s ironic vision of the absurd". In: *TSLL* 5 (Autumn 1963), S. 319—328.

[293] "The epilogue of *Crime and Punishment* and C.'s 'La femme adultère'". In: *CLS* 3 (1966), S. 445—449.

[294] "'The Renegade' or the terror of the absolute". In: *YFS* 25 (Spring 1960), S. 81—84. Ebenfalls in: ders., *The Intellectual Hero:*

des modernen intellektualisierten Humanismus darstellt, der die Gedankentyrannei deshalb sucht, weil er in der blinden Unterwerfung das chaotische Leben durch eine geordnete Ideologie ersetzen kann. Wie später Fernande Bartfeld (Anm. 266), die diese Arbeit nicht zu kennen scheint, vergleicht Enneas Balmas [295] die beiden Versionen (1956: « L'Esprit confus »; 1957: « Le Renégat ou un esprit confus «) der Erzählung und kategorisiert deren Varianten. Wie *La Chute* zeigt « Le Renégat » an, daß sich Camus in jener Zeit in einer tiefen geistigen Krise befand. Diese drückt sich auch im verdüsterten Algerienbild ab, das in seinen Werken, gemäß Ali Lekehal [296], bloß als landschaftlicher, nicht als menschlich-sozialer Hintergrund ersichtlich ist. Die Phantasmagorien des Renegaten bilden gleichsam das Ende einer ästhetischen Entwicklung, in der Camus mit dem zum symbolischen Dekor erniedrigten Bild seines Heimatlandes seine eigenen Schwierigkeiten sowie die Sehnsucht nach einem reinen, ursprünglichen Algerien festhält. Eben diese allegorische Interpretation, sei sie nun christlich oder marxistisch, lehnt Patricia J. Johnson [297] ab. Ihre Lesart betont den Pluralismus der Bedeutungsebenen und die kontrastiven thematischen Strukturen. Der verwilderte Priester ist auf der Suche nach dem imaginären Gral der *ordo universalis*. Funktionale Aspekte des Innenmonologs im « Renégat » unterscheidet Manfred Pelz [298] vom traditionellen *monologue intérieur*. Auch er betrachtet die Novelle als eine erzählerische Vorstufe der *Chute*. Eine Art ausgedehnte *explica-*

Studies in the French Novel, 1890—1955, Philadelphia, Lippincott, 1961, S. 227—231.

[295] « Note sulla genesi del 'Renégat' di C. ». In: *Culture française* 12 (1965), S. 361—370.

[296] "Aspects du paysage algérien. Etude du fantastique dans 'Le Renégat ou un esprit confus' nouvelle d'A. C.". In: *Cahiers algériens de littérature comparée* 3 (1968), S. 15—32.

[297] "An impossible search for identity: theme and imagery in C.'s 'Le Renégat'". In: *RS* 37 (September 1969), S. 171—182.

[298] „'Le Renégat'. Die Funktion des Innenmonologs". In: *NS 9* (September 1970), S. 462—472. Vgl. Anm. 82 u. 291.

tion de texte vollbringt Paul A. Fortier [299] in seiner Studie über die Versklavungsstufen des Renegaten. Auch wenn dieser der Gewalt hörig ist, so negiert die symbolische Landschaft der Mordszene, in der er auf seinen Nachfolger lauert, das von ihm gepredigte Prinzip des Bösen. Die Naturelemente Sand und Salz werden zudem seinen Mund endgültig zum Schweigen bringen. Diese ästhetische Ablehnung der ideologisch motivierten Gewaltanwendung rückt den « Renégat » in die Nähe des *Homme révolté*. Linda Hutcheon [300] führt die ästhetische Lesart noch einen Schritt weiter. Ihrer Ansicht nach sollte die Novelle weniger vom biographischen oder psychologischen als vielmehr von einem nuancierten allegorischen Standpunkt aus gelesen werden, nämlich als satirisches Selbstporträt. Anhand von Ricardous Begriff der Literatur als Erfindung und Zeichenorchestrierung sowie dessen kategorialen Unterscheidung zwischen *fiction* und *narration* legt Hutcheon fiktionale und reale Metaphern als verbindende Strukturelemente aus. Die symbolische Bedeutung der herausgerissenen Zunge wird zudem durch die Zweideutigkeit des Wortes *langue* vertieft.

In ihrer Dissertation glaubt Patricia J. Johnson [301], im *Voyeur* (1955) eine mögliche Inspirationsquelle des « Renégat » gefunden zu haben. Camus habe mit dieser Novelle eine Stilübung über die Technik des Nouveau Roman vorlegen wollen. Die von ihm akzeptierten strukturalen Neuerungen (*dédoublement,* Verwischung der Grenzen, absichtliche Stilanomalien, *ambiguïté*) übersteigen, so Johnson, bei weitem die thematischen Erfindungen (Korrelation zwischen christlichem und marxistischem Glauben). Johnsons Gedankenführung ist nicht immer überzeugend, und ihre Dokumentation läßt zu wünschen übrig. Ebenfalls ver-

[299] « Création et fonctionnement de l'atmosphère dans 'Le Renégat' d'A. C. ». In: *PLMA* 88 (May 1973), S. 484—495.

[300] « 'Le Renégat ou un esprit confus' comme nouveau récit ». In: *RLM* 360—365 (1973), S. 67—87 [*AC* 6].

[301] *Camus et Robbe-Grillet. Structure et technique narratives dans 'Le Renégat' de Camus et LE VOYEUR de Robbe-Grillet*, Paris, Nizet, 1972, 125 S.

gleichender Art ist Peter Cryles [302] Aufatz, der die geographischen, moralischen und religiösen Parallelen zwischen zwei falschen Propheten, nämlich Gides El Hadj und Camus' Renegaten erörtert. Beide Autoren verwenden den dramatisierten Innenmonolog. Bei Gide ist die Ironie stets latent vorhanden, bei Camus steigert sie sich zur grausamen Präzision.

« Les Muets » provozierte vor allem Essays über die mannigfachen Funktionen des Schweigens, sei es als dramatisches Element in seinen verschiedenen stilistischen Konfigurationen [303], sei es als symbolischer Bedeutungsträger. Leo Pollmann [304], der sich mit dem Phänomen aes Schweigens im allgemeinen befaßt, verbindet die Strategie des Wortexils mit der Sehnsucht nach der Befreiung von der sprachlichen Unzulänglichkeit. Das Schweigen wird zum Katalysator der Dialektik zwischen *exil* und *royaume,* es ist sowohl in Jonas' leerer Leinwand als auch im ungehörten Notschrei des Renegaten enthalten und drückt letztlich den unlösbaren Konflikt des Künstlers aus, der aus dem Dilemma der ethischen und ästhetischen Zweckgebundenheit nicht herauskommt.

Bekanntlich ist « L'Hôte » eines der beliebtesten Anthologiestücke der internationalen Unterrichtsliteratur. Dementsprechend besitzen viele Interpretationen einen ausgesprochen pädagogischen Charakter (Zusammenfassung, Paraphrase, Glossar), wovon einige aber auch dem professionellen Camus-Leser etwas zu bieten vermögen. So geht etwa John K. Simon [305] über die bloße, an sich unlösbare Konfliktsituation hinaus und deutet die Ironie von Darus Unentschlossenheit und Abneigung als Verlust des

---

[302] « Sur 'Le Renégat' et 'El Hadj ou le traité du faux prophète' d'André Gide ». In: *RLM* 360—365 (1973), 113—118 [*AC 6*].

[303] So bei Alfons Rothmund, „A. C.: 'Les Muets'". In: *NS:* 11 (November 1959), S. 522—528.

[304] „A. C. und das literarische Phänomen des Schweigens". In: *NS* 11 (November 1961), S. 524—533.

[305] "C.'s kingdom. The native host and the unwanted guest". In: *SSF* 1 (Summer 1964), S. 289—291. Als Gegenbeispiele die bloß auf die ethische Problematik zugeschnittene Lesart von Laurence Perrine ("C.'s 'The Guest': a subtle and difficult story", in: *SSF* 1 (1964), S.

royaume, als das eigentliche Exil. Edwin P. Grobe [306] sieht die psychologische Problematik des Arabers und Darus in ihrer Ähnlichkeit: Trotz ihrer verschiedenen Herkunft, trotz der unüberbrückbaren Kluft, die sie sozial und kulturell trennt, sind sie wahlverwandtschaftlich verbunden. Ihre Verbannungsbereitschaft besitzt eine tiefgründige sprachliche Grundlage. Die symbolische Bedeutung der Naturbilder analysiert sehr ausführlich Paul A. Fortier [307].

Es gibt kaum eine Gesamtstudie über Camus, in der « Jonas » nicht als autobiographisches Indiz des Künstlerproblems erwähnt wird. Subtil geht Adele King [308] vor, die das Artistenporträt als ironisierende Selbstdarstellung und Parodie des schriftstellerischen Engagements Sartrescher Prägung interpretiert. Mit dieser Erzählung habe Camus eine säkularisierte Version der biblischen Figur und ihrer zögernden Bereitschaft zum Ruf geben wollen. Gleichzeitig signalisierte sie das Wiedererwachen eines nuancierten Bedürfnisses nach Engagement. Brian T. Fitch [309] betrachtet den Text als Spielplatz, auf dem Wortkonstellationen entstehen und manipuliert werden, allen voran *toile/étoile* und *solidaire/*

52—58) und Otto Manns Skizze („Interpretationsansätze für die Behandlung von C.'s 'L'Hôte'", in: *Praxis des neusprachlichen Unterrichts* 16 (1969), S. 174—183.

[306] "The psychological structure of C.'s 'L'Hôte'". In: *FR* 40 (December 1966), S. 357—367. Vgl. auch ders., "An exemplary case of French imparfait de durée", in: *RomN* 9 (Autumn 1967), S. 152—156, wo die Dehnungseigenschaft des Imperfektes dessen kontrastivem Gebrauch durch Camus zugeschrieben wird, in dem einerseits die Sequenz der Handlung verlangsamt, andererseits die den einzelnen Begebenheiten innewohnende Kinetik betont wird.

[307] « La symbolique de 'L'Hôte' d'A. C. ». In: *FR* 46 (February 1973), S. 535—542. Zur psychologischen Ambiguität vgl. English Showalter, "C.'s mysterious guest: a note on the value of ambiguity". In: *SSF* 4 (September 1967), S. 348—350.

[308] « 'Jonas ou l'artiste au travail' ». In: *FS* 20 (July 1966), S. 267 bis 280.

[309] « Jonas ou la production d'une étoile ». In: *RLM* 360—365 (1973), S. 51—65 [*AC* 6].

solitaire, die sich zum Teil auf Jonas' ersten Satz zurückführen lassen, in dem er den unerschütterlichen Glauben an seinen Stern kundgibt. Das von Camus gern und oft verwendete Mittel des kontrastiven Begriffspaares (*L'Envers et l'endroit, L'Exil et le royaume*, « Entre oui et non », etc.) spiegelt seine dualistische Denkweise wider und äußert sich in « Jonas » u. a. auch in der Licht-Schatten-Dialektik, in der alternierenden Gegenwart und Abwesenheit des Sternes sowie im Gegensatz zwischen offenem und geschlossenem, leerem und vollem Raum. Die stellare Existenz des luziden Künstlers stürzt ihn schließlich in die Einsamkeit, welche durch die alles durchdringende Ironie noch mehr betont wird.

Für Alexander Fischler [310] ist « La Pierre qui pousse » eine mythopoetische Exkursion, in der d'Arrast kraft seiner Kulturrevolte und seines Ingenieurberufs als Gemeinschafts- und Brückenbauer in einer mythisch überhöhten Rolle seine neue Identität findet. Die geographischen, soziologischen und religiösen Realitäten der afro-brasilianischen Fiktionswelt und ihre poetische und thematische Abwandlung untersucht Jaime Castro Segovia [311], der darauf hinweist, daß die Macumba das einzige afrikanische Überbleibsel darstellt, das Camus in seiner Novelle festhält.

Über *La Mort heureuse* besteht noch keine eigentliche Literatur, abgesehen von einer Vielzahl an Rezensionen, die aber meistens kaum über eine Handvoll Gemeinplätze — etwa über die Beziehungen zum *Etranger* — hinausgehen. Erwähnenswert ist eine vergleichende Studie von P. Dunwoodie [312], die den offen-

[310] "C.'s 'La Pierre qui pousse': Saint George and the protean dragon". In: *Symposium* 24 (Fall 1970), S. 206—217.

[311] « L'image des réalités afro-brésiliennes dans 'La Pierre qui poussé', nouvelle d'A. C. ». In: *Présence francophone* 1 (automne 1970), S. 105—120.

[312] « *La Mort heureuse* et *Crime et châtiment*: une étude comparée ». In: *RLC* 46 (octobre—décembre 1972), S. 494—504. Vgl. auch René Andrianne « Eros et cosmos dans *La Mort heureuse* de C. » In: *RevR* 9 (1974), S. 175—187.

sichtlich autobiographischen Rahmen erweitert und nachweisbare erzählerische, psychologische und rituelle Ähnlichkeiten zwischen Camus' Jugendroman und *Schuld und Sühne* studiert. Auch Jean Sarocchis [313] Einleitung der von ihm besorgten Ausgabe verdient Aufmerksamkeit, da sie aufgrund der *Carnets* die Entstehungsgeschichte der *Mort heureuse* und die Gründe ihrer Nichtveröffentlichung darlegt.

5. Theater

a) Allgemeine Studien zum Theater

Bis jetzt sind dem Theater Camus' drei Bücher und eine kürzere Monographie gewidmet worden. Ilona Coombs [314] Studie enthält aufschlußreiche Erläuterungen über dramaturgische, biographische und Regiefragen. Sie versucht auch, die Bedeutung der Dramen innerhalb des Gesamtwerkes zu ermessen und kommentiert ausführlich ihre Rezeption. Von ihren Einzelinterpretationen können jene der Adaptationen als besonders ergiebig betrachtet werden. Sehr lesbar ist Edward Freemans [315] kritische Einführung, der Camus' theatralische Produktion im Rahmen der Theatergeschichte von 1930 bis 1960 untersucht und jedes Drama einer gründlichen thematischen und formalen Auslegung unterzieht. Besondere Beachtung widmet er Camus' Unvermögen, die von ihm geplante moderne Tragödie zu schaffen. Eben dieser Frage ist auch die Arbeit des Verf. [316] gewidmet, der anhand von

313 « Genèse de *La Mort heureuse* ». In: A. C., *La Mort heureuse,* Paris, Gallimard, 1971, S. 7—19 [*Cahiers A. C. I*].

314 *Camus, homme de théâtre*, Paris, Nizet 1968, 215 S.

315 *The Teatre of A. C. A Critical Study*, London, Methuen, 1971, 178 S.

316 *Les envers d'un échec. Etude sur le théâtre d'A. C.*, Paris, Minard, Lettres Modernes, 1967, 296 S. (Coll. « Bibliothèque des Lettres Modernes » no. 10). Vgl. die vom selben Verf. zusammengestellte Liste der theatralischen *inédits*: « Manuscrits et inédits: section théâtre (collec-

entstehungsgeschichtlichen, biographischen und thematischen Einzeluntersuchungen den Versuch unternimmt, Camus' dramaturgischen Mißerfolg aus der Sicht des Gesamtoeuvre zu erklären. Besondere Aufmerksamkeit wird dabei den Frühwerken geschenkt. Christa Melchingers [317] Bändchen kann als gedrängte Übersicht empfohlen werden.

Die nachfolgende Auslese der Einführungsliteratur gliedert sich in drei Kategorien, die sich zum Teil überschneiden: 1. Historische und biographische; 2. thematische; 3. dramaturgische und vergleichende Arbeiten.

Ein auch heute noch aufschlußreicher Artikel über Camus' frühe theatralische Versuche stammt von Germaine Brée [318]. Ihre kurze Diskussion des Kollektivs, das sich zuerst « Théâtre du Travail », später aus politischen Gründen « Théâtre de l'Equipe » nannte, enthält wertvolle, damals völlig unzugängliche Ausschnitte aus den publizistischen Pamphleten dieser Gruppe, die zugleich als theatralische Manifeste gemeint waren. Daß 1960, im Jahre von Camus' tödlichem Unfall, besonders viele „Erinnerungen" an den Autor, Dramaturgen, Regisseur und Schauspieler veröffentlicht werden würden, war zu erwarten. Viele dieser retrospektiven Texte besitzen denn auch einen anekdotischen Charakter, enthalten aber für den Theaterkritiker und Biographen wichtigen Reminiszenzen. So spricht etwa Pierre Blanchar [319] von einem gemeinsamen Filmprojekt in Algerien und den Umständen, unter denen *Les Possédés* geprobt wurden, was einen Einblick in Camus' „indirekte" Regiemethoden gestattet.

tion appartenant à Mme. A. Camus) ». In: *RLM* 419—424 (1975), S. 97—102 [*AC 7*].

[317] *A. Camus*, Velber, Friedrich, 1969, 95 S.

[318] « A. C. et le Théâtre de l'Equipe ». In: *FR 22* (January 1949), S. 225—229. Vgl. zu dieser Frage auch die Ausführungen über C.'s frühe Theateraktivität in: R. Gay-Crosier, *op. cit.*, S. 11—40 (Anm. 315).

[319] « A. C., artisan de théâtre ». In: *Simoun* 8 (juillet 1960), S. 58 bis 68.

Auch René Farabet [320] befaßt sich mit Camus als Regisseur und stellt eine Liste jener Schauspieler auf, die mit ihm zusammengearbeitet haben. Farabets Beobachtungen vermitteln manche mündlich überlieferte Bemerkungen von Camus, die als solche zwar mit Vorsicht aufzunehmen, für den zukünftigen Biographen aber von nicht zu unterschätzender Bedeutung sind. Dasselbe läßt sich von Jean Négronis [321] Erläuterungen zum « Théâtre de l'Equipe » sagen, der als Freund und früher Mitarbeiter Camus' einen guten Blick in die Werkstatt der jungen algerischen Theatergruppe gewährt. Seine Dokumentation über das von ihr lancierte Manifest vervollständigt jene von Germaine Brée (Anm. 317). Über die ersten Aktivitäten hinaus führt uns Morvan Lebesque [322] in seiner Darstellung von Camus'' angeborener Theaterleidenschaft und Unternehmungen auf französischen Bühnen. Die Übersicht über das Dramenwerk fällt allerdings recht oberflächlich aus.

Wie in der Sekundärliteratur über die Romane befassen sich die meisten Kritiken mit thematischen und philosophischen Fragen und vernachlässigen das Formproblem. Es besteht dafür aber ein triftiger Grund: *L'Etranger*, *La Chute* und « Le Renégat » besitzen als formerneuernde Prosawerke qualitativ nichts Ebenbürtiges unter den Dramen.

Das mit der ethischen Fragestellung eng verbundene Gerechtigkeitsproblem analysiert André Alter [323], der in *Caligula, Le Ma-*

---

[320] « A. C. à l'avant-scène ». In: *RHT* 4 (octobre—décembre 1960), S. 350—354.

[321] « A. C. et le Théâtre de l'Equipe ». In: *RHT* 4 (octobre—décembre 1960), S. 343—349.

[322] « La passion pour la scène ». In: *Camus*, Paris, Hachette, 1964, S. 157—182. Für eine allg. Übersicht aller Stücke, *Révolte dans les Asturies* eingeschlossen, sowie statistischer Einzelheiten ihrer Aufführungen vgl. Anon., « Analyses du théâtre complet ». In: *L'Avant-scène* 413—414 (novembre 1968), S. 70—83, wo sich auch eine interessante Ikonographie befindet.

[323] « De *Caligula* aux *Justes*: de l'absurde à la justice ». In: *RHT* 4 (octobre—décembre 1960), S. 321—336. Auch in: J. Lévi—Valensi

lentendu, L'Etat de siège und *Les Justes* Camus' Entwicklung vom Absurden zur säkularisierten Nächstenliebe skizziert und damit eine sehr konventionelle Gesamtinterpretation liefert, die sich bis auf wenige Einzelheiten mit der vorherrschenden Tendenz innerhalb der zeitgenössischen Camus-Deutung deckt. Kritisch distanzierter, aber dennoch etwas nuancenarm liest sich Wallace Fowlie [324], dessen synoptische Kurzdarstellung die Stücke als spektakuläres Ideentheater qualifiziert, in dem sich die Personen in schrillen Dialogen verkrampfen, echte dramatische Konflikte aber angeblich kaum vorkommen. Erich Franzen [325] hebt ebenfalls den Wortüberfluß und die Konfliktarmut hervor. *Caligula* und *Le Malentendu* sind philosophisch und theatralisch nur haltbar, wenn man Camus' einseitige moralische Haltung teilt. Seine Dramen sind nicht sosehr engagiertes als vielmehr entmystifizierendes Theater, das, darin Büchner ähnlich, der Revolution die Flügel stutzen möchte. Auch Rima Drell Reck [326] bedauert das anachronistisch anmutende rhetorische Feuerwerk, konfrontiert aber immerhin Camus' Theatertheorie und Praxis, die sie mit seinen Thesen über *révolte* und *mesure* vergleicht. Thematisch variieren die Stücke immer wieder das Problem der Identität in seinen Zusammenhängen mit dem exzessiven Absolutheitsbedürfnis der Personen und ihrer dadurch bedingten Entfremdung. In einem scharfsinnigen Aufsatz geht Albert Sonnenfeld [327] den Gründen für Camus' dramatischen Mißerfolg nach, den er vorwiegend den inneren Schwierigkeiten des sich in einer umfassenden geistigen Metamorphose befindlichen Autors

[éd.], *Les critiques de notre temps et C.*, Paris, Carnier, 1970, S. 18 bis 28.

[324] "Camus". In: Ders., *Dionysus in Paris. A Guide to Contemporary Theater*, New York, Meridian Books, 1960, S. 184—190.

[325] „Existentialismus und engagiertes Theater". In: Ders., *Formen des modernen Dramas. Von der Illusionsbühne zum Antitheater*, München, Beck, 1961, S. 113—119.

[326] "The theater of A. C.". In: *MD* 4 (May 1961), S. 42—53.

[327] "A. C. as a dramatist: the sources of his failure". In: *TDR* 5 (June 1961), S. 106—123.

zuschreibt. Zudem war Camus nie in der Lage, das Zeitproblem im Roman und im Drama gattungsspezifisch zu unterscheiden. Die dramatisierte Rhetorik seiner Stücke vermag auch den Leser nicht aufzurütteln. Aufgrund von Camus' philosophischen und ästhetischen Positionen erarbeitet Walter Mönch [328] die thematischen und künstlerischen Kriterien, nach denen sich die einzelnen Dramen richten, wobei sich einmal mehr Mehrdeutigkeit und Ambivalenz als Qualitätszeichen erweisen. Ähnlich geht Margret Dietrich [329] vor, die das Absurde in die Nähe von Kierkegaards Paradoxon rückt, die Stücke selber aber vorwiegend aus der moralischen Sicht interpretiert. Interessant, wenn auch für den literarisch orientierten Leser von beschränkter Bedeutung, ist Richard Gehas [330] psychoanalytische Sondierung der Dramen als Ausdruck des Todeswillens. Sie sind verschleierte Bekenntnisse des Autors und lassen den abwesenden Vater als göttlichen Feind und die Mutter-Geliebte als Ursprung der Indifferenz erscheinen. Der dramatische Urkonflikt spielt sich bei Camus stets zwischen der Mondmutter und dem Sonnenvater ab. L. I. Borevas [331] bereits erwähnte Untersuchung (Anm. 74) über den Helden im Camus-Drama befaßt sich vorwiegend mit dem „engagierten" *Etat de siége* und gibt dem Bedauern Ausdruck, daß der Autor der Einsamkeit des Individuums eine übermäßige Bedeutung beimißt,

---

[328] „A. C.: Ein Versuch zum Verständnis seines dramatischen Werkes". In: *ZFSL* 75 (November 1965), S. 289—308.

[329] „A. C. — sein dramatisches Werk für die Weltliteratur". In: *Universitas* 22 (Oktober 1967), S. 1057—1064. Dazu auch B. G. Garnham, "A. C.". In: John Fletcher [ed.], *Forces in Modern French Drama. Studies in Variations on the Permitted Lie*, London, University of London Press, 1972, S. 129—146.

[330] "Another will for death". In: *Psychoanalytic Review* 54 (Winter 1967), S. 106—122.

[331] „Koncepcija ličonsti v dramaturgii A. C.". In: V. J. Bisceniek [Hrsg.] *K probleme obraza geroja v zarubežnoy literature*, Riga, Zinatne Press, 1970. Der Verf. gibt eine ausführlichere Bespr. dieses im Westen kaum zugänglichen Textes in: *RLM* 360—365 (1973), S. 184 bis 186 [*AC 6*].

was ihn daran hindert, „positivere" Werte dramatisch zu gestalten. Mary Ann Witt [332], die dem Gefangenschaftsthema eine unveröffentlichte Dissertation gewidmet hat, interpretiert die in *Les Justes, Requiem pour une nonne* und *Le Malentendu* vorherrschende Klaustrophobie als dramatisierten Ausdruck der paradoxerweise in der Absonderung entdeckten Freiheit. Den archetypischen Geschlechterkampf als dramatischen Grundkonflikt analysiert Alan J. Clayton [333]. Er erblickt darin Camus' Drang, die in der Realität stets unvollendete Liebe in dramatischen und romanhaften Variationen zu gestalten. Das zur Obsession gewordene Thema drückt den unüberbrückbaren Gegensatz zwischen dem Glücksstreben und Aktualisierungsbedarf der Frau und dem zerstörerischen Tatendrang des zukunftsorientierten Mannes aus.

Nicht etwa Camus' dazumal schwierig zu ortende und spärlich vorhandene Ausführungen zur Dramentheorie, sondern der Übergang vom hedonistischen Meursault zu Rieux' Aufruf zur kollektiven Revolte bilden für Haskell M. Bloch [334] die Grundlage seiner Arbeit über die Definition der Tragödie. Darin geht es ihm mehr um die tragische Situation der Camus-Figur, die individuelle Neigung und Pflicht zwar zu verbinden weiß, aber ständig vor eine Zerreißprobe gestellt ist. Gemäß Manuel Durán [335] ist im Theater Camus' künstlerischer Ausdruck seiner gefühlsmäßigen Spanienbindung zu suchen. Die Beschäftigung mit den iberischen Stücken und Adaptationen (*Révolte dans les Asturies, L'Etat de siège, La Dévotion à la Croix, Le Chevalier d'Olmedo*) kann aber höchstenfalls als eine programmatische

---

[332] "Imprisonment in C.'s modern tragedies: *Les Justes, Requiem pour une nonne*, Le Malentendu". In: *CompD* 5 (1971), S. 3—20.

[333] « C. ou l'impossibilité d'aimer ». In: *RLM* 419—424 (1975), S. 9—34 [*AC* 7].

[334] "A. C.: toward a definition of tragedy". In: *UTQ* 129 (July 1950), S. 354—360.

[335] "C. and the Spanish theater". In: *YFS* 25 (Spring 1960), S. 126—131.

Skizze der hispanistischen Elemente (vgl. Anm. 71 u. 72) in Camus' Dramen gewertet werden. Gründlicher ist E. Freemans [336] Essay über Camus' Lehrzeit bei Brecht, in dem es weniger um den Einfluß des Autors der *Dreigroschenoper* als um einen Überblick über die frühen Bühnenwerke und dramaturgischen Erfahrungen geht. Hauptbestandteil dieses Artikels ist die Besprechung der *Révolte dans les Asturies*, in der Pèpe als Prototyp des *homme révolté* auftritt. James H. Clancy [336a] vergleicht Brecht und Camus als Vertreter des Ideen- und Revoltetheaters, mit dem sie die naturalistische Tradition fortsetzen. Brechts Handlungen spielen sich auf der sozialen, politischen und satirischen, Camus' auf der persönlichen und tragischen Stufe ab. Im Gegensatz zum Naturalismus ist bei Brecht und Camus der Mensch nicht das Produkt, sondern das Instrument des Wechsels. Für Jacques Guicharnaud [337] sind Camus' und Sartres Dramen in ihren theoretischen und homozentrischen Aspekten wie auch in der ihnen eigenen Kombination von situationsbedingter Einsamkeit vergleichbar. Auch strukturmäßig sind sich ihre Stücke ähnlich, nicht aber in ihrer formalen Gestaltung. Die Unterschiede zwischen den philosophischen Prämissen der beiden Stückeschreiber sind allerdings bedeutender als es in Guicharnauds an sich guten Einleitung scheint. Siegfried Melchinger [338], der sich auf Walter Benjamins Definition der Tragödie stützt, erblickt im *Malentendu* ein modernes Trauerspiel, das auf einer barocken Auffassung des Theaters beruht. Barocke Elemente finden sich zudem in *Caligula* und vor allem im *Etat de siège*.

[336] "C.'s Brechtian apprenticeship in the theatre". In: *FMLS* 4 (July 1968), S. 285—298.

[336a] "Beyond despair. A new drama of ideas". In: *ETJ* 13 (October 1966), S. 157—166.

[337] "Man and his acts. Jean-Paul Sartre and A. C.". In: Ders., *Modern French Theater from Giraudoux to Beckett*, New Haven, Yale Univ. Press, 1961, Zweitauflage 1967, S. 135—155.

[338] « Les éléments baroques dans le théâtre de C. ». In: *RLM* 90 bis 93 (1963), S. 175—183.

b) *Caligula*

Das von der Mehrzahl der Kritiker als bestes taxierte Jugend-
drama — welches ebenfalls die größte Wiederaufführungsquote
besitzt — weist dementsprechend auch die umfangreichste Sekundärliteratur auf. Anerkanntermaßen ist Camus' dramatischer
Geniestreich zu einem beträchtlichen Teil der aus historisch-politischen Gründen außergewöhnlichen Aufnahmenbereitschaft des
Publikums und der Rezensenten sowie der eindrucksvollen
Schauspielkunst Gérard Philipes zuzuschreiben. Die zeitgenössischen Urteile enthalten denn auch eine verschwindend kleine Zahl
von Verrissen im Vergleich zur Rezeption der späteren Stücke.
Unter den gute Zensuren verteilenden Theaterkritikern finden
wir etwa Jacques Lemarchand [339], der *Caligula* und *Huis* clos
„definitiv" zu Marksteinen des modernen französischen Theaters
erhebt und eine subtile Charakteranalyse des römischen Kaisers
vorschlägt, dessen Komplexität in scharfem Kontrast zur Einfachheit der tragischen Gebärdensprache steht. Albert Ollivier [340]
meint, Camus sei mit der Kaiserfigur die dramatische Quadratur
des an sich höchst undramatischen Absurditätskreises gelungen.
Caligula ist keine Tragödie, sondern ein dramatisches Porträt,

[339] « Le théâtre ». In: *L'Arche* 3 (octobre 1945), S. 140—145. Zu
Camus' Inszenierung von 1957 vgl. *Caligula*, in: *Paris-Théâtre* 135
(1957), S. 6—47. Anne Philipe und Claude Roy beschreiben Gérard
Philipes Rollengestaltung und überliefern Urteile von anderen Schauspielern: "Caligula", in: *Gérard Philipe*, Paris, Gallimard, 1960, S.
54—60.

[340] « *Caligula* d'A. C. ». In: *TM* 3 (décembre 1945), S. 574—576.
Ähnlich positive, zum Teil distanzierte, zum Teil exaltierte Urteile
finden sich bei Francis Crémieux, « Le théâtre », in: *Europe* 24 (janvier 1946), S. 106—110; Etiemble, « *Caligula* », in: ders., *Hygiène des
lettres*, Bd. V, *C'est le bouquet*, Paris, Gallimard, 1967, S. 346—350;
Robert Kanters, « *Caligula* d'A. C. », in: *CS* 32 (1945), S. 850—853;
Roger Lannes, « *Caligula* d'A. C. », in: *Fontaine* 9 (décembre 1945),
S. 140—144; Georges Lherminier, « Le théâtre », in: *Esprit* 13 (novembre 1945), S. 815—817.

enthält aber als solches einige schwachen Stellen, weil der Autor durch die doppelsinnige Verspieltheit des Caius dessen Glaubwürdigkeit untergräbt. Eine fundierte Interpretation liefert Emile Zuckerkandl [341], der darauf hinweist, daß das Stück viel von seiner Substanz verliert, wenn es gelesen statt aufgeführt wird. Caligulas Absurdität besteht in der krankhaften Vergegenständlichung seiner Umwelt und Gefühle (ein Symptom, an dem bekanntlich auch Meursault leidet), sein tragisches Geschick im fatalen Versuch, die die *conditio humana* ausmachenden Gegensätze aufzulösen. Eindeutig negativ urteilt Pol Gaillard [342], dessen Verriß das Stück als marionettenhaftes Ideentheater abtut, in dem Caligula gleichsam als Imperator des Absurden „existentialistischer" Prägung auftritt. Interessant ist der Hinweis, daß ursprünglich Jean Vilars Theatergruppe die Uraufführung hätte vornehmen sollen. Auch Henri Troyat [343] stößt sich am demonstrativen Charakter des *Caligula*, begeht aber den zu dieser Zeit nicht ungewöhnlichen Irrtum, das Drama als „Illustration" des Sartreschen Existentialismus und des *Mythe de Sisyphe* (der ja gegen die Existentialisten gerichtet ist) zu deuten.

Der erste ausführliche Interpretationsversuch in deutscher Sprache von W. Küchler [344] vergleicht Camus mit einem mittelalterlichen Dichter, der eine legendäre historische Figur in seiner eigenen Sichtweise idealisiert. Der römische Kaiser verwandelt

[341] « *Caligula* d'A. C. », in: *Revue de la Méditerranée* 3 (janvier—février 1946), S. 103—108.

[342] « Caligula ou l'absurde au pouvoir. Pièces fausses et pièces vraies ». In: *Pensée* 5 (novembre—décembre 1945), S. 97—99.

[343] « A. C. *Caligula* ». In: *Nef* 12 (novembre 1945), S. 149—153. Ein ausgewogeneres, in seiner Anlage aber doch eher negatives Urteil gibt G. Marcel . Vgl. « *Caligula* d'A. C. » In: *Etudes 79* (janvier 1946), S. 108—110 und in: ders., *L'heure théâtrale*, Paris, Plon, 1959, S. 164—166.

[344] „*Caligula*". In: *Neuphilologische Zeitschrift* 1 (1949), S. 17—24. Oberflächlich und einseitig orientiert sind Paul Rillas Bemerkungen. Vgl. „C.: *Caligula*". In: Ders., *Literatur, Kritik und Polemik*, Berlin, Henschel, 1950, S. 54—58.

sich in einen modernen Machtmenschen, der zur Stillung seines Tatendurstes die Grenzen zwischen Gut und Böse systematisch verwischt und tragisch an seiner selbstmörderischen Luzidität zerschellt. Das Thema der Absurdität als Schicksal macht *Le Mythe de Sisyphe*, so Robert E. Jones [345], zum Schlüssel des Stückes, wobei sich Caligula bloß als Verrückter, als Opfer des von Camus kritisierten Existentialismus, Cherea hingegen als der echte absurde Mensch erweisen. Als mathematisches Theorem begreift Pablo Iborra [346] das Kaiserdrama, dessen unlösbarer Konflikt sich zwischen Caligulas Nihilismus und Chereas relativistischer Ordnungsliebe abspielt. Brigitte Coenen-Mennemeier[347] hingegen sieht diesen Konflikt im Rahmen von Camus' Hauptthemen (Einsamkeit, Freiheit, Tod) und Caligula als Anti-Sisyphus, dessen Untergang durch seine mörderische *solidarité solitaire* bestimmt wird. In ihrem zweiten Beitrag erweitert sie ihre Konfliktperspektive um den Gegensatz zwischen Freiheit und Faktizität, an dem Caligula schließlich scheitert, weil er der Faktizität nicht gewachsen ist. Als Erzieher, der seiner Zeit weit voraus ist, stellt Graham C. Jones [348] den Imperator dar, dessen

[345] "Caligula, the absurd, and tragedy". In: *KRQ* 5 (1968), S. 123—127 und in: ders., *The Alienated Hero in Modern French Drama*, Athens, University of Georgia Press, 1962, S. 111—115.

[346] « *Caligula de A. C.* ». In: *CHA* 168 (1963), S. 653—658. Ähnlich argumentiert Rafael Vazquez Zamora, «*Caligula de A. C.*». In: *Insula* 18 (November 1963), S. 15. Gegen diese Lesart richtet sich L. B. Rosenfeld, "The absurd in C.'s *Caligula*". In: *NTM* 8 (Spring 1968), S. 10—16.

[347] „Die Demonstration des Absurden. C.'s *Caligula*". In: Dies., *Einsamkeit und Revolte, Französische Dramen des 20. Jahrhunderts*, Dortmund, Lensing, 1966, S. 42—79. Dies., „Freiheit und Faktizität in C.'s *Caligula*". In: *Praxis des neusprachlichen Unterrichts* 18 (1971), S. 127—133. Dazu auch Louis Z. Hammer, "Impossible freedom in C.'s Caligula". In: *Person* 44 (Summer 1963), S. 322—336.

[348] "C.'s *Caligula*: the method in his madness". In: *EFL* 5 (1968), S. 88—101. Eine ähnliche Lesart vertritt auch Claude K. Abraham, "*Caligula*. Drama of revolt or drama of deception?". In: *MD* 5 (February 1963), S. 451—453.

suicide supérieur gleichzeitig die Authentizität seiner Absichten und das Zugeständnis seines Scheiterns bekundet. Eine gut informierte Interpretation der ästhetisch bedingten Verzweiflung von Caligula liefert Kenneth Harrow [349], der die Querverbindungen zu Kierkegaard aufdeckt, die metaphysische Komponente des pathetischen *und* tragischen Ästhetizismus im Stück aber unterschätzt. Für George H. Bauer [350] setzt sich das Drama mit dem darin gleichsam zweimal sterbenden Caligula weniger mit der Absurditäts- als mit der Künstlerproblematik auseinander.

Die Version von 1958 betont, gemäß R. W. B. Lewis [351], Camus' durch die Kriegsereignisse neu geschärfte Bereitschaft zum *engagement*. In seinem als dramatisierte Synekdoche aufgebauten anti-thematischen Schaustück liefern sich Maß und Exzeß einen unerbittlichen, kathartischen Kampf auf Leben und Tod. Die im *Etranger* und *Mythe de Sisyphe* gestellten philosophischen Probleme erfahren somit in *Caligula* einen dramatisch überspitzten Ausdruck, der durch das Spiegelbild und pantomimische Effekte [352] auf mehrere Bedeutungsebenen projiziert wird. Sehr aufschlußreich ist die dramentechnische Untersuchung von Jeannette Laillou-Savona [353], die sich mit dem Theater innerhalb des Theaters befaßt. Die Venus-Verehrungsszene, der chinesische Schat-

---

[349] "*Caligula*. A study in aesthetic despair". In: *CL* 14 (Winter 1973), S. 31—48.

[350] « Caligula. Portait de l'artiste ou rien ». In: *RLM* 419—424 (1975), S. 35—44 [*AC* 7].

[351] "Caligula: or the realm of the impossible". In: *YFS* 25 (Spring 1960), S. 52—58. Zur Variantenfrage vgl. Anm. 354—356. Janine Rattaud (« Points de vue sur *Caligula* ». In: *Praxis des neusprachlichen Unterrichts* 15 [1968], S. 243—255) ist der Ansicht, Camus habe mit dem Drama die 1955 in der Athener Vorlesung formulierten dramaturgischen Prinzipien der Tragödie vorweggenommen.

[352] Dazu Andrée Kail, "The transformation of C.'s heroes from the novel to the stage". In: *ETJ* 13 (October 1961), S. 201—206.

[353] « La pièce à l'intérieur de la pièce et la notion d'art dans *Caligula* ». In: *RLM* 419—424 (1975), S. 77—94 [*AC* 7]. Dazu auch Guy Dumurs Rezension, « Le théâtre dans le théâtre ». In: *TR* 35 (novembre 1950), S. 163—165.

tentanz und der Poetenwettbewerb werden als Illustrationen der absurden Kunstauffassung und als dramaturgische Vorläufer des Anti-Theaters analysiert. Als Spiele haben sie vor allem die Aufgabe, den ästhetischen Grundkonflikt kontrastiv zu verfremden.

Am meisten Interesse erweckte erwartungsgemäß die historische Quellenfrage und das damit verbundene Variantenproblem. Camus selber gab den Anstoß, als er Suetons *Zwölf Caesaren* als Vorlage identifizierte, an die er sich bis auf wenige, allerdings bedeutende Einzelheiten in der Gestaltung der Personen (außer Hélicon) hielt. Der Pionier auf diesem Gebiet war Walter A. Strauss [354], dessen Auszug aus einer unveröffentlichten Dissertation sich gründlich mit allen möglichen historischen Quellen des Caligula-Stoffes auseinandersetzt. Neben Sueton behandelt er auch Dion Cassius, Tacitus, Seneca, Philo Judaeus und Flavius Josephus sowie Camus' Abweichungen von seinen Vorlagen. Unter den modernen thematischen Parallelen, die ihn in der Bearbeitung des Konflikts beeinflußt haben können, nennt Strauss Kafkas *Urteil, Schloß* und „Strafkolonie", Kierkegaard und die Dostojewski-Schlüsselfiguren Kirilow und Stawrogin. Germaine Brée [355] untersucht als erste die Textvarianten in methodischer Weise, indem sie sich auf die damals unveröffentlichten *Carnets* stützt und die Vorbereitungsstadien des Stückes (ab 1936) skizziert. Ihr Vergleich der drei existierenden Versionen (1938/1944/1958) und ihrer Textabweichungen konzentriert sich auf das

---

[354] "A. C.'s *Caligula*: ancient sources and modern parallels". In: *CL* 3 (Spring 1951), S. 160—173.

[355] "C.'s *Caligula*: evolution of a play". In: *Symposium* 12 (Spring-Fall 1958), S. 43—51. Weniger ergiebig weil unsystematisch oder oberflächlich dokumentiert sind: Emilien Carassus, « Le Caligula de C. de 1937 à 1958. Notes sur la genèse et les variantes ». In: *Annales de l'Université de Toulouse-Le Mirail* 7 (1971), S. 87—101; Jean-Michel Minon, « Sources et remaniements du *Caligula* d'A C. », in: *Revue de l'Université de Bruxelles* 1—2 (octobre 1959—février 1960), S. 145—149; Fernando Ponce Muñoz, « *Caligula* de A. C. », in: *Punta Europa* 11 (November 1963), S. 85—91; Janine Gilles, « *Caligula*: De Suétone à Camus », in: *Etudes Classiques* 42 (1974), S. 393—403.

Spielermotiv, stilistische und szenische Nuancen und das erhöhte Pathos der „Kriegsfassung", die sie als die gelungenste betrachtet. Hélicons gradueller Bedeutungszuwachs und die damit verbundene Perspektivenänderung machen die Version von 1958 zu einer allzu durchsichtigen historisch-politischen Allegorie. Mit zusätzlichen Informationen versehen rollt I. H. Walker [356] dieselbe Frage nochmals auf, wobei er sich auf die, soweit zugänglichen, Manuskripte, eine umfangreiche Korrespondenz mit Camus-Freunden und Vertrauten (Paulhan, Millot, Sartre, Quilliot) und auf die *Carnets* stützt. Seine Hauptaufmerksamkeit gilt der ersten Fassung und den von Camus später vorgenommenen Änderungen. Walker zeigt, daß Caligula ursprünglich (Manuskript 1, 1938) eine bewunderungswürdige Figur war, die in der zweiten Fassung (Ms 2, 1938) ihren vorbildlichen Charakter einzubüßen beginnt. Zwischen September 1939 und März 1941 und möglicherweise nochmals 1943/44 änderte Camus unter dem Einfluß der Kriegsereignisse den Stoff radikal und gestaltete ein praktisch völlig neues, engagiertes Kaiserdrama. Kompetent und hervorragend dokumentiert ist Alan J. Claytons [357] Artikel-Serie über die Geschichte der Schlüsselpersonen und ihres Bedeutungswandels. Seine erste Arbeit weist Suetonius als direkte Quelle von zwei Stellen in den *Carnets* (November 1939) nach, in denen sich zeigt, daß Camus von Anfang an nicht an der psychologischen Fragestellung interessiert ist, sondern Personen wegen ihrer Rebellionsfähigkeit und ihres entwickelten Selbstbewußtseins ausliest. Es zeigt sich auch, daß er die Tendenz hat, sein Quellenmaterial zu intellektualisieren. Hélicon scheint eine frei erfun-

---

[356] "The composition of *Caligula*". In: *Symposium* 20 (Fall 1966), S. 263—277.

[357] « Note sur C. et Suétone: La source ancienne de deux passages des *Carnets* ». In: *FS* 20 (April 1966), S. 164—168; « Remarques sur deux personnages camusiens: Hélicon et Scipion «, in: *RSH* 33 (janvier—mars 1968), S. 79—90; » Les deux visages du Cherea de C. «, in: *RF* 80 (1968), S. 303—317; « C., Apulée et la lune », in: *RR* 41 (October 1970), S. 209—218.

dene Figur zu sein. Es ist aber möglich, in Dion Cassius, Plutarch und Pleilon von Alexandrien, die Camus studienhalber gelesen haben kann, Namensvetter und Vorbilder dieses befreiten Sklaven und parodistischen Logikers zu finden. Außer Sueton haben zudem persönliche Erfahrungen die Gestaltung des Scipion bedeutend mitbestimmt. Die Cherea-Studie befaßt sich nicht mit historischen, sondern thematischen Fragen und vergleicht den römischen Senator mit Philinte, der gegen seinen Willen zum Gegner Alcestes wird. Clayton gibt über die von Fassung zu Fassung erfolgten Änderungen im Charakter Chereas ein ziemlich strenges Urteil ab. Sein vierter Beitrag weist in überzeugender Weise nach, daß sich im zweiten Buch der *Metamorphosen* des Apuleius die Quelle des kaiserlichen Mondsymbolismus befindet. Ebenfalls gut informiert ist E. Freemans [358] Abhandlung über das Caligula-Bild, das schon beim Fakten und Fiktion mischenden Suetonius zum Mythos wird, dem Camus eine absurde Komponente beifügt. *Caligula* ist überdies Camus' Beitrag zur zeitgenössischen Renaissance der antiken Stoffgestaltung. A. James Arnold [359], der sich auf eine Reihe solider Vorarbeiten stützen kann, schlägt konsequenterweise vor, die Version von 1938 als eigenständiges Drama zu behandeln, in dem Camus sich direkt an Nietzsches *Geburt der Tragödie* anlehnt und ein stofflich sowie dramentechnisch besseres Stück zimmert als in der Kriegs- und Nachkriegsfassung.

Die Variationsfähigkeit des Caligula-Themas zeigt sich auch in den zahlreichen vergleichenden Interpretationen. So sieht Jean-Claude Brisville [360] im römischen Kaiser nicht nur den Lorenzaccio des Existentialismus, sondern auch einen Bruder des Saint-Just. Als Puristen und Animatoren einer totalen Revolu-

[358] "Suetonius, and the Caligula myth". In: *Symposium* 24 (1970), S. 230—242.

[359] "C.'s dionysian hero: Caligula in 1938". In: *SAB* 38 (November 1973), S. 45—53. Vgl. ders., « Pour une édition critique de *Caligula*: travaux préliminaires ». In: *AC* 9, 1977.

[360] « Caligula, Saint-Just ». In: *Age d'or* 5—6 (décembre 1946—janvier 1947), S. 25—30.

tion, als Dichter auf der Suche nach dem Absoluten scheitern beide an den Exzessen ihrer Intelligenz. Francis Jeanson [361] schlägt in seiner Gegenüberstellung von *Caligula* und Pirandellos *Heinrich IV.* einen Ton an, der auf die weniger als ein Jahr später erfolgende Polemik in den *Temps Modernes* hinweist. Die thematischen Kongruenzen der beiden Stücke (Einsamkeit, Weltabkehr, Pessimismus) sind zwar durchaus gegeben, Anlaß für Jeansons Artikel dürften aber eher ihre zufällig gemeinsam erfolgende Aufführung sowie politische Divergenzen gewesen sein. Ergiebiger ist denn auch Edward B. Savages [362] Besprechung desselben Dramenpaares, in dem beide Autoren die Technik des Theaters innerhalb des Theaters und der Rolle innerhalb der Rolle anwenden. Auffallend ist die ähnlich geartete Betonung des Artifiziellen durch Pirandello und Camus, die Handlungsablauf und Personen bewußt antirealistisch gestalten. Beide Autoren faszinieren durch ihr dialektisches Spiel mit der inneren und äußeren Wirklichkeit. Eine sehr lesenswürdige Parallele zwischen Hegels Beschreibung des Kaisers von China und Camus' Caligula-Bild gibt Leon J. Goldstein [363]. Er ist der Ansicht, daß, entgegen der weitläufigen Meinung, Hegels Freiheitsbegriff (Einheit der Substantialität und Subjektivität) jenem Camus' näher steht als dem Sartres. Wie Caligula kann nur der hypothetische Kaiser von China frei sein und zwar auf Kosten seiner Untertanen, deren Gleichheit in ihrer kollektiven Unfreiheit besiegelt ist. Jarrys *Ubu* ist für Jean Onimus [364] eine Tragödie des Despotismus, *Caligula* eine Intelligenztragödie, in der Iwan

---

[361] « Pirandello et Camus, à travers *Henri VI* et *Caligula* ». In: *TM* 61 (novembre 1950), S. 944—953.

[362] "Masks and nummeries in *Enrico IV* and *Caligula*". In: *MD* 6 (February 1964), S. 397—401.

[363] "The emperor of China as emperor of Rome". In: *Person* 43 (1962), S. 515—526.

[364] « D'Ubu à Caligula ou la tragédie de l'intelligence ». In: *Etudes* 6 (juin 1958), S. 325—338 sowie in: ders., *Face au monde actuel*, Paris—Bruge, Desclée de Brouwer, 1962, S. 117—131.

Karamazows metaphysische Irrwege ihrer inneren Logik zufolge in eine Sackgasse münden.

c) *Le Malentendu*

Wiederum sind es die zeitgenössischen Kritiker, die zukunfts-weisend die Qualitäten und, vor allem, die Mängel des herben Wiedererkennungsdramas formulieren. Die meisten rühmen den „hohen" Stil, auch wenn ihn einige gespreizt finden, sehen aber gerade darin einen der Gründe für die Reserviertheit des Publikums. So glaubt etwa Albert Ollivier [365], daß die Personen des *Malentendu* (1944) viel zu viel und zu gut reden, und daß Camus nicht nur thematisch, sondern auch dramaturgisch den Fehler begeht, mit zuviel Licht und zuwenig Schatten zu arbeiten. In hellsichtiger Weise erkennt bereits 1945 Claude-Edmonde Magny [366] im Stück den Abschluß des « cycle absurde » von Camus' Werk. Nach dem Mutter-Sohn-und-Geschwisterkonflikt kehrt er der „pessimistischen" Weltanschauung — die zwar weder *Le Mythe* noch *L'Etranger* vertritt — endgültig den Rücken und befaßt sich mit der Sensibilisierung des abgestumpften Menschen. Für Gabriel Marcel [367] ist Jan ein zur Sphinx gewordener Ödipus. Trotz der « noble sincérité »des Autors, ist aber *Le Malentendu* ein dramatisch flaches Stück. Thierry Maulnier [368] nennt Camus kurzerhand « un dramaturge manqué », dessen Dialog nie über die philosophierende Allegorie hinausgerät und dessen

---

[365] « *Le Malentendu* ». In: *Confluences* 4 (juillet 1944), S. 101 bis 104. Jean Catesson («A propos du *Malentendu* », in: *CS* 32 [1945], S. 343—347) führt den Mißerfolg auf stilistische Unsicherheiten im Dialog zurück. Dazu auch Etiemble, « *Le Malentendu* », in: ders., *Hygiène des lettres*, 5. Bd., *C'est le bouquet*, Paris, Gallimard, 1967, S. 346—350, der Echos des *Etranger*-Stiles zu erkennen glaubt.

[366] « *Le Malentendu, Caligula* ». In: *Esprit* 13 (1945), S. 274.

[367] « *Le Malentendu* ». In: *Temps présent*, 5. Okt. 1944 sowie in: ders., *L'heure théâtrale*, Paris, Plon, 1959, S. 161—163.

[368] « Ouverture ». In: *RdP* 71 (octobre 1964), S. 114—116.

Personen sich nicht durch ihre Lebenskraft und Individualität, sondern ausschließlich durch ihren methodischen Intellekt auszeichnen. Wenn auch Georges Portals [369] Verriß nicht frei von Zynismus ist, so kann man darin eine überspitzt formulierte Zusammenfassung der Rezensionen von Wiederaufführungen lesen. Portal verkündet peremptorisch, Camus sei einfach dumm gewesen und verdiene das literarische Geschick eines Romain Rolland.

In den bereits erwähnten Gesamtstudien über Camus' Dramenwerk befassen sich E. Freeman (Anm. 315, vgl. S. 56—75) mit dem Vergleich der Fassungen von 1944 und 1958, dem Nemesis-Thema und der Modernität des *Malentendu* und der Verf. (Anm. 316, S. 95—132) mit der Entstehungsgeschichte, dem Strukturvergleich mit der attischen Tragödie und dem Thema des unerreichbaren Glückes. Auch D. M. Church [370] setzt sich mit der Formfrage auseinander und beurteilt das Drama im Hinblick auf Camus' Suche nach der modernen Form des Trauerspiels. Es besteht kein Zweifel, daß *Le Malentendu* im Sinne von Camus' Definition eine Tragödie ist (vgl. *TRN*, s. 1699), und daß er sich auf griechische Vorbilder stützt. Church analysiert den Bedeutungswandel der Ironie und Ambiguität, Camus' Universalisierungstendenz, die Pluralität der symbolischen Bedeutungsebenen und ihre stilistischen Ausdrucksmittel. Er kommt zum Schluß, daß *Le Malentendu* an der übertriebenen Vereinfachung der psychologischen Struktur — ein Stilisierungsverfahren, das Camus besonders am Herzen lag — und an dem inkohärenten und zu hektisch erfolgenden Wechsel zwischen den Bedeutungsstufen scheitert.

Erwartungsgemäß inspirierte der der universellen Legendenliteratur angehörende Dramenstoff (Parabel des heimkehrenden und nicht wiedererkannten Sohnes, der entweder von seinen Eltern oder einem Eltern- und einem Geschwisterteil aus Gewinn-

[369] « Comment se fabriquent les malentendus ». In: *Ecrits de Paris* 233 (janvier 1965), S. 122—125.

[370] "*Le Malentendu*: search for modern tragedy". In: *FS* 20 (January 1966), S. 33—46.

sucht ermordet wird) eine Vielzahl von Quellenstudien. Den Reigen wissenschaftlich haltbarer Untersuchungen eröffnet Reino Virtanen [371], der nicht nur Zacharias Werners *24. Februar*, sondern auch Lillos *The Fatal Curiosity* und Robert Penn Warrens *Ballad of Billie Potts* als mögliche Vorlagen analysiert. Henry Moenkemeyer [372] konzentriert sich auf den Vergleich mit Werner und auf die Tatsache, daß dieser wie Camus versucht, aus einem Zeitungsausschnitt eine „klassische" Tragödie zu zimmern. Derselbe Ausschnitt kommt ja bereits im *Etranger* vor und stellt ein schönes Beispiel der heute oft bemühten *intertextualité* dar. Werners christliche Vorsehung findet allerdings im *Malentendu* keinen Platz und wird durch die absolute und zugleich fatale Handlungsfreiheit der Protagonisten ersetzt. Ausschließlich mit der Ursprungsfrage des Zeitungsausschnittes befaßt sich eine Artikelserie von David S. Speer [373], der eine von den Zeitungen Algiers übernommene Meldung der Associated Press, die u. a. auch am 6. Januar 1935 im *Echo d'Alger* erschien, als „Quelle" der Camus-Bearbeitung des Legendenstoffes schlüssig nachweist. Damit ist Henry Amers [374] Hypothese, daß eine « L'Etranger » betitelte Kurzgeschichte, die Luc Joséban alias Luc Benoist am

---

[371] "C.'s *Le Malentendu* and some analogues". In: *CL* 10 (Summer 1958), S. 232—240. Dazu als Korrektiv zu einigen Unstimmigkeiten M. Kosko, « A propos du *Malentendu* ». In: *CL* 10 (Fall 1958), S. 376—377. Vgl. auch Francisco Ayala, « Experiencia viva y creación literaria ». In: *Sur* 257 (März—April 1959), S. 51—53. Der Artikel enthält einen Briefauszug, in dem C. erklärt, daß er den *fait divers* in einer in Algerien publizierten Zeitung gelesen hat. Vgl. auch Ilona Coombs (Anm. 314, S. 53—54) Textgegenüberstellungen.

[372] "The son's home-coming in Werner and C.". In: *MLQ* (March 1966), S. 51—67.

[373] "Meursault's newsclipping". In: *MFS* 14 (Summer 1968), S. 225—229. "More about Meursault's newsclipping". In: *MFS* 16 (1970), S. 102—104. « C.'s fait divers ». In: *MFS* 17 (1971), S. 263. Antoine Abbous « La source du *Malentendu* » (in: *RLM* 238—244 (1970), S. 301—302) bestätigt Speers These.

[374] « Une source du *Malentendu* ». In: *RHLF* 70 (janvier—février 1970), S. 98—102.

5. Juni 1924 im *Petit Journal* publizierte, als möglicher Ursprung des *Malentendu* in Frage kommt, jede Wahrscheinlichkeit entzogen. Die jüngste Arbeit zur Ursprungsfrage liefert Paul Verdier [375], der eine mündlich überlieferte togolesische Legende in nicht überzeugender Weise als zusätzliche Inspirationsquelle vorschlägt.

Zwei interessante Studien über literarische Parallelen stammen von N. C. Chase und Herbert Knust. [376] Der erste vergleicht Becketts vaudevillehaften Stil von *En attendant Godot* mit Camus' dramatischen Ironie im *Malentendu*, die sich schließlich zur kosmischen Ironie des Absurden steigert. Becketts possenhafte Technik und Stil gestatten dem Zuschauer eine, wenn auch beängstigende, Vertrautheit mit der metaphysischen Dimension der Handlung. Camus' bühnentechnische und stilistische Mittel schaffen hingegen eine kritische Distanz zwischen Zuschauer und Handlung. Beide Autoren befassen sich mit irrationalen Elementen des modernen Menschen, für die Camus aber die geeignete dramatische Form nicht zu finden vermochte. Knusts Essay studiert den stofflichen Parallelismus zwischen *Le Malentendu* und Doderers „Zwei Lügen". Doderers Novelle mündet in eine christlich inspirierte Rehumanisierung der Personen aus, die bei Camus ausgeschlossen ist. Die Kurzgeschichte erweist sich gattungspoetisch gesehen als ein für diesen Stoff besser geeigneter Genre, weil sie weniger leicht ins Melodramatische abgleitet.

d) *L'Etat de siège*

In Frankreich war *L'Etat de siège* (1948) bekanntlich von Anfang an ein eindeutiger Mißerfolg beschieden. In Deutschland

---

[375] « Pour une autre lecture du *Malentendu* d'A. C. ». In: *Présence Francophone* 4 (Spring 1972), S. 139—146.

[376] N. C. Chase, "Images of man: *Le Malentendu* and *En attendant Godot*". In: *WSCL* 7 (Fall 1966), S. 295—302. Herbert Knust, „C.'s *Malentendu* und Doderers ‚Zwei Lügen'", in: *Archiv* 208 (Juni 1971), S. 23—34.

hingegen wurde das Pestdrama besser aufgenommen, was zu einem großen Teil auf das literarische und geistige Klima der Nachkriegszeit und den kathartischen Effekt des Camus-Stückes zurückgeführt werden kann. Für Gabriel Marcel [377] ist der dramaturgische Mißerfolg geradezu katastrophal, weil Camus nicht nur ein an sich bühnen- und zeitgerechtes Thema vergibt, sondern weil er offensichtlich die schwächeren Teile der *Peste* umgearbeitet und zur antikatholischen und antispanischen Polemik umfunktioniert hat. Diese einseitige Kritik, die offensichtlich den betont antichristlichen Unterton des Pestromanes verkennt, verleitete Camus zu einer ebenfalls spitz formulierten Antwort in «Pourquoi L'Espagne?» (*TRN*, S. 389 ff.). Auch stritt er entschieden, aber nicht eben überzeugend ab, den Romanstoff dramatisiert zu haben. Es stimmt allerdings, daß die Bühnenbearbeitung des Pestthemas nicht aufgrund des Romanes, sondern als eigenständiges Werk beurteilt werden muß. Gemäß Georges Bataille [378] ist die Katastrophenmoral gewissermaßen die Hauptperson des Stückes, das das Prinzip des Bösen als Hindernis *und* Motivierung des Glücks besser gestaltet als der Roman mit seinen langatmigen Dialogen. Gerade die Dialoge des *Etat de siège* findet aber Bernard Simiot [379], im Bunde mit den meisten französischen Kritikern, besonders langweilig und zu theoretisch. Sie ersticken im Keime die dem tragischen Stoff angemessenen Gefühle. Ebenso schuldig für die mangelhafte Bühnengestaltung ist nach der Ansicht mancher Kritiker J.-L. Barrault (Anm. 381), dessen Ta-

[377] «*L'Etat de siège*». In: *NL* 27 (11 novembre 1948), S. 8 sowie in: ders., *L'heure théâtrale*, Paris, Plon, 1959, S. 167—172.

[378] «Le bonheur, le malheur et la morale d'A. C.». In: *Critique* 33 (février 1949), S. 185—189.

[379] «*L'Etat de siège* de M. A. C.». In: *Hommes et mondes* 7 (décembre 1948), S. 712—716. Eine Zusammenstellung von Auszügen aus französischen Rezensionen befindet sich in *L'Avant-scène* 413—414 (novembre 1968), S. 55. Für eine allgemeine Besprechung in deutscher Sprache vgl. Walther Huder, „A. C. und das absurde Wunder der Freiheit". In: Kurt Ihlenfeld [Hrsg.], *Eckart-Jahrbuch 1961—62*, Berlin, 1961, S. 36—46.

lent und Temperament denen Camus' geradezu zuwiderläuft, ein Umstand, den der Mime und Regisseur selber erkannt hat.

Neben einer allgemeinen Interpretation des Symbolismus des Stückes gibt Ilona Coombs (Anm. 314, S. 93—111) vor allem eine Übersicht über dessen Rezeption, E. Freeman (Anm. 315, S. 76—98) interpretiert es als eine Dramatisierung eines von Artaud übernommenen und mißverstandenen Mythos, dessen antitotalitärer Unterton die politische Bedeutung auf Kosten der metaphysischen hervorhebt. Neben der Genesis und dem flachen Symbolismus studiert der Verf. (Anm. 316, S. 133—162) bühnentechnische Fragen (Einfluß der *autos sacramentales*) und den penetranten Moralismus als eine der Ursachen des Mißerfolges des *Etat de siège*.

Das wirkliche und volkstümlich überlieferte Spanien im Drama konfrontiert Jaïme Castro Segovia [380], der ebenfalls kurz auf die *autos sacramentales* und den Pikaros (möglicher Einfluß auf die Gestaltung Nadas) zu sprechen kommt und Camus vorwirft, er biete bloß ein oberflächliches Themengemisch, in dem das authentische Spanienbild vom literarisch und mündlich überlieferten nicht mehr unterschieden werden kann.

Wie bereits erwähnt, äußerte sich Jean-Louis Barrault [381], der ja an der Gestaltung des Stückes maßgebend beteiligt war, zu den Schwierigkeiten, die er und Camus, trotz guter Zusammenarbeit, hatten. Abgesehen von seiner von Camus' grundsätzlich verschiedenen Theaterauffassung, sieht er vor allem im Abgleiten von der metaphysischen Ebene (Amiel, Defoe, Artaud) zur politischen (Engagement, Hitler, Antitotalitarismus) die Hauptursache für den nicht zu beschönigenden Mißerfolg des *Etat de siège*. Camus verstand ja die Vorbereitung der Aufführung als

[380] « L'image de l'Espagne dans *L'Etat de siège* d'A. C. ». In: *Cahiers de littérature et de linguistique appliquée* 1 (juin 1970), S. 38 bis 52.

[381] « Sur *L'Etat de siège* ». In: *TR* 146 (février 1960), S. 67—68. « Première épreuve ». In: Ders., *Souvenirs pour demain*, Paris, Seuil, 1972, S. 203—207.

eine Neuauflage des Kollektivtheaters, an dem sich nicht nur ein führender Autor und Spitzenregisseur, sondern auch erstrangige Schauspieler und Künstler (Arthur Honegger schrieb die Musik, Balthus entwarf das Bühnenbild) beteiligten. Mehr noch als in der *Peste* ist es die allegorische Transparenz (Pest = Totalitarismus), die *L'Etat de siège* nicht nur dramaturgisch, sondern auch thematisch fragwürdig macht. Paul Fechter [382], der Camus' europäischen Ruf eigentümlicherweise auf dieses Drama zurückführt, erblickt im Stilgemisch die oft postulierte Absicht des Dichters, ein Anti-Lehrstück zu verfassen, geht aber nicht kritisch auf die Gründe der bühnentechnisch unbefriedigenden Lösung ein. Ebenfalls die dramaturgischen Stilmittel untersucht Jacques Truchet [383], der *L'Etat de siège* und *Huis-clos* als Vorläufer des Antitheaters der fünfziger Jahre interpretiert, mit dem beide Stücke einen hohen Grad an Abstraktion und betont antipsychologisch gestaltete Personen gemeinsam haben. Truchet meint, Camus' Pestdrama mache nicht nur dem Totalitarismus den Prozeß, sondern auch den der Sprache innewohnenden absolutistischen Tendenzen. Eine brauchbare Übersicht zur Frage des Einflusses von Artaud auf Camus' Gestaltung des Pestmotivs liefert Heinz Willi Wittschier [384], ohne allerdings den diesem Thema gewidmeten Arbeiten etwas neues beizufügen.

---

[382] „Belagerungszustand". In: Ders., *Das europäische Drama. Geist und Kultur im Spiegel des Theaters*, Bd. III, *Vom Expressionismus zur Gegenwart*, Mannheim, Bibliographisches Institut, 1958, S. 332—335.

[383] « *Huis-clos* et *L'Etat die siège*, signes avant- coureurs de l'anti-théâtre ». In: Jean Jacquot [Hrsg.], *Le Théâtre moderne*, Bd. II, *Depuis la deuxième guerre mondiale*, Paris, CNRS, 1967, S. 29—36. Weniger überzeugend und ungenügend dokumentiert ist Anthony Swerlings Versuch, Strindbergs „Einfluß" auf C. zu erfassen. Vgl. "C. *L'Etat de siège*". In: Ders., *Strindberg's Impact in France*. 1920 bis 1960, Cambridge, Trinity Lane Press, 1971, S. 104—110.

[384] „A. C. und Antonin Artaud. Zum Verständnis von *L'Etat de siège*". In: *Romanistisches Jahrbuch* 23 (1972, hrsg. 1973), S. 137—149.

e) *Les Justes*

Ob *Les Justes* (1949) wirklich eine Zwischenstation auf Camus' Weg zur « tragédie en veston » war, ist schwer zu ermessen, denn nach diesem Revolutionsstück verfaßte er bekanntlich, außer einer Anzahl Bearbeitungen und Übersetzungen, kein dramatisches Werk mehr. Bühnentechnisch gesehen stellen *Les Justes* ohne Zweifel eine Rückkehr zur „klassischen" Tradition des französischen Worttheaters dar. Es ist denn auch nicht verwunderlich, daß die Mehrzahl der Interpretationen sich auf das darin enthaltene Ideengut konzentrieren.

Typisch ist Gabriel Marcels [385] Reaktion, dessen nur bedingt positives Werturteil sich nicht auf die dramatischen, sondern auf die moralischen Qualitäten, auf Camus' sympathische Naivität bezieht. Giorgio Strehlers Inszenierung im Piccolo Teatro ist, so Giulio Cesare Castello [386], nicht in der Lage, die Trockenheit und Steifheit des Gerechtigkeitsdramas zu vertuschen und demonstriert bloß die intellektuellen und politischen Eigenschaften und Auffassungen Camus'. Jean Mauduit [387] gar zögert nicht, in den *Justes* den definitiven Beweis für Camus' Zugehörigkeit zur Tradition des Ideentheaters festzuhalten. *Die Justes* beschönigen nicht nur die Revolution, sie weisen ihn als literarisches Opfer seiner politischen und historischen Abstraktionen und Unbefangenheit aus. Von der theologischen Warte aus setzt sich X. de la Boullaye [388] mit den politischen und philosophischen Prämissen des Handlungsablaufes auseinander. Er kritisiert vor

[385] »*Les Justes* «. In: *NL* 28 (1949), S. 8 sowie in: ders. *L'heure théâtrale*, Paris, Plon, 1959, S. 173—176.

[386] « *I. Giusti* di A. C. ». In: *Sipario* 5 (Mai 1950), S. 27—28.

[387] « *Les Justes* d'A. C. ». In: *Etudes* 264 (février 1950), S. 248 bis 253. Ins selbe Horn stößt Robert Kemp, « *Les Justes* d'A. C. » (in: *Le Monde*, 13. August 1950 und in: ders., *La Vie du théâtre*, Paris, Albin Michel, 1956, S. 266—271), der das Stück als ideologisches Drama wertet, in dem C. jedes pathetische Element unverzüglich intellektualisiert.

[388] « *Les Justes* d'A. C. ». In: *Témoignages* 32 (janvier 1952), S. 40—49.

allem den Immanentismus der Absurdität und der Revolte. Valeria Lupo [389] hingegen interpretiert *Les Justes*, wie viele Kritiker nach ihr, im Lichte des fatalen historischen Determinismus, dem sie die von Camus abgelehnte christliche Komponente beifügen möchte, kraft deren Kaliayev und Dora sich vom heidnischen Humanismus zwar nicht befreien, dennoch aber einen ersten Schritt im seelischen Reinigungsprozeß vollführen könnten. Die von O. E. Marsh [390] besorgte Einleitung zu seiner Schulausgabe ist mehr als nur eine bio-bibliographische Gesamtübersicht. Als historische und thematische Studie stellt sie das Stück in den umfassenderen Zusammenhang der Dialektik zwischen Mittel und Zweck, deren dramatisierte Darstellung auf eine Kritik des Totalitarismus hinausläuft. Das Porträt eines intuitiven Humanisten zeichnet Franz Norbert Mennemeier [391] in seinem auf *Les Justes* abgestimmten Camus-Bild. Deren engen Zusammenhang mit *L'Homme révolté* ist schon dadurch bedingt, daß beide Werke eine gemeinsame Entstehungsphase besitzen. Mennemeier interpretiert denn auch folgerichtig das Gerechtigkeitsdrama als Illustration und Ergänzung des Essays über die Revolte.

Eine eingehende und äußerst systematisch konzipierte Deutung liefert Heinrich Lausberg [392], die sich methodologisch auf sein *Handbuch der literarischen Rhetorik* (München, 1962) und in ihren bühnentechnischen Ausführungen auf Probeneindrücke stützt. In 128 Paragraphen analysiert er minutiös die Modalitäten der Revolte sowie Fragen ihrer dramatischen und philoso-

[389] « La ricerca del giusto in C.: *Les Justes* ». In: *Il Ponte* 10 (Juni 1952), S. 906—921. Dazu auch Alfred Schwarz, "The limits of violence: C.'s tragic view of the rebel". In: *CompD* 6 (1972), S. 28—39.

[390] Vgl. A. C., *Les Justes*, ed. by O. E. Marsh, London, Harrap, 1960, 108 S.

[391] „A. C. Sisyphus und der neue Humanismus. Die Tragödie der *Gerechten*". In: Ders., *Das moderne Drama des Auslandes*, Düsseldorf, August Bagel, 1961, S. 193—217.

[392] „Das Stück Les Justes von A. C.". In: Ders., *Interpretationen dramatischer Dichtungen*, Bd. I, München, Max Hüber, 1962, S. 23 bis 91 und 232—233.

phischen Korrelation. Er unternimmt es auch, das christliche Erbe und Reform-Potential der Camusschen Revolte zu identifizieren. Die vom Verf. vorgelegte Lesart (Anm. 316, S. 185—219) sieht in *Les Justes* und *L'Homme révolté* ebenfalls komplementäre Werke, glaubt aber, daß Kaliayev eher eine Ideologie- und eine auf einen persönlichen Dilemma gründende Selbstkritik als eine Apologie der reinen Revolte darstellt. Wie viele seiner Vorgänger, tadelt E. Freeman [393] (vgl. Anm. 315, S. 56—75) den didaktischen Charakter der *Justes*. Kaliayev ist für ihn eine zu reine Figur, um ein tragischer Held zu sein, es fehlt ihm die Hamartia. Zudem kreuzen sich im Stück zwei sich gegenseitig abschwächende dramatische Strukturen, in denen der Kampf zwischen den Gerechten und ihren Widersachern mit dem Konflikt zwischen Stephan und Kaliayev um die Aufmerksamkeit des Zuschauers wetteifert. In jüngster Zeit hat der Verf. in Zusammenarbeit mit Reinhold Grimm [394] die bühnentechnische Frage des Spiels im Spiel in den *Justes* im Zusammenhang mit der Tradition des Revolutionstheaters untersucht, wobei der Dialektik zwischen Spiel und Wirklichkeit besondere Aufmerksamkeit geschenkt wurde. Es erweist sich, daß die im *Homme révolté* puristisch definierte Revolte in *Les Justes* dramatisch verfremdet wird. Kaliayev und Dora bleiben zwar tragische Figuren, das Stück selber aber gerät zur modernen Tragikomödie.

f) Bearbeitungen, Übersetzungen und *Révolte dans les Asturies*

Über *Révolte dans les Asturies* (1936) und die Bearbeitungen von Pierre de Lariveys *Les Esprits* (1953), Calderons *La Dévo-*

[393] "C.'s *Les Justes*. Modern tragedy or old-fashioned melodrama?". In: *MLQ* 31 (March 1970), S. 78—91. « *Les Justes* ». In: Ders., *op. cit.* vgl. Anm. 314), S. 99—118.
[394] « Le jeu dans le jeu ou la tragi-comédie des *Justes* ». In: *RLM* 419—424 (1975), S. 45—70 [*AC* 7]. Nicht mehr erfaßt werden konnte Madeleine Bouchez' Bändchen über *Les Justes, Camus*, Paris, Hatier, 1974, 79 S. (Coll. « Profil d'une oeuvres » Nr. 47).

tion à la Croix (1953), Dino Buzzatis *Un cas intéressant* (1955), Lope de Vegas *Le Chevalier d'Olmedo* (1957), Faulkners *Requiem pour une nonne* (1956) und Dostojewskis *Les Possédés* (1959) wird in chronologischer Reihenfolge berichtet. Für einen allgemeinen thematischen und kritischen Überblick über die Bearbeitungen und Übersetzungen kann man sich an John Plilip Couchs [395] Artikel wenden, der allerdings *Les Possédés* nicht einbeziehen konnte.

Révolte dans les Asturies war bis zum Erscheinen des ersten Pléiade-Bandes (1962) ein kaum bekanntes, von einem Autorenkollektiv verfaßtes „Frühwerk", dessen vergriffener Text in Europa bloß in zwei bis drei Exemplaren — wovon eines in der Bibliothèque Nationale — zugänglich war. Camus selber sowie jene Kritiker, denen die Existenz dieses Agitationsstückes bekannt war, unternahmen nichts, um es der Vergessenheit zu entreißen. Politische Vorsicht dürfte in Anbetracht des kalten Krieges bei dieser Zurückhaltung mitgespielt haben. Bekanntlich wurde *Révolte* von der städtischen Behörde Algiers (Bürgermeister Rozis) verboten. [396] Eine ausführliche Deutung der ideologischen, thematischen sowie bühnentechnischen Elemente und ihrer prototypischen Funktion liegt in der erwähnten Gesamtstudie des Verf. vor (Anm. 316, S. 41—53). Ders. hat auch in einer literarhistorischen Untersuchung [397] die hängige Frage der Autorenschaft der *333 Coplas andalouses* (Alger, Cafre, 1939) abgeklärt, die aus verschiedenen Gründen Camus zugeschrieben werden konnte. Es stellt sich heraus, daß er weder der Übersetzer

---

[395] "A. C.'s dramatic adaptations and translations". In: *FR* 33 (October 1959), S. 27—36.

[396] Dazu Jacqueline Lévi-Valensi, « L'engagement culturel ». In: *RLM* 315—322 (1972), S. 90—91 [*AC 5*]. Am 8. April 1965 erfolgte eine autorisierte „Uraufführung" als Hörspiel, das von Radio Bern gesendet wurde. Die Übers. in deutsche Sprache besorgte der Verf. Der französische Text ist, außer in der Pléiade-Ausgabe, jetzt auch in *L'Avant-scène* 413—414 (novembre 1968), S. 25—34 zugänglich.

[397] « Une fausse attribution: petite clef pour *Révolte dans les Asturies* ». In: *RLM* 419—424 (1975), S. 71—76 [*AC 7*].

der *coplas* noch der Verfasser der Einleitung ist, daß aber ein Einfluß dieser von Léo-Louis Barbès edierten andalusischen Volkssängen auf die Gestaltung der *Révolte* nicht von der Hand zu weisen ist. Alan J. Clayton [398] ist zudem der Ansicht, daß die zwischen 1931 und 1935 von Artaud in der *NRF* publizierte Artikelserie über das *théâtre de cruauté* die Grundkonzeption von *Révolte* mitbestimmt haben kann, da die *NRF* eine der Hauptlektüren der algerischen Intelligentsia war.

Über *Les Esprits* liegen keine umfassenden Arbeiten vor. Zu erwähnen sind die dieser Bearbeitung gewidmeten Abschnitte in den drei Büchern über Camus' Theater (Anm. 314—316). Der Verf. glaubt, daß Camus Lariveys Komödie vor allem aus dramentechnischem Interesse (Pantomimen, Maskeraden, Tänze, Improvisationscharakter) ausgelesen hat. Die historischen Hintergründe dieser erstmals 1940 für die *Equipe* verfaßte Bearbeitung — Larivey selber entlehnte in liberaler Weise Elemente von Terentius, Plautus und Lorenzino dei Medici — schildert E. Freeman (Anm. 315, S. 121—123), der ebenfalls auf den Zusammenhang mit der von Camus stets hochgeschätzten *Commedia dell'arte* aufmerksam macht (dazu auch Anm. 314, S. 136—141).

Von D. W. McPheeters [399] liegt ein Essay über Camus' Behandlung von Lope de Vega und Calderon vor, der überwiegend aufführungstechnischen Fragen gewidmet ist. Vernichtend ist das Urteil Ricardo Paseyros [400] über die mangelhafte Übersetzungsqualität der *Dévotion à la Croix*. Camus' pseudobarocke Ausdrucksweise und Stoffgestaltung zeugen angeblich von seiner theologischen und ideologischen Ignoranz und einem totalen Stilmißverständnis. Demgegenüber untersucht Arturo Serrano Plaja [401] das Paradoxon eines atheistischen Autors, der ein streng

[398] « Note sur Artaud et C. «. In: *RLM* 212—216 (1969), S. 105 bis 110 [*AC* 2].

[399] « C.'s translations of plays by Lope and Calderón «. In: *Symposium* 12 (August—September 1958), S. 52—64.

[400] « C. massacre Calderon ». In: *Cahiers des Saisons* 20 (1960), S. 601—611.

[401] « El absurdo en C. y en Calderón de la Barca ». In: *Mélanges à*

katholisches Drama adaptiert. In seiner nicht eben überzeugen-
den Hypothese versucht Serrano Plaja, *La Dévotion* als proto-
absurdes Werk aufgrund von Zitaten aus *Le Mythe, Caligula*
und *L'Homme révolté* darzustellen. Die Frage von Camus' Hang
zum Christentum erörtert in ihrem gut informierten Kap. (Anm.
314, S. 143—153) Ilona Coombs, die in der Thematik der *Dévotion* ein Echo seiner *nostalgie du sacré* erblickt und die Umstände
der Aufführung und Rezeption dieses religiösen Melodramas
sehr eingehend darstellt (vgl. auch Anm. 315, S. 127—130).

Wenn bis in die Mitte der fünfziger Jahre die Suche nach neuen
bühnentechnischen Mitteln die Auswahl der Bearbeitungen maßgeblich beeinflußt hat, so dürften es im Falle von *Un cas intéressant* auch thematische Gründe sein, die Camus dazu bewogen, Buzzatis Werk zu spielen. Der durch Halluzinationen bedingte Fall
des Großindustriellen Giovanni Corte steht nicht nur in engem
Zusammenwang mit der *Chute* (vgl. Anm. 273), sondern auch
mit den jegliche Inspiration erstickenden konzentrischen Ringen
der Bewunderer von Jonas' Kunst (« Jonas ou l'artiste au travail »). Als ein vorabsurdes Theater, das vieles mit dem *Malentendu* gemeinsam hat, deutet E. Freeman (Anm. 315, S. 123 bis
126) das italienische Eskalations- und Degradationsdrama, das
von Camus' ironischem Stil profitiert.

Die Übersetzung von Lopes Komödie zeugt einmal mehr von
Camus' oft wiederholten Vorliebe für das Theater des *siglo d'oro,*
das zusammen mit dem elisabethanischen Theater und jenem der
französischen Klassik die gestaltungstechnischen Leitbilder seines
eigenen Dramenwerkes abgibt. Seine Einführung (*TRN*, S. 715)
beweist, daß ihn nicht das Problem der Übersetzung, sondern
jenes der Bühnenwirksamkeit interessierte. [402] (Vgl. Anm. 314,
S. 154—159 und 315, S. 127—130.)

Mehr Kommentare verursachte *Requiem pour une nonne,* die

la mémoire de Jean Sarrailh, Bd. II, Paris, Centre de recherches de
l'Institut d'études hispaniques, 1966, S. 389—405.

[402] Dazu auch die Notiz von Ernesto Jareño, « El caballero de Olmedo ». In: *PSA* 58 (September 1970), S. 242.

z. T. schon im Probenstadium verfaßt wurden. In einem Dominique Arban [403] gewährten Interview bestreitet Camus, daß zwischen Faulkners Werk und der *Chute* ein Zusammenhang bestehe. Er sieht sich, darin Faulkner völlig unähnlich, nicht als Visionär und fühlt sich vor allem vom dostojewskischen Klima und der protestantischen Steifheit von *Requiem* angezogen. In einer subtil durchgeführten Themenanalyse, in der Jacques Morel [404] das Stück als eine dramatisierte Theologie des Bösen interpretiert, weist dieser aber schlüssig die von Camus abgelehnten Parallele zur *Chute* nach. Gabriel Marcel [405] bewundert denn auch die von Camus herbeigeführte Aufhellung der düsteren Seelenlandschaft Faulkners. Als wichtige Etappe auf dem von Camus eingeschlagenen Weg zur modernen Tragödie wertet John Philip Couch [406] die Faulkner-Bearbeitung. Er ist der Ansicht, Camus habe sich nach den *Justes* mit seinen Übersetzungen und Adaptationen auf die Eröffnung eines völlig neuen Dramenzyklus vorbereitet. In *Requiem* fand er zum ersten Mal den ein modernes Publikum ansprechenden „tragischen Ton". Allerdings, so Couch, steht der Stil seiner Bühnenfassung dem von *Sanctuary* näher als dem der Faulknerschen Originalfassung. Einen guten Einblick in die Werkstatt des Dramaturgen bietet Jean Onimus [407] in seiner dramaturgischen Analyse von *Requiem* und *Les Possédés*. Auffallend ist für ihn die bewußte Zurückstellung

---

[403] « Je me suis complètement effacé devant Faulkner, affirme A. C. ». In: *FL* 22 (septembre 1956), S. 4.

[404] « *Requiem pour une nonne* ». In: *Etudes* 89 (décembre 1956), S. 403—410.

[405] « *Requiem pour une nonne* ». In: *NL* 1518 (4 octobre 1956), S. 8. Weitere Besprechungen stammen von Jacques Lemarchand, « *Requiem pour une nonne* »; in: *NNRF* 8 (novembre 1956), S. 896—900; Michel Zéraffa, in: *Europe* 34 (novembre—décembre 1956), S. 228 bis 229.

[406] "C. and Faulkner: the search for the language of modern tragedy". In: *YFS* 25 (Spring 1960), S. 120—125.

[407] « C. adapte à la scène Faulkner et Dostoïevski ». In: *RSH* 104 (octobre—décembre 1961), S. 607—621.

realistischer Bühneneffekte, die Suche nach einer klaren dramatischen Struktur sowie die stilisierte Gestik. Die Grenzen von Camus' Arbeitsmethoden zeigen sich darin, daß seine Übertragung von *Requiem* ein dramatisches Meisterwerk, jene der *Possédés* hingegen einen nicht zu beschönigenden Mißerfolg produzierte. Sehr eingehend studiert Ilona Coombs (Anm. 314, S. 161—175) den dramatischen Aufbau, die christliche Symbolik sowie die Zusammenhänge zwischen dem dramatisierten Roman, *Sanctuary* und Camus' Nachdichtung. Auch John G. Blair [408] erörtert die Übertragungsmethoden und weist nach, daß Camus die Faulknerschen Grundideen so weit verdreht, daß sie schließlich seinen eigenen entsprechen oder zumindest nahekommen. Wenn auch Barbara Izards und Clara Hieronymus [409] Bemerkungen über die Hintergründe der *Requiem*-Aufführung anekdotenhaft sind, so enthalten sie dennoch einige interessante Einzelheiten und Feststellungen von und über die Schauspielerinnen Catherine Sellers und Maria Casarès. Theaterhistorische und biographische Varia, die natürlich mit Vorsicht aufzunehmen sind, werden ergänzt durch Ausführungen über die benutzten Vorlagen: Anscheinend fußt Camus' *Requiem*-Version nicht nur auf Faulkners Roman, sondern auch auf dessen eigenen dramatischen Bearbeitung.

Sämtliche Studien über *Les Possédés* sind sich mit der schon im Chor der Aufführungsbesprechungen vorherrschenden Ansicht einig, daß Camus diese Bearbeitung nicht gelungen ist. Uneinig sind sie sich nur über den Grad des Mißerfolges. Warren Ramsey [410] zum Beispiel weist schlüssig nach, daß Camus aus dem Dostojewski-Roman nicht ein Kirilow- oder Stawroginstück, sondern ein auf Stepan Verkowenski zugeschnittenes Drama ge-

---

[408] "C.'s Faulkner: *Requiem For a Nun*". In: *BFLS* 47 (1969), S. 249—257.

[409] "The Paris story". In: Dies., *Requiem For a Nun: On Stage and Off*, Nashville, Aurora Press, 1970, S. 65—126.

[410] "A. C. on capital punishment: his adaptation of *The Possessed*". In: *YR* 48 (June 1959), S. 634—660.

staltete, das sich vorwiegend mit der Problematik des positiven Rebellentums befaßt. Nina Gourfinkel [411] faßt die allgemeinen dramaturgischen Probleme einer Bühnenbearbeitung zusammen und erörtert dann die Art mit der sich Gide, Copeau, Camus und Dostojewski damit auseinandersetzten. Sie führt Camus' Mißerfolg auf den von ihm nicht beherrschten Stoffüberfluß zurück. Ähnlich argumentiert Robert Tracy [412], der Camus' Unvermögen betont, einen künstlerisch akzeptablen Kompromiß zwischen den epischen und dramatischen Bedürfnissen zu finden. Unbeholfen ist auch die Gestaltung des Erzählers; das philosophische Gedankengut wird bis zur Verzerrung vereinfacht und dramaturgisch falsch gewählte Personen und Szenen verfälschen vollends den Stoff. Aus Dostojewskis theozentrischem Roman machte Camus eine dürftig drapierte homozentrische Bühnenversion. Weniger streng ins Gericht mit *Les Possédés* geht die literarhistorische Untersuchung André Rousseaux' [413], der ebenfalls Camus' Vorläufer (Gide, Copeau) und ihre Methoden vergleicht. Der Vorwurf einer übermäßigen Schematisierung der Personen und Themen scheint ihm zwar übertrieben, aber auch er glaubt, daß Camus mit dem Problem des Stoffüberflusses nicht fertig wurde, was sich in einem Übermaß an reinen Charaktertypen und zuwenig textlichen Säuberungsmaßnahmen ausdrückt. Daraus resultiert eine Bühnenversion, deren gedanklicher Tiefgang äußerst künstlich erscheint. Ähnlichkeiten und Unterschiede zwischen Dostojewskis und Camus' Temperament skizziert Ilona Coombs (Anm. 314, S. 177—200), die die thematischen Modifikationen und übertragungsbedingten Vereinfachungen der *Possédés* ausführlich analysiert. Eine vergleichende Untersuchung legt Johan-

[411] « *Les Possédés* ». In: *RHT* 4 (octobre—décembre 1960), S. 337 bis 342.

[412] "*The Possessed* by A. C.". In: *Carleton Miscellany* 2 (Spring 1961), S. 70—77.

[413] « L'adaptation scénique des *Possédés* de Dostoïevski par A. C. ». In: Nikola Banašević [Hrsg.], *Actes du Ve Congrès de l'Association Internationale de littérature comparée*, Belgrad, 1967; Amsterdam, Swets & Zeitlinger, 1969, S. 617—623.

nes Vandenrath [414] vor, der die Bühnenfassung maßgeblich in ihrer Untreue zum Original beurteilt. Die *Possédés* weisen im Vergleich zu den Dämonen einen beträchtlichen Humorverlust auf, den Personen ist zudem die die Dostojewski-Figuren kennzeichnende Komplexität abhanden gekommen.

6. Philosophische Abhandlungen und Versuche

a) Allgemeine Studien zur Philosophie

Kein Schaffenszweig Camus' hat einen qualitativ wie quantitativ so unübersichtlichen Kommentarüberfluß provoziert wie seine philosophischen Schriften. Von der methodologisch soliden Abhandlung in Buch- und Aufsatzform über den paraphrasierenden Essay bis zur entrüsteten Moralpredigt gegen den absurden Nihilismus sind alle Schattierungen der Auseinandersetzung mit dem Dichterphilosophen vorhanden, dessen Gedankengut heute zwar viel von seiner schillernden Anziehungskraft verloren hat, als solches aber zu bedeutend ist, um kurzerhand mit fachtechnischen oder ideologischen Argumenten gegen seine Oberflächlichkeit abgetan zu werden.

Die nachfolgende Kurzbesprechung der Bücher verzichtet darauf, sie streng nach thematischen Gesichtspunkten zu ordnen, da sich ihr Inhalt in vielen Bereichen überschneidet. Es wird aber versucht, die zum Teil unvermeidlichen Wiederholungen auf ein Minimum zu beschränken, dafür aber hervorstechende Merkmale oder Meinungen so prägnant wie möglich zusammenzufassen.

Eine in den sechziger Jahren populäre Monographie von Georges Hourdin [415] hat viel dazu beigetragen, den von Camus

---

[414] „Dostojewskis *Dämonen* in der Bühnenfassung von C.". In: *NS* 12 (Dezember 1969), S. 606—617. Wiederabgedruckt in: H. R. Schlette [Hrsg.]. *Wege der deutschen Camus-Rezeption*. Darmstadt, Wissenschaftl. Buchgesellschaft, 1975, S. 341—356.

[415] *Camus, le juste*, Paris, Cerf, 1960, 109 S. Léon Thoorens' *Albert*

selber, wenn auch nicht immer überzeugend bekämpften Mythos eines Gralshüters der Gerechtigkeit zu verbreiten, der auch dann noch das Maß nicht aus den Augen verliert, wenn er sich Exzessen ergibt. Die simplifizierende Zusammenfassung seiner Moral wird durch ein Kapitel über die Duplizität nur bedingt korrigiert. Armando Rigobello [416] geht von den verschiedenen Stadien von Camus' quälender Existenzangst aus, die dieser mit dem Begriffspaar des Absurden und der Revolte gleichzeitig auszudrücken und zu überwinden versucht. Seine spätere philosophische Grundhaltung wird dann fragwürdig, wenn er sich mit allen Kräften gegen eine durch klare Vorzeichen erkenntliche geistige und religiöse Erneuerung stemmt. Zudem ist sein philosophisch-moralischer Eklektizismus unfähig, die von ihm geprägten Denk- und Lebenskategorien mit einem erfaßbaren Inhalt zu füllen. Dieser störende und nicht etwa bereichernde Mangel an Klarheit ist auf seinen nie überwundenen Hang zur Begriffsvermischung zurückzuführen, so etwa im Falle des nicht auseinandergehaltenen plotinischen und augustinischen Gedankengutes (vgl. Anm. 521, 566, 594, 601, 649). Wenn auch Stelio Zeppis [417] Übersicht mehr panoramisch als kritisch ist (besonders in der Darstellung der drei moralischen Entwicklungsstufen), so enthält sie dennoch wertvolle Erläuterungen zur Frage des spezifisch Camusschen Existentialismus und dessen Affinität mit Jean Wahls Philosophie. Auch die Beziehungen zu Gide und Malraux werden untersucht, wobei der Einfluß des letzteren als bedeutender gewertet wird. In seiner reifen Dissertation geht Pierre Nguyên-Van-Huy [418] gründlich den metaphysischen Konsequenzen des Glücks-

Camus (Gand, La Sixaine, 1946, 44 S.) enthält, obwohl vor der Publikation der *Peste* geschrieben, eine Anzahl später oft wiederholter Argumente über die Zusammenhänge zwischen *L'Etranger* und *Le Mythe de Sisyphe*.

[416] *Albert Camus*, Buenos Aires, Columba, 1961, 85 S. Ital. Original: Neapel, Istituto Editoriale del Mezzogiorno, 1963, 123 S.

[417] *Camus*, Mailand, Nuova Academia Editrice, 1961, 172 S.

[418] *La métaphysique du bonheur chez A. C.*, Neuchâtel, La Baconnière, 1962, 248 S. Neuauflage: 1968, 249 S. Der Autor publiziert

strebens und dessen unterschwelligem Dualismus zwischen *union* und *séparation* nach. Caligula, Sisyphus und Martha verkörpern den negativen Aspekt der Revolte, d. h. die Revolution, die mütterlichen Personen hingegen die positiven. Grundsätzlich spielt sich der Konflikt bei Camus zwischen väterlichen (negativen) und mütterlichen (positiven) Kräften ab. Fragwürdig sind Van-Huys Schlußfolgerungen, in denen er Camus' horizontale Metaphysik vertikalisiert. Von Frederik O. van Gennep [419] liegt eine protestantisch orientierte Studie über Camus' leidenschaftlichen Antitheismus und dessen Entwicklungsphasen vor. Auf eine „religiöse" Stufe (*Noces, L'Etranger, Le Malentendu*) folgt eine ethische (*Le Mythe de Sisyphe*, dem die Rolle des Übergangswerkes zugeschrieben wird, *La Peste, L'Homme révolté*), der sich das Stadium eines „sterilen Idealismus" anschließt, den *La Chute* schließlich *ad absurdum* führt. Van Gennep betrachtet *L'Exil et le royaume* als Schlüsselwerk, weil sich darin die extremen Positionen die Waage halten. Eine katholische Kritik der auf dem Absurden, dem Bösen und der Schuld fußenden Ethik Camus' liefert Octavio Fullat Genís [420], der wie La Boullaye (Anm. 388) dessen starren Immanentismus als Ursache seiner philosophisch zwar achtungsgebietenden, aber unhaltbaren Posi-

später unter dem Namen Pierre N. Van-Huy. Seiner christlichen Lesart kann man etwa Henri Peyres *A. C. moraliste* (Lynchburg, 1962, 22 S.) gegenüberstellen, der Camus' heidnischen Humanismus hervorhebt. Dazu auch Edward L. Burke, "C. and the pursuit of happiness", in: *Thought* 37 (Autumn 1972), S. 391—409; Michel Soulié, « A. C. et la recherche du bonheur », in: *Letras* (1964), S. 71—95; Laurent Frémont, « C., Prométhée et le bonheur », in: *RUL* 19 (février 1965), S. 551 bis 563 sowie in: ders., *Le Mythe de Prométhée dans la littérature contemporaine, 1900—1960*, Québec, Presses de l'Université Laval, 1964, 2. Kap. Wissenschaftlich anspruchslos ist Georges Goederts *A. C. et la question du bonheur*, Luxemburg, Edi-Centre, 1969, 120 S.

[419] *A. C.: een studie van zijn ethische denken*, Amsterdam, Polak u. van Gennep, 1962, 356 S.

[420] *La moral atea de A. C.*, Barcelona, Editorial Pubul, 1963, 268 S.

tion ausmacht. Ebenfalls in der theologischen Perspektive analysiert Laurent Gagnebin [421] die Sequenz *absurdité-révolte-mesure* und ihre verschiedenen gattungspoetischen Konfigurationen. Zwar fehlt dieser Arbeit ein gerütteltes Maß an kritischer Distanz, aber nicht zuletzt wegen ihres klug ausgewählten Zitatkataloges kann sie als Einleitung zur philosophischen Interpretation des Gesamtoeuvre empfohlen werden. Dasselbe gilt auch für Paul Ginestiers [422] Übersicht, die sich vor allem auf die Klärung der philosophischen Grundbegriffe konzentriert, ihren komplementären literarischen Formen aber zu wenig Beachtung schenkt. Begriffsbestimmung und Kritik zugleich stehen im Zentrum von André Nicolas' [423] beiden Büchern. *Une philosophie de l'existence* behandelt vor allem die Quellen der Absurdität (Einsamkeit, Selbstbewußtsein) und ihre Konsequenzen (Revolte). Der Ausbruch aus der Einsamkeit führt zur Intersubjektivität, die ihrerseits die Grundlagen für die Philosophie der Maßhaltung abgibt. Nicolas' Kritik an Camus' Gedankenführung ist eher behutsam und richtet sich vor allem gegen den die Schlüsselbegriffe eignenden Mangel an Tiefe, d. h. gegen ihre Vagheit, was ihn jedoch nicht davon abhält, den Autor des *Hommes révolté* als einen authentischen Philosophen der Existenz einzustufen. *Albert Camus ou le vrai Prométhée* richtet sich an ein größeres Publikum und ist ebenfalls in der Dialektik zwischen Absurdität und Revolte verankert. Nicolas hebt darin besonders die im *Homme révolté* propagierte Philosophie der *aurea mediocritas* hervor. Die Exegese der *pensée de midi* erfährt hier ein nach dem Sartre-

[421] *A. C. dans sa lumière. Essai sur l'évolution de sa pensée*, Lausanne, Cahiers de la Renaissance Vaudoise, 1964, 182 S.

[422] *Pour connaître la pensée de C.*, Paris, Bordas, 1964, 206 S. Trotz des Titels ist auch Germain-Paul Gélinas *La Liberté dans la pensée d'A. C.* (Fribourg, Editions Universitaires, 1965, 177 S.) mehr expositorisch als begriffsanalytisch.

[423] *Une philosophie de l'existence: A. C.*, Paris, Presses Universitaires de France, 1964, 193 S.; *A. C. ou le vrai Prométhée*, Paris, Seghers, 1966, 190 S.

Jeanson-Verriß notwendig gewordenes, fachkundiges Korrektiv. Gerhard Stubys [424] Dissertation enthält trotz vermeidbarer Längen mehrere wertvolle Begriffsbestimmungen. Vor allem die beiden letzten Kap. versuchen, Revolte, Gerechtigkeit und Solidarität als Schlüsselwerte in ihrer komplementären Funktion zu erfassen. Recht besteht in Camus' Optik darin, den Werdensprozeß zu zähmen, ohne die Seinseinheit zu opfern. Von beschränkter Bedeutung ist die ein an sich gutes Thema bearbeitende Studie von Dimitris Papalamis [425]. Die griechischen „Quellen" der wichtigsten Denkkategorien Camus' (Methode, *sacré*, Natur, Ethik, Ästhetik) werden in wissenschaftlich fragwürdiger Weise identifiziert. Die ausführlichste Arbeit in italienischer Sprache über die philosophischen Grundlagen in Camus' Werk legt Vera Passeri Pignoni [426] vor, deren Methodologie allerdings nicht immer zur Klärung beiträgt, weil ihre Analyse zu oft in die Paraphrase abgleitet. Der Versuch, den unzweifelhaft engen Zusammenhang zwischen der Ethik und der Ästhetik aufzudecken, gerät dann zur unkritischen, ja hagiographischen Darstellung. Passeri Pignoni erblickt in Camus einen Humanisten christlicher Tendenz, dessen Bekehrung unmittelbar bevorstand. Diese Perspektive führt zu arbiträren Kategorisierungen, so etwa jene, die in den Personen der *Peste* „konstruktive", in Clamence „destruktive" Elemente der Ethik Camus' sichten. Marcello del Vecchios [427] Monographie hingegen gelingt es, trotz der sehr gedrängten Darstellung und wenn auch nicht immer überzeugend, nachzuweisen, daß der Absurdismus und die *éthique de quantité*, ungeachtet der leidenschaftlichen Freiheitsproklamation im Rahmen der Revolte, in die Sackgasse eines eher sterilen Humanismus mün-

[424] *Recht und Solidarität im Denken von A. C.*, Frankfurt a. M., Klostermann, 1965, 210 S.

[425] *A. C. et la pensée grecque*, Nancy, Centre Européen Universitaire, 1965, 81 S. (Collection des Mémoires).

[426] *A. C., uomo in rivolta*, Bologna, Capelli, 1965, 438 S.

[427] *Assurdo e rivolta in A. C.*, Cava dei Tirreni, Di Mauro, 1966, 77 S.

den. Das Postulat des Absurden und der Revolte als eines notwendigen Spannungsgefüges verunmöglicht die Schaffung eigenständiger Werte. Camus begeht den Irrtum der *aequatio rei et intellectus* und wird zum Opfer seines eigenen Dogmatismus. Leider fehlt del Vecchios Analyse eine gründlichere Auseinandersetzung mit dem unterschwelligen Dualismus und paradoxalen Charakter von Camus' Philosophie. Eine dialektische Methode wendet Peter Kampits [428] an, der sich um einen gedanklichen Nachvollzug der empirischen, theoretischen und poetischen Grundzüge in Camus' atheistischem Humanismus bemüht. Dies führt, vor allem im mittleren Teil, zu bloß beschreibenden statt kritisch analytischen Kommentaren. Dennoch fällt die im Schlußteil erfolgende Darstellung des mythischen Selbstverständnisses, der Korrelation zwischen der Rückkehr zur Natur und dem Rückgriff auf den Menschen recht überzeugend aus.

Sehr lesbar präsentiert sich Jean Sarocchis [429] Einleitung, die sich mit dem Philosophen, Moralisten und Lyriker befaßt und dem Einfluß Nietzsches die ihm gebührende besondere Bedeutung beimißt. Vom deutschen Dichterphilosophen übernahm Camus die Notwendigkeit eines herben Denkklimas sowie die instinktive Ablehnung jeglichen platonischen oder christlichen Idealismus'. Wie viele seiner französischen Vorfahren, ist Camus ein Antirationalist, der sich auf die kartesische Ausdrucksweise festgelegt hat, zugleich aber eine Vorliebe für den aphoristischen Stil bekundet. Auch wenn sich Sarocchis Einleitung an ein nicht spezialisiertes Publikum richtet, ist sie schon wegen der darin enthaltenen objektiven Erläuterungen der oft lächerlich gemachten *pensée de midi* empfehlenswert.

[428] *Der Mythos vom Menschen. Zum Atheismus und Humanismus A. C.'*, Salzburg, Otto Müller, 1968, 178 S. Vgl. die allgemein gehaltene und kaum dokumentierte Einleitung von Albuinus Leenhouwers: *A. C. Inleiding tot zijn levensfilosofie*, Lier, Josef van In, 1968, 164 S.

[429] *Camus*, Paris, Presses Universitaires de France, 1968, 127 S. Dazu auch Thomas A. Williams, "A. C. and the two houses of Descartes". In: *RomN* 5 (Spring 1964), S. 115—117.

Karin Schaubs [430] Dissertation befaßt sich mit den Sterbensarten und Todesahnungen in Camus' Werk. Sie hat das Verdienst, die zentrale Stellung des Todesgedankens zum ersten Mal systematisch erarbeitet zu haben. Sehr hilfreich und klar formuliert sind ihre Definitionen des Absurden, das vor allem in seiner Verhältnisabhängigkeit und auf den Ebenen der Leidenschaft, Banalität und des Bedeutungsinhaltes untersucht wird. Es zeigt sich, daß für Camus das Sterben meistens auf eine Hinrichtung oder einen Mord hinausläuft, daß auch die Ideologie sich fatalerweise in den Dienst des Todes stellt. Absurdität und Revolte sind stets in ihrer unmittelbaren Beziehung zum Todesgedanken zu sehen. Ebenfalls thematisch orientiert ist Alain Costes' [431] psychoanalytische Deutung von Camus' « parole manquante ». Wie viele seiner Vorgänger auf diesem Gebiet, beginnt Costes mit der themen- und stilbestimmenden väterlichen Absenz und mütterlichen Allgegenwart. Die letztere verschlimmert die permanente Konfliktsituation, weil Camus' angeblich schizoide Psyche vom Gegensatz zwischen dem guten (leibliche Mutter) und schlechten (Großmutter) Mutterimago zerrissen wird. Das gesamte literarische und philosophische Oeuvre, so Costes, ist nichts als ein immer wieder erneuerter Versuch, die enorme Kluft zu überbrücken, die den Dichter von seiner Gebärerin trennt, ein Gang zu den Müttern also, der sich als Irrgang erweist.

Die nachstehende Auswahl der Aufsätze und Artikel über philosophische Aspekte im Werk Camus' gliedert sich nach vier Gesichtspunkten: 1. Allgemeine Kommentare; 2. Entwicklungsphasen in Camus' Philosophie; 3. Begriffsbestimmungen; 4. Kritik, Quellen- und Affinitätsstudien.

Auch heute noch gültig ist Michel Mohrts [432] Feststellung über Camus' von Barrès, Montherlant und Gide vorgeprägte „mediterrane Evangelium", das zu einer poetisch verankerten Philosophie entwickelt wird, in der ethische Werte von ästhetischen

---

[430] *A. C. und der Tod*, Zürich, Editio Academica, 1968, 121 S.

[431] *A. C. ou la parole manquante. Etude psychanalytique*, Paris, Payot, 1973, 252 S. (Coll. « Sciences de l'homme »).

[432] "Ethic and poetry in the work of C.". In: *YFS* (Spring-Summer

Empfindungen und Urteilen abgeleitet werden. Der oft zitierte Aufsatz von Rachel Bespaloff [433] interpretiert die den vor 1950 publizierten Werken zugrunde liegenden philosophischen Konstanten als Variationen über die Haltung gegenüber dem Tode. *La Peste* postuliert in diesem Hinblick weniger die oft bemühte *sainteté laïque* als einen heroischen Humanismus à la Malraux und Triumph des aktiven Individuums à la Saint-Exupéry. Die Caligulas und Marthas Untergang verursachende Hellsichtigkeit entspringt Camus' eigener übersteigerten Luzidität, mit deren

1948), S. 113—118. Expositorischen Charakter haben die folgenden Arbeiten: Gérard Deledalle, «Camus», in: ders., *L'existentiel, philosophies et littératures de l'existence*, Paris, Lacoste, 1949, S. 114—115; Pierre de Boisdeffre, « A. C. ou l'expérience tragique », in: *Etudes* 267 (décembre 1950), S. 303—325 sowie in ders., *Métamorphoses de la littérature*, Bd. II, *De Proust à Sartre*, Paris, Alsatia, 1951 S. 259—308; Francisco Miró Quesada, « C. y el movimiento intelectual francés contemporáneo », in: *Mercurio Peruano* 28 (October 1952), S. 454—480; André Rousseaux, « La morale d'A. C. », in: ders., *Littérature du vingtième siècle*, Bd. IV, Paris, A. Michel, 1953, S. 196—212; Josef Lenz, „Die Philosophie des Absurden von C.", in: ders., *Der moderne deutsche und französische Existentialismus*, Trier, Paulinus, 1951, S. 125 bis 130; Franz Rauhut, „A. C. oder der Nihilismus zwischen Maß und Menschlichkeit", in: *Deutschland—Frankreich. Ludwigsburger Beiträge*, Stuttgart, Deutsche Verlagsanstalt, 1957, Bd. II, S. 189—205; Leon Roth, "A contemporary moralist: A. C.", in: *Philosophy* 30 (October 1955) S. 291—303; Juan García Barca, « C. y la filosofía contemporánea », in: *CA* (Mai—Juni 1958), S. 124—131; Mas Ezequiel González, « El pensamiento de A. C. », in: *Studium* 2 (Januar—September 1958), S. 9—20; Monelisa L. Perez-Marchand, « ¿Es C. un escritor filosófico? » in: *Assomante* 17 (Januar—März 1961), S. 32—44; M. M. Madison, "A. C.: philosopher of limits", in: *MFS* 10 (Autumn 1961), S. 223 bis 231; Rudolf Denker, „Die Solidarität der Welt des Absurden", in: ders., *Individualismus und mündige Gesellschaft. Simmel—Popper—Habermas—Dostojewski—C.—Ortega*, Stuttgart, Kohlhammer, 1967, S. 55—66; Thomas L. Thorson, "A. C. and the rights of men", in: *Ethics* 74 (July 1964), S. 281—291.

[433] « Les carrefours de C. Le monde du condamné à mort ». In: *Esprit* 18 (janvier 1950), S. 1—26.

Hilfe er seine inneren Gegensätze zu zähmen versucht und dabei in die Nähe einer Art „mediterranen Romantik" gerät (vgl. Anm. 452). Ein Spätzünder im Minenfeld der Polemik über Camus' abstentionistische Tendenzen explodiert im einseitig ideologisch orientierten *règlement de compte* von Annie Ubersfeld [434]. Gemäß ihren Ausführungen war Camus schon in seiner Jugend mit historischer Blindheit behaftet. Ein tendenziös ausgewählter Zitatkatalog „beweist" seinen nie überwundenen Hang zur Demobilisierung des Lesers. Seine reaktionäre Beweisführung wurde von Lenin schon längst endgültig entkräftet ... Im Gegensatz dazu sieht Hazel E. Barnes [435] die Spannung innerhalb der Wertpolaritäten nicht als eine regressive Haltung gegenüber den Gegenwarts- und Zukunftsproblemen, sondern als progressiven Kreis, in dem Camus ständig zwischen individuellen Hedonismus und sozialem Verantwortungsbewußtsein schwankt, sich aber klugerweise vor einer arbiträren Lösung des Dilemmas hütet. Auch André Espiau de la Maëstre [436] stellt Camus' altruistisch bedingte Ablehnung absoluter Werte fest, die seine totale Hingabe zum Menschen und nicht etwa zum systematisierten Materialismus bestätigt. Seine relativistische Ethik führt aber schließlich zu einem unannehmbaren absoluten Anthropozentrismus. Dem bis zu *Caligula* vorherrschenden „Nihilismus" mißt Ludwig Schajowicz [437] eine kathartische Bedeutung bei. Nach dieser Reinigung durch Negation erklärt sich die Aufstandsmoral als eine religiös motivierte Suche nach dem verlorenen menschlichen Paradies. Willy de Spens [438] beugt sich über den angeblich mystifizierenden Pessimismus in Camus' Denken. Im Zuge seiner vor-

[434] « A. C. ou la métaphysique de la contre-révolution ». In *NCRMM* 92 (janvier 1958), S. 110—130.

[435] "Balance and tension in the philosophy of C.". In: *Person* 41 (October 1960), S. 433—447.

[436] « A. C., pèlerin de l'absolu? ». In: *LR* 15 (février 1961), S. 3 bis 22.

[437] « El gran díos Pan no ha muerto. C y el pensamiento del mediodía ». In: *Assomante* 17 (Januar—März 1961), S. 19—31.

[438] « C. et le pessimisme ». In: *TR* 165 (octobre 1961), S. 128—133.

wiegend literarisch bestimmten Erlebniswelt verfiel dieser dem Irrtum, seine Weltordnung durch unzeitgemäße Beispiele (etwa Kirilow) zu illustrieren, was zu unlösbaren Widersprüchen führt. So kann die Revolte philosophisch nur aufrechterhalten werden, wenn sie sich grundsätzlich gegen Gott richtet. Zudem ist sie weniger ein Ausdruck existenzieller Angst als einer vagen geistigen Unruhe, die mit Hilfe der als Palliativmittel aufgefaßten Kunst überwunden werden soll. Diese von Proust, Malraux und Gide besonders betonte Heilungskraft der kreativen Tätigkeit unterstreicht Gabriel Marcel [439], der Camus einen „mediterranen Kafka" nennt und dessen Version des Engagements nicht als ein dem Kollektiv dargebrachtes Opfer, sondern als einen „geistigen Wert" einstuft. Im Rahmen der intersubjektiven Beziehungen untersucht Maurice Friedman [440] Camus' Beitrag zum existentialistischen Dialog und definiert dessen Kunstauffassung als wertstiftende Ich-Du-Beziehung. Von Marcels und Sartres (vgl. Anm. 553, 560) Kritik an der *pensée de midi* ausgehend, erörtert Stuart H. Hughes [441] in einem sehr lesbaren Kapitel die wichtigsten sozial-ethischen Komponenten in Camus' Werk. Er taxiert sie als simplistisch — ein von vielen Politologen und Fachphilosophen erhobener Vorwurf — versteigt sich aber auch auf weniger überzeugende ästhetische Urteile. Den im *Mythe de Sisyphe* als Illustration des *homo absurdus* dienenden Donjuanismus analysiert der Verf. [442], indem er autobiographische Elemente herausarbeitet und Widersprüche zwischen der vom Burlador beispiel-

[439] „Sartre, C., Malraux — Philosophie und Dichtung des Existentialismus". In: *Universitas* 21 (1966), S. 1019—1026.

[440] "The existentialist of dialogue: Marcel, Buber, and C.". In: Ders., *To Deny Our Nothingness. Contemporary Images of Man*, London, Gollancz, 1967, New York, Delacorte Press, 1967, S. 281—306.

[441] "A. C. Sunlight and exile". In: Ders., *The Obstructed Path. French Social Thought in the Years of Desperation. 1930—1960*, New York, Harper und Row, 1968, S. 228—247.

[442] « C. et le donjuanisme ». In: *FR* 41 (May 1968), 818—830. Dazu auch Gerald E. Wade, "C.'s absurd Don Juan". In: *RomN* 1 (Spring 1960), S. 85—91.

haft vertretenen *éthique de quantité* und Camus' Auffassung einer distributiven Gerechtigkeit nachweist. Jesus Tusóns [443] breit angelegter Essay verspricht mehr als er hält. Man wird darin einiges über Camus' Wahlverwandtschaft mit Unamuno sowie über die Vorzüge der moralischen Kohärenz gegenüber der logischen Inkohärenz erfahren können. Ergiebiger ist die kritische Betrachtung von Robert Champigny [444], die die Zweideutigkeit der im *Mythe* bezogenen Positionen darlegt. Camus' Haltung und Philosophie haben etwas Theatralisches an sich, seine Rhetorik ist stärker als seine Beweisführung, ein Umstand, der sich besonders in der pathetisch ergreifenden, inhaltlich aber leeren Gestik des Rebellen äußert. Der Grundirrtum im Aufstandsmythos besteht in der Verwischung der Grenzen zwischen ästhetischen und ethischen Kategorien. Aus seiner tragischen Schauspielkunst auf der Weltbühne der Ungerechtigkeit kann Camus kaum eine Moral der aktiven Teilnahme entwickeln.

Als einer der ersten hat Francis Jeanson [445] von einer Evolution in Camus' Philosophie gesprochen, und zwar im Zusammenhang mit der in der *Peste* propagierten säkularisierten Ethik. Der Roman verleiht der abstrakten Absurdität die moralische Dimension des Bösen, womit der Dichter andeutet, daß er die *éthique de quantité* nicht mehr billigt. Jeanson distanziert sich allerdings von der „Projektion" des Schuld- und Sühnegedankens in den außermenschlichen Bereich. Eine nuancierte existenzphilo-

---

[443] « C. ante el enigma ». In: *RO* 7 (Mai 1969), S. 135—152.

[444] "Suffering and death". In: *Symposium* 24 (Fall 1970), S. 197 bis 205.

[445] « Une évolution dans la pensée de C. ». In: *Erasme* 22—24 (octobre—décembre 1947), S. 437—440 sowie in: *Revue Dominicaine* 54 (novembre 1948), S. 223—226. Vgl. auch André Rousseaux, « A. C. et la philosophie du bonheur », in: *Les Cahiers de Neuilly* 18 (1948), S. 10—32 sowie in: *Symposium* 1 (May 1948), S. 1—18 und in: ders., *Littérature du vingtième siècle*, Paris, A. Michel, 1949, Bd. III, S. 73 bis 105; Albert Legrand, "A. C.: from absurdity to revolt", in: *Culture* 14 (December 1953), S. 406—422; P. V. D. Hoeven, „A. C. als Moralist", in: *Wending* 8 (September 1953), S. 480—496.

sophische Besprechung erfahren *La Peste* und *L'Homme révolté* durch Otto F. Bollnow [445a], der beide Werke als Stationen einer längeren Entwicklungsphase entschlüsselt. Der Roman beschreibt hauptsächlich den Verhaltenswandel paradoxaler Helden, die sich in einer Grenzsituation befinden. *L'Homme révolté* forscht nach einem Gleichgewicht zwischen Stilisierung, d. h. Form und Realität, d. h. Inhalt. Bollnow ist einer der wenigen Fachkritiker seiner Zeit, die im Mittagsgedanken Camus' originellsten Beitrag zur Geistesgeschichte erblicken. Die These der sich in klar unterscheidbaren Stufen abspielenden moralischen Entwicklung Camus' hat ohne Zweifel Pierre-Henri Simon [446] am nachhaltigsten vertreten. Sein weitverbreiteter panoramischer Überblick läßt den Frühwerken eine stiefmütterliche Behandlung angedeihen, die heute kaum mehr vertretbar wäre. Camus' „positiver" Humanismus beginnt mit den *Lettres à un ami allemand*. *La Peste* verklärt den heidnischen Anthropozentrismus, zeugt aber von einem gründlichen Mißverständnis der christlichen Botschaft. Ihre Laienmoral stellt das Ergebnis eines sich ernsthaft um die Zeitprobleme kümmernden Ungläubigen dar. In Camus' übervorsichtigem Synkretismus erblickt Simon mit Recht seine Stärke, die zugleich seine Schwäche ist. Auffallend ist, wie viele italienische Kritiker diese von Camus anfänglich unterstützte, später (*La Chute*, *Carnets*) in Frage gestellte moralische Evolutionstheorie unkritisch übernehmen. Sie wird meistens in einer Drei-

---

[445a] „*Die Pest*". In: *Sammlung* 3 (1948), S. 103—113; „Von der absurden Welt zum mittelmeerischen Gedanken. Bemerkungen zu C.' neuem Buch *Der Mensch in der Revolte*"; in: *Antares* 2 (1954), S. 3 bis 13. Frz. Fassung: « Du monde absurde à la pensée de midi ». In: *RLM* 90—93 (1963), S. 41—72.

[446] « A. C. ou l'invention de la justice ». In: Ders., *L'Homme en procès*, Neuchâtel, La Baconnière, 1949, S. 93—123 sowie Paris, Payot, 1965, S. 93—124. Die spätere Arbeit Simons modifiziert die These der Entwicklungsphasen vom Nihilismus zum Humanismus nicht, versucht aber, C.'s Stellung innerhalb der französischen Existenzphilosophie näher zu umschreiben. Vgl. « Le combat contre les mandarins ». In: *Camus*, Hachette, 1964, S. 107—128.

phasen-Entwicklung zusammengefaßt, die sich durch die handlich zur Verfügung stehenden Schlüsselbegriffe (*absurde-révolte-mesure*) quasi offiziell bestätigt sieht. Bevor *L'Homme révolté* veröffentlicht wurde, analysiert etwa A. La Penna [447] die tragische Glückseligkeit, das Absurde und die damit direkt verbundene Indifferenz, welche in *La Peste* endgültig überwunden wird. Wie Kierkegaard, versucht Camus den unlösbaren Konflikt zwischen dem Absoluten und dem Relativen mutig durchzustehen und wehrte sich dagegen, ihn künstlich oder künstlerisch aus der Welt zu schaffen. In einer ähnlichen Perspektive schildert Amelia Bruzzi [448] Camus' moralischen Aufstieg als Akt einer Tragödie der Intelligenz. Robert Perroud [449] fühlt sich bemüßigt, die „Vulgarität" der Figuren in den Werken vor dem *Etat de siège* hervorzuheben und *L'Homme révolté*, nach der erzählerisch unbefriedigenden, moralisch jedoch erhebenden *Peste*, als unehrliche und langweilige Synthese einer unausgegorenen Ethik der Nächstenliebe hinzustellen. In einer von der vorherrschenden Dreiphasen-Struktur nur scheinbar abgeänderten kategorialen Analyse sieht Maria Carazzolo [450] zwei Grundpfeiler in Camus' Ethik: einen quantitativen, der in der kongenialen Indifferenz und im

[447] « A. C. o la conversione degli indifferenti ». In: *Belfagor* 5 (November 1950), S. 617—635. Weitere ähnlich aufgebaute Beiträge liefern Domenico Scoleri, « Condizione umana ed impegno etico in A. C. », in: ders., *Solitudine metafisica e solidarietà umana*, Reggio Calabria, Edizione Historica, 1953, S. 73—88; Nelly Cormeau, « L'éthique d'A. C. », in: *Synthèses* 162 (novembre 1959), S. 325—351; Eric W. Carlson, "The humanism of A. C.", in: *The Humanist* 20 (September—October 1960), S. 298—313.

[448] « Il regno dell'assurdo e la morale della rivolta nell'opera di A. C. ». In: *Convivium* 3 (Mai—Juni 1950), S. 333—366.

[449] « A. C. delfino dell'esistenzialismo ». In: *VeP* 33 (Februar 1950), S. 97—108 sowie in: ders: *Tra Baudelaire a Sartre*, Mailand, Vita e Pensiero, 1952, S. 155—192.

[450] « L'etica di A. C. ». In: *HumB* 5 (Dezember 1950), S. 1198 bis 1203. Dazu auch P. Rossi, « Nichilismo e attivismo nell'opera di A. C. ». In: *PC* 4 (1951), S. 343—353.

Absurden verankert ist und einen qualitativen, der auf der Revolte gegen das Absurde und das Böse sowie auf dem hoch entwickelten Gerechtigkeitssinn beruht. Die anfänglich vermutete, nach der *Dévotion à la Croix* und der Veröffentlichung der *Chute* für viele als erwiesen geltende Spiritualisierungstendenz sieht Hans Jeschke [451] richtigerweise als eine Konstante, die schon in den Jugendwerken feststellbar ist. Problematisch wird diese Feststellung nur, wenn der Vergeistigungsprozeß aus seinem betont horizontalen, auf den Menschen konzentrierten Bewegungsablauf herausgerissen und vertikalisiert wird. Einen interessanten Vergleich zwischen Camus', Kierkegaards und Nietzsches Hang zur Polemik und zu Gides Schwierigkeiten mit dem Begriff der *sincérité* erstellt Francesco Valentini [452], für den Camus' paradoxale Denkweise die geistige Krise der unsicher gewordenen Nachkriegsbourgeoisie schlichthin verkörpert. Dessen atheistischer „Glaube" und romantischer Protest rücken ihn zudem in die Nähe d'Annunzios. Als phänomenologische Meta-Anthropologie und ethischen Stoizismus kategorisiert André Espiau de la Maëstre [453] den atheistischen Humanismus des Dichterphilosophen. Mit seinem transzendentalen Neronismus markiert Caligula den Übergang von der nihilistischen Haltung zur Proklamation der universellen Solidarität. Im Gegensatz zu vielen christlichen Kritikern läßt Espiau de la Maëstre klar durchblicken, daß Camus kein Krypto-Christ sein kann. Dagegen wird dem angeblich kompromißlosen Engagement in diesem Essay eine zu große Bedeutung beigemessen. Da zudem *La Chute* nicht die ihr gebührende Beachtung als Infragestellung aller Wertsysteme — das des Autors eingeschlossen — erfährt, ist die Kritik an Camus' „Übermenschen", welcher sich in einer anti-christlichen Verabsolutierung verstrickt hat, nur bedingt annehmbar. Eine Art polit-

[451] „A. C. — Bild einer geistigen Existenz". In: *NS* 1 (1952), S. 459—473.

[452] « Dal nichilismo al moralismo: A. C. ». In: Ders, *La filosofia francese contemporanea*, Mailand, Feltrinelli, 1958, S. 31—42.

[453] „A. C.". In: Ders. *Der Sinn und das Absurde. Malraux, C., Sartre, Claudel, Péguy*, Salzburg, Otto Müller, 1961, S. 49—86.

philosophische Einführung liefert John Cruickshank [454], der das Absurde etwas zu vereinfachend der algerischen, die Revolte der europäischen Phase in Camus' Leben zuordnet und den Widerhall dieser Schlüsselbegriffe in den Hauptwerken und ästhetischen Schriften studiert. Wie viele Interpreten, betrachtet auch Alessandro Scurani [455] die *Lettres à un ami allemand* (1945) als Wendepunkt in der Entwicklung von Camus' Wertbewußtsein, das in der solidarischen Rebellion des *Homme révolté* einen kritischen Höhepunkt erreicht. Die Polemik mit den *Temps modernes* zeigt deutlich, daß die Ursache für Camus' unlösbares Dilemma im Künstlerschicksal zu finden ist, in dem der kreative Geist fatalerweise zur „affirmativen Negation" seiner Zeit gezwungen ist. In seinem eindrucksvoll skizzierten Dichterporträt erklärt Pierre Gascar [456] Camus' von Freunden oft als seltsam und eigenwillig empfundene Verhaltensweise kurz vor seinem Tode als ein Indiz eines bevorstehenden Durchbruchs zu einer nicht näher definierten Spiritualität, die schon *La Chute* dramatisch anzeigte.

Die Mehrzahl der begriffsbestimmenden philosophischen Arbeiten sind bis in die fünfziger Jahre entweder mehr oder weniger annehmbare, auf *Le Mythe* und *L'Homme révolté* konzentrierte Zusammenfassungen oder, seltener, fundierte kritische Auseinandersetzungen. In einer weitausholenden Artikelserie erörtert Maurice Blanchot [457] zuerst das sich in der *Peste* und *L'Homme révolté* widerspiegelnde Verhältnis zwischen dem absurden Leben und dem Leiden. Menschen in materieller Not sind sich der

---

[454] "A. C.". In: Ders., [Hrsg.], *The Novelist as Philosopher. Studies in French Fiction, 1935—1960*. London, Oxford University Press, 1962, S. 206—229.

[455] « La ricerca interrotta di A. C. ». In: *Letture* 17 (Januar 1962), S. 3—22. Die Arbeit enthält zudem Bemerkungen, die auf ein Interview mit Camus zurückgehen.

[456] « Le dernier visage de C. ». In: *Camus*, Paris, Hachette, 1964, S. 247—263. Vgl. auch René Ménard, « A. C. et la recherche d'une légitimité ». In: *Critique* 14 (août—septembre 1958), S. 675—689.

[457] « Réflexions sur l'enfer ». In: *NRF* 2 (avril 1954), S. 277—286.

philosophischen Bedeutung der engen Beziehungen zwischen Herrn und Sklave kaum bewußt. Ihr Ich ist demzufolge unfähig, aufgrund der Devise « *Je me révolte, donc nous sommes* » zu handeln, sie befinden sich in der Hölle ihres Dasein. Andererseits ist Sisyphus ein herrenloser Sklave, der über seinen eigenen Schatten springen muß, bevor er sich zur Revolte gegen die über das Hoffnungsprinzip schaltenden und waltenden Götter aufrafft. Im Gegensatz zum Nein des echten Sklaven beginnt Sisyphus' Aufstand mit einem Ja zum Leben. Wer dem Nihilismus bloß hellsichtig gegenübersteht, beweist, daß er von ihm zwar fasziniert ist, ihm aber bestenfalls durch die Negation auszuweichen versucht. Blanchot versteigt sich dann zu einer Art von absurdistischem Purismus, in dem das Absurde grundsätzlich unüberwindlich und unfaßbar, ein *absurdus absconditus* bleibt. Leben und Kunst helfen diesbezüglich, im Gegensatz zu Kafkas und Camus' Auffassung, auch nicht weiter, sie sind bloß Variationen der Nichtung, ein orphischer Höllengang, der zu Eurydikes Gesichtslosigkeit und schließlich zu totaler Leere führt.

Die philosophische Bedeutung des Exilthemas und der mit ihm verbundenen Indifferenz, Entfremdung und Unschuldsnostalgie stellt Jean Conilh [458] in eine christliche Perspektive, in der das Absurde als umgestülpter « *pari pascalien* » erscheint, für den Camus verzweifelt eine cartesische Lösung sucht. Die schon in den philosophischen Gesamtdarstellungen ersichtliche simplistische Gleichsetzung der Absurdität mit dem Pessimismus und der

« Réflexions sur le nihilisme ». In: *NRF* 2 (mai 1954), S. 850—859 «Tu peux tuer cet homme». In: *NRF* 2 (juin 1954), S. 1059—1069. Zusammengefaßt in: ders., *L'Entretien infini*, Paris, Gallimard, 1969, S. 256—280. Dazu auch Manuel de Diéguez, *De l'absurde. Essai sur le nihilisme*, Paris, Editions du Triolet, 1948, 189 S. Vgl. vor allem den als Vorwort dienenden offenen Brief an A. C.

[458] « L'exil sans royaume. I. Le paysage de l'absurde ». In: *Esprit* 4 (avril 1958), S. 529—543; « II. A la pousuite du royaume ». In: *Ibid.* (mai 1958), S. 673—692. Vgl. auch Fernando Boasso, « A. C. », in: *Estudios* 87 (Mai—Juni 1954), S. 214—223; Manuel Lamana, « El absurdo y la rebelión en A. C. », in: *Universidad* 40 (April—Juni

Revolte mit dem Optimismus verleitet auch Leonardo Verga [459] dazu, Camus' Ethik nicht als Moral-Philosophie, sondern als Kompendium moralisch gefärbter Erfahrungen und Projektionen einzustufen, in denen der Aufstand eine Position darstellt, deren wertstiftendes Selbstverständnis sehr fragwürdig ist. In seiner tiefschürfenden Begriffsanalyse weist Bernard Clergerie [460] auf den unwichtigen Charakter der philosophischen Erfassung des Absurden hin, die völlig von der rationalistischen Bewältigungsabsicht verdrängt wird. Da Sein und Leiden die beiden wichtigsten Modalitäten der menschlichen Existenz sind, sieht sich der Mensch vor die Alternative gestellt, entweder ein unschuldiger Mörder oder ein mordender Unschuldiger zu sein. Folgerichtig führt die auf dieser Ansicht fußende Ethik Camus' in eine moralische Sackgasse, in der das Individuum die Wahl zwischen den schmutzigen Händen und der schönen Seele hat. Weniger deterministisch faßt Heinz R. Schlette [461] den zentralen Freiheitsbegriff auf. Camus' ernsthafte,

1959), S. 5—20. Informationsreich ist ebenfalls Thomas Merton, "Terror and the absurd: violence and non-violence in A. C.". In: *GM* 42 (April 1967), S. 85—101. Hingegen sind die begriffliche Beweisführung und historische Perspektive Xavier Monasteros ("C. and the problem of violence", in: *The New Scholasticism* 44 [Spring 1970], S. 199—222) nicht über alle Zweifel erhaben.

[459] « L'esperienza morale di A. C. ». In: *Rivista di Filosofia Neo-Scolastica* 50 (1958), S. 57—73. Dazu auch Virgilio Fagone, « L'umanesimo prometeico di A. C. », in: *CCa* 109 (Februar 1958), S. 475—489; Paul Rom, "The notion of solidarity in the work of A. C.", in: *Journal of Individual Psychology* 16 (November 1960), S. 146—150; in deutscher Fassung: „A. Adlers Gemeinschaftsgefühl und C.' Solidarität", in: *Geist und Tat* 16 (März 1961), S. 82—85; Lionel Assouad, Louis Barjon, Etienne Borne und Robert de Luppé, «A. C. », in: *Recherches et débats du centre catholique des intellectuels français* 31 (juin 1960), S. 169—192.

[460] « Le mal et la nostalgie de l'être chez C. ». In: *Revue du Caire* 44 (mai 1960), S. 375—392.

[461] „A. C. Denker der Freiheit". In: *Hochland* 53 (August 1961), S. 561—567.

wenn auch systematische Bemühungen um eine praktische Klärung der Freiheitsproblematik steht in scharfem Gegensatz zu Charles Moellers voreiligen Qualifizierung dieser Philosophie als eines sensualistischen Rationalismus. Ähnlich argumentiert Jacques Borel [462], der den fundamentalen Konflikt zwischen Natur und Mensch (Prometheus-Mythos) als Ursprung der *mesure* nachweist, die eine vom klassisch griechischen Gleichgewichtsdenken inspirierte pragmatische Haltung gegenüber dem Absurden empfiehlt. Gerechtigkeit, Liebe und Freiheit sind, so Paul Henderickx [463], trotz des ihnen innewohnenden Ausschließlichkeitsstrebens, komplementäre Werte in Camus' Dialektik. Wenn die Revolte als eine Art kategorischer Imperativ aufgefaßt wird, gerät die relativierte Gerechtigkeit zur Magd des von Camus postulierten, alles überragenden Glücks. Vom juristischen Standpunkt verfolgt Peter Schneider [464] das Gerechtigkeitsbedürfnis des Individuums in *Caligula*, *L'Etranger* und *L'Etat de siège*, wo Recht und Grenzen zu austauschbaren Begriffen werden. Die von Camus abgelehnte Auffassung der Gerechtigkeit als *absolutum* überschneidet sich mit seiner Entlarvung des Strebens nach absoluter Macht. F. C. St. Aubyn [465] benützt die ontologischen Kategorien Sartres, um das Todesthema (Tod des Ichs

---

[462] «Nature et histoire chez C. ». In: *Critique* 169 (juin 1961), S. 507—521 sowie in: J. Lévi-Valensi [Hrsg.], *Les critiques de notre temps et C.*, Paris, Garnier, 1970, S. 147—156. Zur Frage stoischer Elemente in Camus' Gedankengut vgl. u. a. Robert Garapon, « L'héritage du néo-stoïcisme dans la littérature française contemporaine, en particulier chez A. C. ». In *FSSA* 1 (1971—72), S. 23—29.

[463] « Justice, amour et liberté dans la pensée d'A. C. ». In: *MRom* 14 (1964), S. 71—81.

[464] „Maß und Gerechtigkeit. Zu C.' Rechts- und Staatsauffassung". In: *Festgabe für Carlo Schmidt zum 65. Geburtstag*, Tübingen, 1962. Franz. Fassung: « Mesure et justice », in: *RLM* 90—93 (1963), S. 101—124. Der deutsche Text ist wiederabgedruckt in: Heinz Robert Schlette [Hrsg.], *Wege der deutschen Camus-Rezeption*, Darmstadt, Wissenschaftl. Buchgesellschaft, 1975, S. 132—157.

[465] "A. C. and the death of the other: an existentialist interpretation". In: *FS* 16 (April 1962), S. 124—141.

und Tod des Andern) im literarischen Werk Camus' als philosophische Projektion zu interpretieren. Als solche veranschaulicht sie die Existenzphänomenologie des Autors der *Nausée* besser als dessen eigenes dichterisches Werk. Die von Claude Treil [466] angestellte Untersuchung der drei Typen der Ironie (Ironie zur Selbstverteidigung, eloquente und pädagogische Ironie) kann bestenfalls als begriffsanalytischer Überblick betrachtet werden. der sich auf eine nicht immer repräsentative Zitatauswahl stützt.

Eine außerordentlich gedrängte Darstellung erfährt die Nichtung bei Camus (und Heidegger) durch Karlo Oedingen [467] Existentialistische und ontologische Exegese des Nichts verdeckt mehr als sie entdeckt: Die erstgenannte Methode führt bestenfalls zur Rationalisierung, die letztgenannte zur vorexperimentellen Erkenntnis. Mystische Erfahrung allein transzendiert Gedanken und erlaubt die Vision eines Nichts, das außerhalb ihrer bloß begrifflichen Opposition zum Sein steht (vgl. dazu Blanchot, Anm. 457). Camus widersteht durchaus mit Recht dem Hoffnungsprinzip und dem *sacrificium intellectus*, schafft aber ungewollt ein neues *absolutum*, wenn er es ablehnt, über die Grenzen des Denkvermögens hinauszugehen. Wie Sartre, verharrt er freiwillig im menschlichen Gefängnis, statt aus ihm auszubrechen. Der von Camus gegen Kafka erhobene Vorwurf des irrationalen Sprungs dreht Oedingen im Zusammenhang mit der Revolte einfach gegen Camus um. Durch Aufhebung der Subjekt-Objektspaltung hätte dieser eine authentischere, d. h. von konventionellen Denk- und Erfahrungskategorien befreite Nichtung vornehmen können. Gemäß Donn C. Welton [468] beruht Camus' „tragische Existenzvision" auf der Neubelebung und Steigerung des Urkonfliktes zwischen der Moïra und der Hybris, in dessen Kontext der Gegensatz zwischen dem Absurden und der Revolte

[466] « L'ironie de C. Procédés psychologiques: trois aspects ». In: *RUL* 16 (mai 1962), S. 855—860.

[467] „Die Erfahrung der Nichtung und ihre Deutung bei C. und Heidegger". In: *Tijdschrift voor Filosofie* 3 (März 1965), S. 68—83.

[468] "C. and the tragic vision of existence". In: *Kinesis* 1 (Spring 1969), S. 65—74.

sowie innerhalb anderer Begriffspaare zu stellen ist. Welton definiert das Absurde als ein tragisches Paradoxon, dem der homozentrisch denkende Mensch nicht entrinnen kann. Vom Verf. [469] liegt der Versuch vor, den Ursprung und die Verästelung des von Camus nie verhehlten Anarchismus in seinem Denken nachzuzeichnen, wobei dieser mit seinen selten erfolgenden politischen Ortsbestimmungen und dem Revoltebegriff in Zusammenhang gebracht wird. Aus dieser Perspektive erfolgt schließlich der Versuch, den genaueren Stellenwert der *pensée de midi* zu erfassen. Auch Pierre Van-Huy [470] betont die einheitsstiftende Wirkung der Revolte. In einem weiteren Aufsatz kategorisiert er die den Dualismus Camus' bestimmenden Grundgegensätze, die vor allem auf den Urkonflikt zwischen dem Ich und dem Nicht-Ich zurückgehen. In äußerst gedrängter Weise kritisiert Erich Köhler [471] die im Meursault-Bild verbrämte Version der heroisierten Entfremdung. Camus' Revolte gegen den Zufallscharakter der Geschichte kann paradoxerweise nur auf eine andere Zufälligkeit hinweisen und begründet eine arbiträre Ethik, der Köhler einen seiner sozialen Verantwortung bewußteren Possibilismus gegenüberstellt. Köhler möchte die bei Camus vorherrschende rezeptive Ästhetik durch eine produktive ersetzt sehen.

In seiner kritischen Auseinandersetzung mit der in den dichterischen Werken vertretenen Ethik greift Giancarlo Zizola [472]

[469] « L'anarchisme mesuré de C. ». In: *Symposium* 24 (Fall 1970), S. 243—253.

[470] « C. et la transcendance ». In: *USF Language Quarterly* 7 (Spring-Summer 1969), S. 5—10. « C. et le problème de la dualité ». In: *Ibid.* 8 (Winter 1969), S. 9—14 und (Spring-Summer 1970), S. 37—47.

[471] „C.". In: Ders., *Der literarische Zufall, das Mögliche und die Notwendigkeit*, München, Fink, 1973, S. 86—89.

[472] « Ritratto di A. C. ». In: *HumB* 13 (Januar 1958), S. 35—42. Weitere kritische Stellungnahmen zur Frage enthalten: Henri Troyat, « Réponse à M. A. C. », in: *Nef* 14 (janvier 1946), S. 144—148; Claude Roy, « Le papier qu'on mâche en 1945 », in: *Poésie 45* 22 (janvier 1945), S. 83—89; A. J. Ayer, "A. C.", in: *Horizon* 13 (March 1946),

bezeichnenderweise auf eine Charakterisierung zurück, die Gide für sich beansprucht: « Ne pas conclure. » Das im Spätwerk immer stärker werdende Schuldgefühl, das falsche Bild der christlichen Nächstenliebe, der Camus trotz allem recht nahe steht, schlagen bei ihm schließlich in ätzende Ironie um, in der Zizola eine Vorstufe der Wiedergeburt des Hoffnungs- und Erlösungsglaubens erblickt. Für Alexandre Papadopoulo [473] besteht Camus' Originalität in seiner ursprünglichen Ablehnung der traditionellen philosophischen und theologischen Fragestellung, die darauf ausgelegt ist, dem Fragenden das Gefühl eines guten Gewissens zu vermitteln. Später allerdings opfert er in seinem Einheitsstreben die Realität einer neuen Idealität und führt eine verabsolutierte Version des guten Gewissens als moralische Notwendigkeit wieder ein. Sein Irrtum besteht in der ständigen Verwechslung echter Gegensätze und komplementärer Begriffspaare. Zudem ist seine gewollte Unkenntnis der Fortschritte der modernen Naturwissenschaften geradezu bedrückend. In einem brillanten, auf der begrifflichen Unterscheidung zwischen „nihilistisch" und „plebejisch" gründenden Essays stellt Günther Albrecht Zehm [474] Camus als einen Philosophen dar, dessen Denkweise wegen seiner Abneigung gegen die *docta spes* radikaler als jene Sartres ist. Um Hegel widerlegen zu können, muß er zu einer *contradictio in adjecto* Zuflucht nehmen: dem historischen Nihilismus. Die davon abgeleitete moralische Überlegenheit der Revolte lehnt Zehm entschieden ab, da sie in ihrer Revolutionsverneinung eine extrem nihilistische Rebellionsart vertritt.

Obwohl Camus einen Einfluß des Taoismus von sich weist,

S. 155—168; Alfred Duhrssen, "Some French Hegelians", in: *Review of Metaphysics* 7 (December 1953), S. 323—337.

[473] « A. C. et la bonne conscience ». In: *Revue du Caire* 44 (mai 1960), S. 345—367.

[474] „Über den Nihilismus bei Brecht, Sartre und C.". In: *FH* 17 (1962), S. 474—482. Vgl. auch Edward T. Gargan, "Revolution and morale in the formative thought of A. C.". In: *RPol* 25 (October 1963), S. 483—496.

glaubt Jean Biermez [475] in dessen Alternativdenken Lao Tses Anziehungskraft feststellen zu können. Der bis zum angeblich starren Gleichgewicht der *pensée de midi* gesteigerte Dualismus, die starke Neigung zur Indifferenz sowie zur Rückkehr zu den geistigen Quellen seiner Existenz werden als Indiz für Camus' latente Affinität zum Taoismus aufgezählt. Beizufügen wäre noch der auf den in der morgenländischen Denkart bestens bewanderte Jean Grenier zurückgehende indirekte Einfluß. Michael Singleton [476] interpretiert einige Notizen, die sich Teilhard de Chardin über *La Peste* und *Le Mythe* gemacht hat und vergleicht die Absurditätsauffassung der beiden Philosophen. Für Camus ist das Absurde ein subjektives *absolutum* — eine oft vertretene, jedoch äußerst fragwürdige Charakterisierung — für Teilhard ein wissenschaftlich bedingtes und belegbares Phänomen, das nicht durch Revolte, sondern durch die Verbindung von Forschung und Glauben überwunden wird. Absurdität ist Gottes Herausforderung des Menschen. Der Vergleich des altruistisch gerichteten Optimismus bei Blondel, Sartre und Camus veranlaßt Blaise Romeyer [477], die Haltung des letzteren gegenüber dem Nächsten als emotionaler, gleichzeitig aber weniger human als bei Blondel zu taxieren. Als Variationen einer unablässigen *meditatio mortis* faßt Alfred Stern [478] das philosophische Gesamtoeuvre Camus' auf, in dem Nietzsche sozusagen die Rolle des *primus movens* gespielt haben dürfte. Stern gibt einen Überblick über den Einfluß des letzteren und kritisiert, darin Sartre und Jeanson ähnlich, das im *Homme révolté* vertretene idealisti-

[475] « A. C. et l'appel du Tao ». In: *RGB* 9 (1969), S. 55—65. Dazu auch Leonard Sugden, "A. C.: the temptation of East and West". In: *DR* 52 (Autumn 1972), S. 436—448.

[476] "Teilhard on C. ". In: *International Philosophical Quarterly* 9 (June 1969), S. 236—247.

[477] « Le problème des autres chez Blondel, Sartre et C. ». In: *GdiM* 8 (1953), S. 185—206.

[478] "Considerations of A. C.'s doctrine". In: *Person* 41 (May 1960), S. 448—457.

sche Postulat der « *nature humaine* ». Ein ausgewogener Vergleich zwischen Sartres und Camus' Ethik findet sich in Serge Doubrovskys brillanter Analyse [479], in der die Ablehnung des Gideschen Hedonismus durch den letzteren betont wird. Beide Denker vertreten eine eindimensionale Ethik, die im Falle Camus' kategorial der Seinsphilosophie, im Falle Sartre der Werdensphilosophie zugeordnet werden kann.

b) *Le Mythe de Sisyphe* und das Absurde

In jüngerer Zeit sind drei Dissertationen in deutscher Sprache über das im Zentrum des *Mythe de Sisyphe* stehende Absurditätsphänomen veröffentlicht worden. Die Parallelstudie von Günter Mattias Tripp [480] ist in ihrem ersten Hauptteil vorwiegend Camus' Hypertrophierung des Absurden gewidmet. Das am Ursprung der abstrakten Formulierung stehende *sentiment de divorce* soll von Camus in einen begrifflich unklaren proteushaften Dualismus verwandelt worden sein, den er schließlich verabsolutierte. Johannes Pfeiffer [481] konzentriert sich auf die Beziehungen zwischen dem Absurden einerseits, Entfremdung, Revolte, Maß und Duplizität andererseits, die als Schlüsselthemen in allen Prosa- und Dramenwerken vertreten sind. Die stets latent vorhandene, in und nach der *Peste* mehr und mehr in den Vordergrund gestellte Solidarität erhält ihre begriffliche Untermauerung in der im *Homme révolté* angestellten Analyse des Aufstandsgedankens. Pfeiffers Erörterungen sind zwar nicht kritisch, leisten aber als neutraler Kommentar zur Entstehungsgeschichte

---

[479] « La morale d'A. C. ». In: *Preuves* 116 (octobre 1960), S. 157 bis 166 sowie in: J. Lévi-Valensi [Hrsg.], *Les critiques de notre temps et C.*, Paris, Garnier, 1970, S. 157—166.

[480] *Absurdität und Hoffnung. Studien zum Werk von A. C. und Ernst Bloch*, Berlin, Dissertations-Druckstelle, 1968, 110 S.

[481] *Sinnwidrigkeit und Absurdität. Beiträge zum Verständnis von A. C.*, Berlin, Die Spur, Herbert Dorbrandt KG, 1969, 94 S.

von Camus' Ethik eine annehmbare Lesehilfe. Obwohl Uwe Timm [482] sich am ausführlichsten mit der Problematik des Absurden befaßt, kann seine Arbeit nicht als ein analytisch klärender Beitrag zu einer komplexen philosophischen Frage gewertet werden. Als ideologie- mehr denn als sachbezogener Kommentar über die sozio-ökonomischen Hintergründe eines durch weitreichende politische und historische Konsequenzen gekennzeichneten existentiellen Grundbegriffes ist Timms Studie durchaus nützlich, ihre Dokumentation hingegen völlig ungenügend.

Unter den allgemeinen Kommentaren über den *Mythe* und das Absurde finden wir zuerst Marc Beigbeders [483] Erörterungen über Camus als das moralische Gewissen seiner Zeit, der als Propagandist der Sinnlosigkeit einem abzulehnenden Pessimismus das Wort redet und offensichtlich noch keine von Verantwortungsbewußtsein getragene Wertordnung gefunden hat. Die Meinung, *Le Mythe de Sisyphe* sei als Schlüssel zum *Etranger* zu betrachten, half François Bondy [484] mitzuverbreiten, wobei er allerdings darauf aufmerksam machte, das Camus' Absurditätsphilosophie in einem verschiedenen Licht erscheinen würde, wenn einmal das Gesamtwerk zur Verfügung stünde. Bondy weist in diesem Zusammenhang auf Malraux' ebenfalls vom Todesbewußtsein getragene Absurditätsauffassung hin. Eine gute Zusammenfassung des *Mythe* liefert Hermann Riefstahl [485], der mit Recht Camus' Ablehnung der Kapitulation vor dem Irrationalen und — wie

[482] *Das Problem der Absurdität bei A. C.*, Hamburg, Helmut Lüdke, 1971, 167 S.

[483] « Le monde n'est pas absurde ». In: *Esprit* 13 (février 1945), S. 415—419.

[484] „A. C. und die Welt des Absurden". In: *Schweizer Annalen* 3 (1946—47), S. 150—159. Vgl. auch Gabriel Teuler, der frühzeitig auf die auseinanderzuhaltenden Bedeutungsebenen des Romans und philosophischen Essays aufmerksam macht: « Sur trois oeuvres d'A. C. ». In: *Revue de la Méditerranée* 12 (avril 1946), S. 197—211.

[485] « A. C. *Le Mythe de Sisyphe* ». In: *Zeitschrift für Philosophische Forschung* 2 (1947), S. 619—622.

andere Kritiker vor ihm — die Verbindung zwischen kartesischer Deduktion und pascalschem Wettprinzip hervorhebt. Riefstahl ist der Ansicht, Camus' Existenzphilosophie sei gedanklich jener von Sartre unterlegen und blind vor der ontologischen Realität der Transzendenz. Für José R. Echevarria [486], der in seinem langgen Essay die Entwicklung von der „negativen" Frühperiode bis zur Entdeckung „positiver" Werte in der *Peste* nachzeichnet, geht es in erster Linie darum, die Überwindung des Absurden mit der religiösen Phase in Kierkegaards Dialektik zu vergleichen. Eine der eingehendsten und am klarsten konzipierten Einführungen in den *Mythe* liefert ohne Zweifel Liselotte Richter [487]. Darin deckt sie die Beziehungen (leidenschaftlicher Irrationalismus, paradoxale Denkweise) und Unterschiede (Verabsolutierung des Paradoxon, d. h. Gott als absolutes Paradoxon) zwischen Kierkegaard und Camus auf und bespricht dessen Ablehnung von Kierkegaards, Schestows und Jaspers' existentiellem Sprung. Informationsreich sind die gedrängten Zusammenfassungen der philosophischen Positionen von Kierkegaard, Schestow, Jaspers, Heidegger und Husserl, insofern sich Camus in zustimmender oder ablehnender Weise auf sie bezog. Besonders ergiebig ist die Besprechung seiner Stellung innerhalb des französischen Existentialismus, weil jedem Vertreter (Merleau-Ponty, Marcel, Sartre) ein fachkundiger Abschnitt gewidmet wird. Ihre Feststellungen über die Urparadoxie als verbindendes Element zwischen Camus' antitheistischer und der religiösen Denkweise sind auch heute noch nicht überholt. Gemäß Richter ist das Absurde der

[486] « El mito de Sisifo ». In: *Atenea* 97 (April 1950), S. 43—66.
[487] „C. und die Philosophen in ihrer Aussage über das Absurde". In: A. C., *Der Mythos von Sisyphos*, Hamburg, Rowohlt, 1959, S. 131 bis 141 sowie in: Heinz Robert Schlette [Hrsg.], *Wege der deutschen Camus-Rezeption*, Darmstadt, Wissenschaftl. Buchgesellschaft, 1975, S. 55—87. Ähnlich, wenn auch nicht mit derselben Stringenz, stellt Roy A. Swanson die Absurditätsproblematik dar. Vgl. "Counterstatement to despair". In: Ders., *Heart of Reason*, Minneapolis, Denison, 1963, S. 168—186.

Nullpunkt im Schnittpunkt des Kreuzes, wo die qualitative Vertikale der paradoxalen Transzendenzhaltung und die quantitative Horizontale der diesseitsbezogenen Immanenzentscheidung sich schneiden. Nicht besonders klärend hingegen ist Vera Passeri Pignonis [488] einführender Kommentar, der sich entweder in Gemeinplätzen oder oberflächlichen Vergleichen erschöpft. Dafür faßt Leon Pachero [489] die Hauptthesen des *Mythe* und ihre spätere Gestaltung wenn auch nicht kritisch, so durchaus werkgetreu zusammen und versucht zudem, Camus' Bedeutung als Moralist zu erfassen. Dasselbe gilt von Paul Wests [490] Kapitel über die Wechselwirkungen extremer Positionen in Camus' Philosophie des Absurden, ihre allegorische Tranfiguration moralischer Prinzipien sowie die Verwandlung philosophischer Überzeugungen und Zweifel in politische Verhaltensweisen. Im Rahmen seiner Funktionsstudie zweier Leitmythen im modernen Denken skizziert Friedrich Kienecker[491] den von Camus vollzogenen Wechsel von Sisyphus zu Prometheus als einen Versuch, dem Teufelskreis des Absurden zu entrinnen. Kraft der absurditätsverneinenden Revolte steigert Camus seine elementare egozentrische Naturverbundenheit zum altruistisch gerichteten Solidaritätsbewußtsein. Von beschränkter kritischer Bedeutung sind Alain Bosquets [492] Bemerkungen über die „Dekadenz" des Absurden, dessen Entwicklung vom *Etranger* bis zur *Chute* er nachzuzeichnen vorgibt, um Camus schließlich als einen Nachzügler der *l'art pour l'art*-Kunstauffassung zu „entlarven". Wenn auch in ihrer

[488] « La filosofía dell'assurdo di A. C. ». In: *Sapienza* (Mai—August 1960), S. 195—224.

[489] « A. C. y la filosofia del absurdo ». In: *CA* (Juli—August 1966), S. 84—115.

[490] "C.". In: Ders., *The Wine of Absurdity. Essays on Literature and Consolation*, University Park, Pennsylvania University Press, 1966, S. 45—76.

[491] „Prometheus und Sisyphus: Mythische Modelle des modernen Selbstbewußtseins". In: *Hochland* 59 (1966—67), S. 520—539.

[492] « A. C. ou l'absurde devient-il décadent? ». In: Ders., *Injustices*, Paris, La Table Ronde, 1969, S. 119—128.

Anlage durchaus entwicklungsfähig, so ist Robert Tates [493] „Begriffsstudie" in ihrer Durchführung zu paraphrasenhaft, um tiefere Einblicke in Camus' „heraklitisches" Gleichgewichtsdenken an den Tag zu fördern.

Geradezu revolutionär erscheinen Jacques-Robert Duron [494] die Konsequenzen der Absurditätsanalyse. Das von Camus diagnostizierte « *nouveau mal du siècle* » vergleicht er mit Sartres Gefühl des Überzähligseins, des *de trop*. Als ein von stolzer Indifferenz gespeistes moralisches Credo kann *Le Mythe* auf keinen Fall mit einem subjektivistischen Pessimismus verwechselt, sondern muß als exemplarisch politische, kritisch distanzierte Aktionsbereitschaft gewertet werden. Sisyphus verkörpert dabei eine revidierte Form des weltbejahenden *amor fati*. In einer ebenfalls substanzreichen, heute leider kaum zugänglichen Begriffsanalyse erfaßt R. Verneau [495] die Absurdität als eine hochentwickelte Form eines Skeptizismus hegelianischer Provenienz. Unglücklicherweise werden Sartres und Camus' Absurditätsauffassungen kaum auseinandergehalten. Innerhalb der traditionellen Gegenüberstellung zwischen der essentialistischen Begriffsphilosophie und der existentialistischen Urteilsphilosophie sollte die Absurdität als konzeptualisiertes Erlebnis gleichsam eine *coincidentia oppositorum* liefern. Verneau sieht im Absurditätsbegriff aber einen voreiligen Syntheseversuch, der sich seiner reduktiven Tendenz nicht bewußt ist. Ebenfalls die Bereitschaft zur Synthese, d. h. ihre wesensverwandte Einheitsnostalgie sieht Maurice Boudot [496] als Hauptcharakteristikum der Absurditätsphilosophie, deren Prämissen und Schlüsse Camus' moralische

[493] "The concept of absurd equilibrium in the early essays of A. C.". In: *SAQ* 70 (Summer 1971), S. 377—385.

[494] « Un nouveau mal du siècle ». In: *Renaissances* 16 (novembre 1945), S. 62—69.

[495] « De l'absurde ». In: *Revue de philosophie*, Paris, Librairie P. Tequi, 1947, S. 165—197. Dies ist anscheinend die einzige Nummer der Zeitschrift, die keine bibliographische Beschreibung enthält.

[496] « L'absurde et le bonheur dans l'oeuvre d'A. C. ». In: *CS* 315 (1952), S. 291—305.

Evolutionsthese eher schwächen als stärken. Das Absurde ist gemäß Boudot eine Modalität des In-der-Welt-Seins, die nicht ihre Überwindung, sondern ein *bonheur provisoire* postuliert. Als moralische Stellungnahme gleicht das Absurditätsdenken einem leidenschaftlichen Utilitarismus. Obwohl er sich der fragwürdigen methodologischen Basis des *Mythe* bewußt ist, verzichtet Virgilio Fagone [497] in seinem ausführlichen Essay auf eine Methoden- oder Ideologiekritik und konzentriert sich auf die komplementäre Funktion, die die Philosophie als Vertreterin des Universellen und der Roman als der Vertreter des Partikularen in der Ästhetik Camus' besitzen. Aus dieser Sicht erklären sich die oft widersprüchlichen Aspekte in Camus' Absurditätsauffassung, allen voran die Theorie der *création absurde* als *création gratuite*. Dessen Romanform muß als extreme Konfiguration abstrakter Begriffe verstanden werden, als eine Prosagattung, in der die kognitive Macht des Abstrakten völlig in der evokativen Gewalt der Vorstellungskraft aufgeht, ohne dabei seine Substanz zu verlieren. Im Vergleich zu dieser Studie nehmen sich H. Gaston Halls [498] Ausführungen eher bescheiden aus. Auch er möchte die Kritik des Absurden durch einen Hinweis auf dessen mannigfachen Bedeutungsebenen (philosophische, soziale, künstlerische) entkräften. Agostinho Velosos [499] Definition vergleicht Camus' Absurdität als existentialistisches Phänomen mit jener von Sartre und Pascal und weist darauf hin, daß auch eine atheistische Philosophie der Sinnlosigkeit am Gottesproblem nicht vorbeikommt. *Le Mythe de Sisyphe* wird von den meisten Kritikern der irrationalistischen Tendenz innerhalb der modernen Philosophie zugeordnet. Einige weisen immerhin auf Camus' Beflissenheit um kartesische Klarheit hin (vgl. Anm. 429). Aus diesem Grunde fühlte sich wahrscheinlich auch Gerhard

[497] «A. C. e l'opera d'arte assurda». In: *CCa* (Januar 1958), S. 134—150.
[498] "Aspects of the absurd". In: *YFS* 25 (Spring 1960), S. 26—32.
[499] « O'absurdismo de C. ». In: *Brotéria* 70 (Februar 1960), S. 129—139.

Wunberg [500] bemüßigt, die rationalen Elemente (Bewußtsein, Kenntnis, Denken, Vernunft und Verstand) besonders hervorzuheben. Sisyphus' Stärke ist in seinem Bewußtsein begründet, ohne welches das Absurde gar nicht denkbar ist. Wunberg packt den *Mythe* gleichsam von dessen Schlüssen aus an und diskutiert ausführlich die Modalitäten des Absurden, nicht aber die korrelative Revolte. Als ontologische Ursache der Selbstmordtendenz erörtert Joseph J. Kockelmans [501] das Absurde in seiner panoramischen Studie über die philosophischen und psychologischen Gründe suizidärer Handlungen. Der philosophisch verankerte Selbstmord kann durchaus als ein Akt freien Willens bezeichnet werden. Nützlich wenn auch konzeptuell nicht besonders tiefschürfend ist Henri Peyres [502] historische Übersicht über die Anwendung des Absurditätsbegriffes innerhalb der modernen französischen Literatur. Im Vergleich zu Malraux' und Sartres Absurditätsauffassung zeichnet sich jene Camus' durch ihren leidenschaftlichen Charakter aus.

Maurice Blanchots [503] Besprechung des *Mythe* konfrontiert den mythischen Sisyphus mit Camus' Version des absurden Helden und schenkt der Kritik des philosophischen Selbstmordes, d. h. des existentialistischen Sprunges besondere Beachtung. Blanchot vertritt auch hier (vgl. Anm. 457) die Auffassung, Camus werde zum Opfer seiner Absurditätsdialektik, mit deren Hilfe er eine „negative" Rettung bewirken möchte. Sehr pointiert setzt sich Georges Blin [504] mit dem durch Camus vermittelten

---

[500] „Das Absurde und das Bewußtsein bei C.". In: *NSammlung* 1 (Juni 1961), S. 207—221.

[501] "On suicide: reflections upon C.'s view of the problem". In: *PsyR* 54 (Fall 1967), S. 31—48.

[502] "The notion of the absurd in contemporary French literature". In: *Prose* 4 (Spring 1972), S. 109—131.

[503] « Le Mythe de Sisyphe ». In: Ders., *Faux Pas*, Paris, Gallimard, 1943, S. 70—76.

[504] « A. C. ou le sens de l'absurde ». In: *Fontaine* 5 (1943), S. 553 bis 561.

Sinn des Absurden auseinander, dessen sentimentalischen Hintergrund er betont. Wenn auch die *éthique de quantité* einen permanenten Hang zum Widerstand ausdrücken mag und im Zusammenhang mit Camus' Luziditätsbedürfnis und Ästhetik zu sehen ist, so glaubt Blin in der Konzeption einer verabsolutierten Revolte schon deshalb eine schwache Stelle zu finden, weil ihr als intellektualisiertem Begriff der notwendige emotionale Nährboden fehlt. Daß *Le Mythe* von Anfang an als moralphilosophische und nicht ontologische Studie aufgefaßt wurde, zeigt sich u. a. auch in Alfred Wilds [505] Analyse der Absurditätsethik als instinktive Todesverneinung und Überwindung der existentiellen Frustration. Wild meint, Camus' Denkmethode sei von zweifelhafter Stringenz, weil sie sich einfach über die Nicht-Phänomenalität der menschlichen Innenwelt hinwegsetzt. Eine ausgezeichnete kritische Darstellung von Camus' Absurditätsauffassung bietet Pierre Desgraupes [506], der bei Tschechow ihre ästhetische, bei Malraux (*Conquérants, Voie royale*) ihre philosophische Grundlagen zu entdecken glaubt. Das Absurde ist bei Camus von Anfang an zweideutig, weil er Leidenschaft mit Strenge und Stringenz, Pathos mit Logik verwechselt. Wichtig ist für ihn die Lauterkeit der Demonstration, nicht der sauber determinierte Ablauf der Argumentation. Desgraupes' Reserviertheit enthält nicht nur eine von vielen Fachkollegen erhobene Methodenkritik, sie ist auch wesensverwandt mit den von Sartre/Jeanson vorgebrachten Einwendungen gegen Camus' „pervertiertes" Geschichtsverständnis. Tatsächlich hat Jeanson [507] im selben Jahr (1947) die

[505] «La philosophie de l'absurde». In: *Suisse contemporaine* 12 (décembre 1945), S. 1136—1145.

[506] « Sur A. C. ». In: *Poésie 47* 8 (janvier—février 1947), S. 115 bis 125.

[507] « A. C. ou le mensonge de l'absurde ». In: *Revue Dominicaine* 53 (février 1947), S. 104—107. Vgl. auch Remo Cantoni, « L'uomo assurdo di A. C. ». In: *Studi filosofici* 9 (April 1948), S. 72—87 sowie in: ders., *La coscienza inquieta*, Mailand, Mandadori, 1949, S. 401 bis 415.

intentionalen Prämissen der Absurditätsphilosophie Camus'
untersucht und ihre praktischen Konklusionen (Widersinnigkeit
des Lebens) als Ethik der Willkür abgelehnt. Furcht und Angst
sollten den nachkierkegaardschen Menschen zum Wertbewußtsein führen, das Absurde hingegen geht nicht über die defätisti-
sche Feststellung einer totalen Sinnlosigkeit hinaus. Im August
1941 vermittelte Pascal Pia dem Dichter Francis Ponge [508] das
noch unveröffentlichte Manuspript des *Mythe*. Ponge stellt fest,
daß das Absurde seine eigene Erfahrungs- und Gestaltungswelt
mitbestimmt sowie als Thema bereits bei Jean Paulhan vorkommt. Er betont die Notwendigkeit einer relativistischen Weltanschauung und distanziert sich von Camus' Verbindung des
Absurden mit der Einheitssehnsucht. Vanio Porcarellis [509] Kritik
setzt die öfters erwähnte simplistische Kategorisierung der philosophischen Grundbegriffe Camus' fort: Als Lebensmodus entspricht das Absurde seiner destruktiven, die Revolte seiner
konstruktiven Denkphase. Porcarelli stößt sich vor allem an der
„Unreinheit" des existentialistischen Denkens, das eine zweifel-
hafte Mischung von Kunst und Philosophie darstellt. Der Essay
von Hans Heinz Holz [510] hebt, wie viele vor ihm, die ethische
Metamorphose Camus' hervor, dessen Moral im Gegensatz zu
Sartres nicht auf das Individuum, sondern auf die Gemeinschaft
zugeschnitten ist. Sisyphus leidet für Leben und Bedeutung.

[508] « Page bis I. Réflexions en lisant l'Essai sur l'absurde ». In: Ders.,
Proêmes, Paris, Gallimard,, 1948, S. 145—154.

[509] «A. C. e la teoria dell'assurdismo ». In: *Rivista di Filosofia Neo-
Scolastica* 41 (Juli—September 1949), S. 308—319. Dazu die *causerie*
von Antonio Aliotta, « Il satanismo di Sartre e di C. ». In: Ders.,
Critica dell'esistenzialismo. Opere complete, Rom, Perella, 1951, Bd.
IV, S. 77—85.

[510] „Leiden und Rettung des Sisyphus". In: Ders., *Der französische
Existentialismus. Theorie und Aktualität*, Speyer—München, Dobbeck,
1958, S. 65—91. Dazu auch Raimund Theiss, „A. C.' Rückkehr zu
Sisyphus". In: *RF* 70 (1958), S. 66—90. Theiss bedauert in dieser die
realistischen Formelemente in C.' Spätstil studierenden Arbeit dessen
„Rückkehr" zum Absurden.

Allerdings führt die Rebellion gegen das Absurde bloß zur Absurdität der Rebellion, womit sich für Holz Camus' Moralphilosophie im humanistischen Pathos erschöpft. Von der religiösen Warte aus lehnt Charles I. Glicksberg [511] die im *Mythe* vertretenen Thesen ab, vor allem den verklärten Prometheismus und die absurdistische Kunstauffassung. Absurde Ethik und Ästhetik sind für ihn Indizien einer verkappten Religiosität. Wie La Boullaye (Anm. 388) und Fullat Genís (Anm. 420) kritisiert Wolfgang Müller-Lauter [512] den dem Absurden zugrunde liegenden Immanentismus und lehnt die von Camus vorgebrachten Charakterisierungen des existentiellen Sprunges (philosophischer Selbstmord, Verrat) Kierkegaards, Jaspers und Kafkas ab. Camus' eigene „Logik" ist induktiv und als solche im existentiellen Denkbereich nicht anwendbar. Eine ausführliche Schilderung der philosophischen Quellen des Absurditätsbegriffes liefert Herbert Hochberg [513], der Camus' Unvermögen bedauert, eine auf Hellsichtigkeit und Maßhaltung begründete Ethik zu formulieren. Auch J. H. Matthews [514] geht den im *Mythe* oft erläuterten Beschränkungen des Denkvermögens nach, die Camus aber nicht nur festhält, sondern geradezu zelebriert. Sein von Sehnsuchtsvorstellungen bestimmtes Denken führt ihn schließlich in den praradoxalen Bereich einer antireligiösen Glaubenswelt.

Frühe Quellenarbeiten sind zu einem großen Teil auf Vermutungen angewiesen, weil ihnen in den meisten Fällen die einschlägige Primär- und Sekundärliteratur nicht zur Verfügung

---

[511] "The literature of absurdity". In: Ders., *Literature and Religion*, Dallas, Southern Methodist University Press, 1960, S. 200—211.

[512] „Thesen zum Begriff des Absurden bei A. C.". In: *Theologia Viatorum* 8 (1961—62), S. 203—215. Wiederabgedruckt in: Heinz Robert Schlette [Hrsg.], *Wege der deutschen Camus-Rezeption*, Darmstadt, Wissenschaftl. Buchgesellschaft, 1975, S. 116—131.

[513] "A. C. and the ethic of absurdity". In: *Ethics* 75 (January 1965), S. 87—102.

[514] "In which A. C. makes his leap: *Le Mythe de Sisyphe*". In: *Symposium* 24 (Fall 1970), S. 277—288.

steht. So läßt sich J. P. Sicard [515] (es könnte sich um die Mitautorin der *Révolte dans les Asturies* handeln) dazu verleiten, die Grundlagen von Camus' Philosophie im Mystizismus, in der deutschen und französischen Romantik sowie vor allem im Katholizismus zu suchen, den er erwiesenermaßen nicht von seiner „religiösen" Erziehung her, sondern aus einseitig ausgewählten Lektüren kannte. Dementsprechend generell ist Siccards Charakterisierung seiner Ethik, die als Mischung von Stoizismus und Verklärung des Übermenschentums zusammengefaßt wird. Als Seuche bezeichnet Louis L. Rossi [516] das absurde Denken, dessen Nachwirkungen er von Meursault, dem absurden Jedermann, bis zu Clamence, dem absurden Antihelden nachzeichnet. Von besonderem Interesse, wenn auch unterentwickelt sind seine Ausführungen über den Einfluß anderer Denker, besonders Heideggers und Nietzsches, auf Camus stets zunehmende Selbstdistanzierung. Einen unerwarteten Vergleich erstellt H. Houwens Post [517] zwischen Machado de Assis' *Memórias póstumas de Bras Cubas* und *Le Mythe*. Machados Werk soll nicht nur ein Vorläufer des von Sisyphus verkörperten Absurden sein, sondern der Sartreschen *nausée* und des europäischen Existentialismus überhaupt. Die von Camus stets gepriesene Rückkehr zu den klassischen Quellen erläutert Rémy G. Saisselin [518]. Wenn auch Camus im Mittagsgedanken eine (provisorische) Antwort auf die durch das Absurde aufgeworfenen Fragen gefunden zu haben glaubte, so sieht Saisselin in ihr eher eine Spätversion des seit dem 18. Jahrhundert oft vertretenen klassizistischen Humanismus, der sich in der Alternative zwischen Stoizismus und Epikurismus

[515] « Le Mythe de Sisyphe par A. C. ». In: *Renaissance* 8 (novembre 1944), S. 131—135. Vgl. Garapon, Anm. 462.

[516] "The plague of absurdity". In: *KR* 20 (Summer 1958), S. 399 bis 422. Franz. Fassung in: *RLM* 63—66 (1961), S. 151—178.

[517] « L'auteur brésilien Machado de Assis et *Le Mythe de Sisyphe* ». In: *Annali dell'Istituto Universitario Orientale. Sezione Romanza* 2 (1960), S. 1—15.

[518] "The absurd, death, and history". In: *Person* 42 (April 1961), S. 165—177.

totläuft. In einer ausgezeichnet informierten komparatistischen Arbeit untersucht Leon F. Seltzer [519] die Affinitäten zwischen Camus' und Melvilles (im *Confidence-Man*) Absurditäts-
verständnis. Beide Autoren begeben sich aufs moralische Glatteis,
indem sie sich eines Werturteils bewußt enthalten und auf die
scheinbar bloß sachliche Beschreibung beschränken. Damit manö-
vrieren sie sich aber in eine Ausweglosigkeit, in der die ursprünglich katalytische Luzidität zur Beklemmung wird. Alvin Green-
berg [520] schlägt in seiner Parallelstudie vor, Conrads Lord Jim
als Artgenossen von Sisyphus zu behandeln, weil beide Figuren
eine sichere Niederlage in einen Sieg umzuwandeln vermögen.
Weniger hypothetisch ist Peter Dunwoodies [521] Erfassung der
wahlverwandtschaftlich bedingten Ähnlichkeiten zwischen Schestow und Camus, die sich im *Mythe* in einem zwar kritischen,
aber dennoch wohlwollenden Kapitel niederschlägt. Es erweist
sich, daß beide Denker dem plotinischen Mythos des verlorenen
Paradieses nachtrauern, und daß Camus Schestows Werke — wie
viele andere auch — nur aus zweiter Hand kannte.

c) *L'Homme révolté* und die Revolte

Von den beiden der Aufstandsphilosophie gewidmeten Büchern empfiehlt sich jenes von Joseph Majault [522] als einführender Kommentar, der einmal mehr den Weg vom Absurden zur
Revolte als intellektuelles und moralisches Drama darstellt, in
dem die philosophischen Essays und die ihnen zugeordneten Pro-
sa- und Dramenwerke als Peripetien aufgefaßt werden. Als
Gefangener einer von ihm selbst geschaffenen brüchigen Termino-

[519] "C.'s absurd and the world of Melville's *Confidence-Man*". In:
PMLA 82 (March 1967), S. 14—27.
[520] "Lord Jim and the rock of Sisyphus". In: *Forum* 6 (1968), S.
13—16.
[521] « Chestov et *Le Mythe de Sisyphe* ». In: *RLM* 264—270 (1971),
S. 43—50. (*AC* 4).
[522] *Camus, révolte et liberté*, Paris, Centurion, 1965, 150 S.

logie gelingt es Camus erst mit *L'Exil et le royaume* und *La Chute*, seine statische Weltauffassung durch eine dynamischere zu ersetzen. Bernt Vestre [523] untersucht die verschiedenen Abstraktionsstufen der essentialistischen und der existentialistischen Revolte und widmet seine Aufmerksamkeit vor allem der mit der Widerstandsethik verbundenen Termini.

Eine werkgerechte und dennoch kritisch distanzierte Interpretation des im *Homme révolté* vertretenen Antihistorismus vermittelt Pierre-Henri Simon [524]. Er sieht in dem vor allem in den Frühwerken propagierten Naturalismus den Ursprung des leidenschaftlichen Relativismus, dem die Revolte eine heroische Dimension verleiht. Andererseits bedauert er, wie viele seiner katholischen Fachkollegen, die auffällige Absenz religiöser Rebellen im *Homme révolté*. Camus' Position gegenüber der Geschichte steht der von Paul Ricoeur nahe. Die Kategorisierung

---

[523] *A. C. og menneskets revolte*, Oslo, Tanum, 156 S. Die Ausführungen über dieses in norwegischer Sprache verfaßte Buch stützen sich ausnahmsweise bloß auf dessen Inhaltsverzeichnis.

[524] « A. C. renverse une idole ». In: Ders., *L'esprit et l'histoire. Essai sur la conscience historique dans la littérature du XXᵉ siècle*, Paris, A. Colin, 1954, S. 182—193. « A. C. entre Dieu et l'histoire ». In: *Terre humaine* 2 (février 1952), S. 8—21. Weitere Einführungen in den Widerstands- und Aufstandsgedanken finden sich bei G. B. Angioletti, « La rivolta di A. C. » in: ders., *L'anatra alla normanna*, Mailand, Fabbri, 1957, S. 130—135 sowie in: *HumB* 15 (Januar 1960), S. 60—63; Jerry L. Curtis, "The absurdity of rebellion", in: *Man and World. An International Philosophical Review* 5 (August 1972), S. 335—348; L. Flam, „De opstand van C.", in: *Nieuw Vlaams Tijdschrift* 11 (1957), S. 1121—1135; Rafael Gambra, « La última posición de C. », in: *Arbor* 27 (Februar 1958), S. 224—232; ders., «Rebellión y revolución en la obra de C. », in: *Nuestro Tiempo* 7 (März 1960), S. 281—290; Charles I. Glicksberg, "C. and the revolt against the absurd", in: ders., *The Tragic Vision in Twentieth-Century Literature*, Carbondale, Southern Illinois University Press, 1963, S. 51—63; Oscar Navarro, « C. e la rivolta del personaggio », in: *Aut Aut* 14 (März 1953), S. 157—169. Wie viele seiner italienischen und deutschen Fachkollegen, betont Navarro die religiösen Grundlagen des Absurden und der Revolte.

des Widerstandes in Revolte und Revolution dient eher der Trübung als der Klärung und macht Camus eines sentimentalen Anarchismus verdächtig (dessen ihn die linken Kritiker ebenfalls bezichtigen). Jean Onimus [525] erblickt im *Homme révolté* einen Versuch, die unmögliche Brücke zwischen Transzendenz und Immanenz zu schlagen. Indifferenz und Solidarität stehen zwar nach wie vor in polarem Gegensatz, werden aber mit Hilfe des Maß- und Mittagsgedankens im Zaume gehalten. Auffallend ist die Ähnlichkeit zwischen Camus' und Péguys Rhetorik und Gedankenführung. Der läuternde Gnadenglaube des letzteren hingegen läßt die anthropozentrische Synthese des ersteren als hinfällig erscheinen. Die am meisten mißverstandenen und oft der Lächerlichkeit preisgegebenen Schlußkapitel des *Homme révolté* werden von Roger Dadoun [526] als Ausdruck einer philosophischen Traumvision interpretiert, in der dem Licht- und Schattensymbolismus eine maßgebende Bedeutung zukommt. In seiner psychologischen Perspektive führt Dadoun Camus' Klaustrophobie und Dunkelheitskomplex auf seine Jugenderlebnisse zurück und definiert das Luziditätsbedürfnis als Willen zum Licht. Der Camus freundlich und dialogisch verbundene Dominikaner R. L. Bruckberger [527] nennt dessen Prozeß gegen den Nihilismus ein agnostisches Pendant zu den von Bloy, Péguy und Bernanos angefachten Polemiken gegen die systematisierte Wertverneinung. Logischerweise hätte Camus' Aufstand zur Gottesfindung führen müssen, da ein toter Gott als Prämisse nur zu einem nihilistischen Schluß führen kann. In seinem zum Klassiker gewordenen *L'Opium des intellectuels* erklärt Raymond Aron [528], warum es zwischen Sartre und Camus nach der Publikation des *Homme*

---

[525] « A. C. ou la sagesse dans la révolte ». In: *Cahiers universitaires catholiques* 7 (mai 1952), S. 379—388.

[526] «A. C. le méditerranéen. Le rêve de lumière et le complexe du clos-obscur ». In: *Simoun* 3 (juin 1952), S. 42—47.

[527] « L'agonie spirituelle de l'Europe ». In: *Revue thomiste* 53 (1953), S. 620—636.

[528] « Révolte et révolution ». In: Ders., *L'Opium des intellectuels*, Paris, Calman-Levy, 1955, S. 62—69.

révolté zum Bruch kommen mußte. Auf der zeitgenössischen politischen Ebene ging es in erster Linie um die Erklärung der pro-sowjetischen Haltung während der Stalin-Ära und der damit verbundenen Probleme des Totalitarismus und Geschichtsbewußtseins. Die viel Staub aufwirbelnde Debatte ist allerdings von theoretischer Natur — in diesem Zusammenhang sei auch die von Merleau-Ponty aufgeworfene Frage der progressiven und regressiven Gewaltanwendung erwähnt — und hat für das mit den Obsessionen der französischen Linken nicht vertraute Ausland nur beschränkte Bedeutung. Die der Aufstandsphilosophie zugrundeliegende Logik, so Harold Durfee [529], geht auf die dem Künstlerphilosophen zur Verfügung stehenden Modalitäten der Leidensbewältigung zurück, innerhalb welcher der kreativen Tätigkeit eine wichtige therapeutische Funktion zukommt. Auch Durfee mißbilligt die Auslassung der religiösen Revolte, die er mit dem ungenügend entwickelten Begriff des Bösen und der Versteifung auf einen ausschließlich säkularen Humanismus in Zusammenhang bringt. Zudem besteht ein philosophischer Widerspruch zwischen dem Relativismus und dem idealistischen Postulat einer menschlichen Natur. Eine gedrängte Übersicht über Camus' Stellung innerhalb der modernen Rebellionsgeschichte vermittelt Quentin Lauer [530], der darauf aufmerksam macht, daß die von Camus eingeschlagene Richtung eben jener christlichen Denkweise nahekommt, die er unablässig und unzweideutig verwirft. Sein Humanismus ist direkt von Nietzsche abgeleitet, dessen Intransigenz er allerdings nicht übernimmt. Und wie bei Nietzsche hat die persönliche und kollektive psychologische Situation bei der Formulierung philosophischer Schlüsselbegriffe eine katalytische Wirkung. So ist etwa die Revolte vor dem Hintergrund der Degradation zu sehen, weshalb André Espiau de la

---

[529] "A. C.'s challenge to modern man". In: *JAAC* 14 (December 1955), S. 201—205. "A. C. and the ethics of rebellion". In: *JR* 38 (January 1958), S. 29—45.
[530] "A. C.: the revolt against absurdity". In: *Thought* 35 (Spring 1960), S. 37—56.

Maëstre [531] ihr die wertstiftende Bedeutung nicht abspricht und sie mit Schelers postulatorischem Atheismus und Meta-Anthropologie in Zusammenhang bringt. Man könnte in dieser Hinsicht auch das Ressentiment (vgl. Anm. 546) erwähnen. Interessant und auf der philosophischen Ebene entwicklungsfähig sind Yves Gandons [532] Bemerkungen über den « style révolté ». Bekanntlich faßt Camus die Kunst als unsichtbare Stilisierung und als Korrektiv der Realität auf. Für Gandon besteht zwischen dieser Kunstauffassung und dem ebenfalls von Camus vertretenen Postulat, daß jedes Werk sein ihm eigenes Ausdrucksmittel begründe, ein Widerspruch. Dieses etwas lose Stilisierungsprinzip könnte übrigens auch auf seine Behandlung philosophischer Quellen übertragen werden, die er nach Gutdünken zurechtbiegt. Auch für Hans Peter Hempel [533] spielt die künstlerische Perspektive in der modernen Philosophie eine hervorragende Rolle. *L'Homme révolté* ist ein Musterbeispiel der Symbiose zwischen den Erkenntnismodalitäten (Philosophie, Poesie, Wissenschaft), das auf einer metalogischen Grundlage fußt. Camus nähert sich in seinem Essay Jaspers insofern, als auch er eine eschatologische Geschichtsmetaphysik entschieden ablehnt. Eine gelungene Einführung in den dialektischen Charakter der Revolte vermittelt Thomas Hanna [534], der mit Recht Nietzsches Einfluß auf Camus' Freiheitsauffassung als ein Streben nach Gesundheit beschreibt, dessen Kritik am *amor fati* aber unterschätzt. Viel breiter angelegt ist George Woodcocks [535] Übersicht, die Camus' Aufstands-

---

[531] „Die Revolte des A. C.". In: *Wort und Wahrheit* 15 (April 1960), S. 279—291.

[532] « C. ou le style révolté ». In: Ders., *Le Démon du style*, Paris, Plon, 1960, S. 233—253.

[533] „A. C.: *Der Mensch in der Revolte*". In: *Deutsche Rundschau* 88 (Juli 1962), S. 627—634.

[534] "A. C., man in revolt". In: George A. Schrader [Hrsg.], *Existential Philosophers: Kierkegaard to Merleau-Ponty*, New York, MacGraw-Hill, 1967, S. 331—367.

[535] "The deepening solitude. Notes on the rebel in literature". In: *Malahat Review* 5 (January 1968), S. 48—62.

mythos in den Rahmen der modernen Rebellenliteratur stellt (Defoe, Balzac, Byron, Turgenjew, Godwin, Stendhal, Malraux, Silone, Orwell).

Die Literatur über *L'Homme révolté* ist im Gegensatz zur Sekundärliteratur über andere Werke durch einen mehr oder weniger ausgeprägten kritischen Unterton gekennzeichnet. Die im nächsten Abschnitt zur Sprache kommenden Arbeiten sind in erster Linie Definitionsversuche, enthalten aber oft kritisch distanzierte Stellungnahmen.

Die erste gründliche Untersuchung des von Camus verbreiteten Revoltebegriffes und seiner wertstiftenden Wirkung stammt von Alain Clément [536], der das « Note sur la révolté » betitelte Manuskript (veröffentlicht unter dem Titel « Remarque sur la révolté » in: *L'Existence*, 1945 sowie in: *Essais*, S. 1682 ff., in revidierter Form als erstes Kapitel des *Homme révolté*, in dem die Ausdrücke „Transzendenz" und „Wert" entweder ausgemerzt oder in ihrer Bedeutung beschränkt wurden und der Begriff der menschlichen Natur seine zentrale Stellung gewinnt) einsehen konnte. Absurdität, Leben, Aufstand und Freiheit werden in ihrem unmittelbaren Zusammenhang studiert. Clément bedauert die Horizontalisierung der vertikalen, echten ontologischen Transzendenz und mißtraut der von Camus dialektisch eingebauten Kollektivisierungstendenz der individuellen Revolte(« Je me révolte, donc nous sommes. ») Als permanenter Rebell bespricht Georges Bataille [537] in einer Artikelserie die Bedeutung

---

[536] «Révolte et valeur ». In: *Poésie 44* 21 (1944), S. 107—113. Vgl. auch Philip Thody, "A. C. and La remarque sur la révolte", in: *FS* 10 (October 1956), S. 335—338; Maurice-Jean Lefebve, «Deux états d'une pensée », in: *NRF* 8 (mars 1960), S. 491—495; Roger Quilliot, « Commentaires », in: A. C., *Essais*, Paris, Gallimard, 1965, S. 1609 ff., insbesondere S. 1618—1619.

[537] « Le temps de la révolte. I. », in: *Critique* 55 (décembre 1951), S. 1019—1027, « II », in: *ibid.* (janvier 1952), S. 29—41; « L'affaire de *L'homme révolté* », in: *ibid.* 67 (décembre 1952), S. 1077—1082. Dazu auch Maurice Blanchot (Anm. 457). Im ersten Art. verteidigt Bataille Camus gegen Bretons Angriffe (vgl. Lautréamont-Affäre, Anm. 545)

der Revolte, die er nicht nur als Reaktion des versklavten Bewußtseins, sondern als autonomes irrationales Element von sinnstiftender Wirkung definiert. Der aufständische Sklave ist auf der Suche nach seiner Souveränität (ein Schlüsselbegriff in Batailles eigener Philosophie) und macht sich derselben Unterdrückungssünde schuldig, die seinen Herrn oder König eignet, wenn er seine Rebellion nicht im Zaume hält, d. h. kein Gleichgewicht sucht. Diese Lesart läuft praktisch auf eine Ratifizierung des Mittagsgedankens hinaus. Auf der metaphysischen, literarischen und politischen Stufe analysiert Domenico Scoleri [538] die Revolte als eine schwer zu fassende Form der Hoffnung. Seine diachronisch strukturierte Typologie der Aufstandsformen beschließt er mit der Feststellung, daß Camus' Version der Revolte ein historisch veraltetes Wertsystem konstituiert. Den schon in der Sisyphus-Literatur erhobenen Vorwurf, Camus vollführe in der Revolte eben jenen Sprung, den er Kierkegaard, Husserl, Jaspers usw. ankreide, weist Franco Fanizza [539] zurück, indem er den Übergang vom „Nihilismus" (Absurden) zum „Moralismus" (Revolte) als folgerichtigen Schritt eines authentischen Künstlerphilosophen erklärt, der eben den Gesetzen der Ambiguität gehorcht. Die dialektische Beziehung zwischen dem Absurden und der Revolte führen auf der moralischen Stufe zu einem undogmatischen Possibilismus, den der Mittagsgedanke poetisch verklärt. Mehr skizzierend als analytisch ist Ruggero Pulettis [540] Begriffsbestimmung, die Camus' Freiheits- und Revolteauffas-

mit dem Hinweis, daß die leidenschaftliche Intoleranz der poetischen Revolte der Surrealisten anscheinend den kalten analytischen Blick nicht ertragen kann.

[538] « A. C. e la rivolta del mondo moderno ». In: *Historica* 2 (März—April 1952), S. 47—55.

[539] « La rivolta morale e il moralismo in C.». In: *Aut Aut* 53 (September 1959), S. 303—317. Dazu auch Marcel Arland, « A. C. et la révolte ». In: Ders., *Nouvelles lettres de France*, Paris, Albin Michel, 1954, S. 107—113.

[540] « Situazione. Libertà e rivolta in A. C. ». In: Ders., *Saggi e letture*, Perugia, Simonelli, 1963, Bd. I, S. 109—119.

sung in ihren situationsbedingten Zusammenhängen erörtert und mit Definitionen anderer Philosophen konfrontiert. Für Camus bedeutet Freiheit weder ein Privileg noch eine Verdammung, sondern ein Trost, der dem Widerstandswilligen Mut einflößt. Auch Ben Stoltzfus [541] unterstreicht die Verbindung psychologischer und philosophischer Komponenten in Camus' Rebellentum, dessen Vorbild er in Malraux' revolutionären Romanfiguren sieht. Ursprung der Revolte ist einerseits das unrealistische Denk- und Handlungspotential des selbstbewußten Individuums, andererseits seine Entfremdung und enttäuschte Hoffnung auf Glück. Obzwar Camus, darin Heidegger unähnlich, das Todesbewußtsein und den Tod nicht systematisch erfaßt, so bildet dieser als Urskandal, den man nicht selber erfahren, sondern nur bei andern beobachten kann, die Hauptquelle der Revoltephilosophie: In dieser Perspektive untersucht P. Kampits [542] die Zusammenhänge zwischen Tod und Revolte, die sich aus Camus' zukunftslosen, ausschließlich gegenwartsbezogenen Perspektiven ergeben. Als selbstevidente Absurdität provoziert der Tod einen natürlichen Widerstand, der zur metaphysischen Revolte gegen die *conditio humana* schlechthin führt und sich schließlich gegen Gott, den Urheber des Skandals richtet.

Innerhalb der spezifisch kritischen Abhandlungen über den *Homme révolté* und die Revolte muß selbstverständlich dem berühmten polit-philosophischen Schlagabtausch in den *Temps modernes* besondere Beachtung geschenkt werden. Die Kritik kommt aber nicht nur aus dem politisch linken, sondern auch aus dem rechten Lager, wo sie in kirchlichen Kreisen wenn auch nicht gehässig, so nicht minder dezidiert ist. Selbstverständlich enthalten sich viele Rezensenten einer ideologiebezogenen Argumentation.

Als erster hat sich Jahre vor dem Erscheinen des *Homme ré-*

---

[541] "C. and the meaning of revolt". In: *MFS* 10 (Autumn 1964), S. 293—302.

[542] „Tod und Revolte im Denken von C.". In: *Wissenschaft und Weltbild* 19, (September 1966), S. 207—215.

volté Georges Blin [543] mit dem Revoltebegriff kritisch ausein-
andergesetzt (dazu auch Anm. 504) und Camus' wertstiftenden
Irredentismus von Schelers Ressentiment unterschieden. Jener
schöpfte seine Ethik weniger aus dem Fundus des Nihilismus als
aus einem herausfordernden Skeptizismus, den er in einen militanten Humanismus verwandelte. Der tonische Charakter seiner
Revolte vermag aber nicht über ihre Vagheit hinwegzutäuschen;
der Widerstand läßt sich als „positiver" Wert nur so lange vertreten, als die ihn verursachenden Umstände aufrechterhalten werden.
Zudem, so Blin, ist Transzendenz immer vertikal, Camus' horizon-
le Transzendenz somit artifiziell — ein Argument, das ihn möglicherweise zur Ausmerzung des Begriffes im ersten Kap. des
Homme révolté bewogen haben mag (vgl. Anm. 539). Robert
Kemp [544] stößt sich an begrifflichen Ungenauigkeiten, vor allem
am schwankenden Gebrauch der Schlüsseladjektive „historisch"
und „dialektisch". Als Essay verlangt *L'Homme révolté* nach
einer Ergänzung, muß aber seines « *noble romantisme* » wegen
ernst genommen werden, auch wenn die Willkür der Beispielauswahl irritierend und das Marx-Bild bloß als Karikatur gültig
ist. Camus' Abrechnung mit seiner Zeit vergleicht Kemp mit
Hugos *Châtiments*. Wie bereits erwähnt (Anm. 537), reagierte
Breton [545] äußerst heftig auf die im *Homme révolté* vollzogene

[543] « A. C. et l'idée de révolte ». In: *Fontaine* 10 (juin 1946), S.
109—117. Blin u. C. waren freundschaftlich verbunden.

[544] « *L'Homme révolté* ». In: *Nouvelle littéraires*, 15 novembre
1951 sowie in: ders., *La vie des livres*, Paris, Albin Michel, 1962, Bd. II,
S. 263—269.

[545] « Sucre jaune ». In: *Arts*, 12 octobre 1951 sowie in: *La Clé des
champs*, Paris, Sagittaire, 1953, S. 250—253 und in: *Poésie et autre,*
Paris, Gallimard, 1960, S. 293—296 und in: *Flagrant délit*, Paris, Pau-
vert, 1964, S. 127—133. Vgl. auch André Breton et Aimé Patri, « Dialogue entre Albert [sic] Breton et Aimé Patri à propos de *L'Homme
révolté* d'A. C. ». In: *Arts* 333 (16 novembre 1951), S. 1—3. Zu ergän-
zen durch A. Camus' Briefe an Breton in: *Arts* 329 (19 octobre 1951),
ebenfalls in: *Essais*, S. 731—732 sowie in: *Arts* 335 (23 novembre 1951),
ebenfalls in: *Essais*, S. 733—736.

Analyse der poetischen Revolte (« Lautréamont et la banalité »; « Surréalisme et révolution »). Er bezichtigt Camus, Lautréamont nicht gründlich gelesen zu haben, da er den Sinn der *Chants de Maldoror* und *Poésies* völlig verdrehe. Es stimmt, so Breton, daß einige Surrealisten sich nach 1930 für Marx entschieden haben, andere wiederum sind Rimbauds Unabhängigkeitscredo treu geblieben. Die *pensée de midi* ist eine verwerfliche Kapitulation des Geistes. In einem Breton zugesandten Exemplar des *Homme révolté* ersetzte Camus vorsorglicherweise das im Zusammenhang mit der Surrealismuskritik gebrauchte Wort « asservissement » durch den weniger verletzenden Begriff « anéantissement ». Als Mißverständnis erklärt Albert Béguin [546] die relativ positive Rezeption des *Homme révolté* in konservativen Kreisen. Dessen auffallendstes Merkmal ist die dem Paradoxon zugeschriebene zentrale Bedeutung, dessen schwächster Punkt der ungenau definierte Übergang von der Revolte zur Revolution. Béguin erblickt in der Widerstandsethik eine Variante von Camus' Purismus und Kohärenzbedürfnis, das sich in oberflächlichen Kausalzusammenhängen und in der willkürlichen Beispielauswahl widerspiegelt. Mit ähnlich subjektiv gefärbten Argumenten könnte man als Ursache der historischen Revolutionen auch die Ungeduld der Unterdrückten nachweisen. Die *pensée de midi* taxiert Béguin als Ausdruck einer geradezu bedrückenden gedanklichen Verlegenheit. Aus katholischer Sicht fragt André Blanchet [547], warum sich Camus sosehr um den Gottesgedanken

---

[546] « A. C. La révolte et le bonheur ». In: *Esprit* 20 (avril 1952), S. 736—746. Claude Mauriac (« L'Homme révolté de C. », in: *TR* 48 [décembre 1951], S. 98—109 sowie in: ders., *Hommes et idées d'aujourd'hui*, Paris, Albin Michel, 1953, S. 163—178) fragt sich nicht mit Unrecht, warum Malraux' Name im *Homme révolté* kurzerhand verschwiegen wird, obwohl der Autor der *Condition humaine* eine Generation vor Camus dasselbe Problem aufwarf, ohne in die oberflächliche Illustration abzuleiten.

[547] « L'Homme révolté d'A. C. ». In: *Etudes* 272 (janvier 1952), S. 48—60 sowie in: ders., *La Littérature et le spirituel*, Paris, Aubier-Montaigne, 1959, Bd. I, S. 235—249. Weitere katholisch inspirierte

bemühe, wenn er a priori annehme, daß Gott tot sei. Der Mittagsgedanke ist die Ausgeburt eines entwicklungsunfähigen Geistes: Odysseus hat sich in einen glücklichen Sisyphus zurückverwandelt. Revolte, gleich welcher Art, kann auf keinen Fall wertstiftend *per se* sein. Als ein von Haß bestimmtes Gefühl ist sie bloß gegenüber einem gemeinsamen Feind ein positives Phänomen. Auch Elvira Cassa Salvi [548] bezichtigt Camus, in seinem philosophischen Essay einen vagen illuministischen Philanthropismus zu verbreiten, dessen Anwendungsmöglichkeiten, die er in der *pensée de midi* umschreibt, bloß rhetorische Qualitäten besitzen. Cassa Salvis Ausführungen enthalten eine Reihe wertvoller kritischer Beobachtungen und sind auch als Versuch einer Darstellung der Rezeption des *Homme révolté* in Frankreich empfehlenswert. Gemäß Pierre Colin [549] ist Camus' Traktat eine theoretische Ergänzung der *Peste*. Die künstliche mehr als künstlerische Gegenüberstellung des theozentrischen Priesters und homozentrischen Arztes erfährt im intersubjektiven *cogito* der Widerstandsethik endlich das notwendige Korrektiv. Aber alle Kollektivierungsbestrebungen vermögen nicht darüber hinwegzutäuschen, daß der zentrale Begriff der « nature humaine » (der Sartre besonders irritierte) ein Abstraktum bleibt, daß Camus die angeblich konformistische Nächstenliebe durch seine eigenwillige Kunstauffassung ersetzt und damit einen neuen Konformismus schafft. Marcel Moré [550] bedauert Camus' Unvermögen, die metaphysischen Wurzeln der Revolte sauber zu erfassen und

Stellungnahmen befinden sich in: Pierre de Boisdeffre, Etienne Borne, R. P. Dubarle, « *L'Homme révolté* de C. ». In: *Recherches et débats du Centre catholique des intellectuels français* 3 (janvier 1953), S. 215—236.

[548] « *L'Homme révolté* di C. ». In: *HumB* 7 (Juli 1952), S. 737 bis 746.

[549] « Athéisme et révolte chez C. ». In: *Vie intellectuelle* 7 (juillet 1952), S. 30—51. Dazu auch R. Mehl, « De la révolte à la valeur ». In: *Foi et vie* 50 (novembre—décembre 1952), S. 516—532.

[550] « Les racines métaphysiques de la révolte ». In: *Dieu vivant* 21 (1952), S. 35—59.

die christliche und marxistische Heilslehre auseinanderzuhalten. Die sogenannten logischen Defekte der Kirche, die er nachzuweisen glaubt, entpuppen sich als theologische Mängel. Überdies sind seine Ansichten über das Christentum einseitig von Simone Weils Katharismus beeinflußt. In Hendrick van Oyens [551] Sicht ist *L'Homme révolté* eine moderne Theodizee, eine Metaphysik des Naturgesetzes, die aber durch Camus' exzessiven Kausalismus beeinträchtigt wird und in einem romantischen Teufelskreis endet.

Es ist aus verständlichen Gründen nicht möglich, die Hintergründe, Umstände und Argumente der Polemik zwischen Jeanson/Sartre und Camus im Rahmen dieses Forschungsberichtes zu schildern. Es sei immerhin versucht, in aller Kürze die Grundlinien der Debatte darzulegen.

Den Reigen eröffnete Francis Jeanson [552] im Mai 1952 mit seiner Besprechung des *Homme révolté* in den *Temps modernes,* deren ironisierender Unterton bereits im Titel ersichtlich ist. Sie erschöpft sich aber nicht etwa in persönlichen Angriffen und begütigenden Ratschlägen, sondern enthält auch handfeste Argumente, deren ideologisch fixierte Grundlage man annehmen oder ablehnen kann, deren Nachweis von Camus' Transzendentalismus und Hang zum *dégagement* und Hochmut aber durchaus ernst zu nehmen sind. Nach wie vor stellt Jeansons Verriß eines der brillantesten Beispiele der negativen Rezeption des *Homme révolté* dar. Besonders leichtes Spiel hat er, wenn es darum geht, Camus' Kenntnisse aus zweiter Hand zu entlarven. Bekanntlich antwortete Camus Jeanson nicht direkt, sondern richtete eine empörte Philippika an « Monsieur le Directeur » (des *Temps*

---

[551] „A. C. und die Botschaft des Empörten". In: *Reformatio* 2 (Juni 1953), S. 297—310, Franz. Fassung in: *RLM* 90—93 (1963), S. 73 bis 89.

[552] « A. C. l'âme révoltée ». In: *TM* 7 (mai 1952), S. 2070—2090. Als extremes Beispiel einer militanten ideologischen Rezension vgl. Pierre Hervé, « La révolte camuse ». In: *NCRMM* 4 (avril 1952), S. 66—76.

modernes) Sartre (in: *TM* 82 (août 1952), S. 317—333 sowie in: *Essais*, S. 754—774). Dessen Antwort [553] enthält zwar eine gehörige Breitseite gegen Camus' mimosenhafte Empfindlichkeit, schwerfälligen Antikommunismus, Predigerton und Missionsbewußtsein, gegen seinen naiven Anarcho-Syndikalismus, usw., aber Sartre bedauert in allem Zorn, einen Freund und Weggefährten verlieren zu *müssen*. Unverzeihlich und somit den Bruch vollends besiegelnd sind in den Augen Camus' die Angriffe gegen seine angebliche Utopie einer Republik der schönen Seelen, seine Pfadfinder- und Rotkreuzmoral und, vor allem, sein Zitat- und Beispielkatalog aus zweiter Hand, der ihn zum Ignoranten stempele und bloß um der Rechtfertigung seines Abstentionismus willen zusammengestellt worden sei, was von einem völligen Mangel an Geschichtsbewußtsein und Änderungsbereitschaft zeuge. Jeanson [554] verdoppelt seinen Angriff, indem er die Argumente seiner ursprünglichen Besprechung im „Lichte" von Camus' Einwänden nochmals überspitzt formuliert und dabei von der Ironie oft in den Sarkasmus abgleitet. Die gesamte Debatte, Camus' Beitrag eingeschlossen, erscheint dem heutigen Leser wie ein Dialog tauber Gesprächspartner, die sich geradezu darum bemühen, ihre gegenseitigen Absichten zu ignorieren oder zu verunglimpfen. Wie bei den Angriffen Bretons (Anm. 537, 545), fühlte sich auch diesmal Georges Bataille [555] bemüßigt, Camus in Schutz zu nehmen. (Von den zahlreichen Pamphleten, die ihn als Opfer des kalten Krieges verteidigen, sei erst gar nicht die Rede.) Er unterscheidet Gedanken, die zu Handlungen führen von jenen, deren Originalität weit von einer möglichen Praxis entfernt ist.

[553] « Réponse à A. C. ». In: *TM* 8 (août 1952), S. 334—353.

[554] « Pour tout vous dire ». In: *TM* 8 (août 1952), S. 354—383. Vgl. auch Pierre Berger, « Entretien avec A. C. ». In: *La Gazette des Lettres* 8 (15 février 1952), S. 5—12.

[555] « L'affaire de *L'Homme révolté* » In: *Critique* 67 (décembre 1952), S. 1077—1082. Nicht besonders hilfreich war Thierry Maulniers Schützenhilfe: «Les choses sont ce qu'elles sont ». In: *TR* 59 (novembre 1952), S. 27—41; « Une ligne compromettante », in: *TR* 60 (décembre 1952), S. 19—33.

Trotz seines scheinbaren Anachronismus, so Bataille, ist Camus ein seiner Zeit vorauseilender schöpferischer Denker.

Völlig unerwartet hingegen trafen Camus die Vorwürfe Gaston Levals [556], des Chefredaktors und *spiritus rector* der anarchosyndikalistischen Zeitschrift *Le Libertaire*, deren politischen Konzeption er nahestand. Wie Sartre, Jeanson und manche Fachkritiker wirft Leval seinem anerkannten Gesinnungsgenossen vor, die Quellen, in diesem Fall die angeblich an Nikolaus I. gerichtete Gefängnisbeichte Bakunins, nicht genau geprüft zu haben, d. h. nicht aus erster Hand zu kennen. Diese Beichte stelle eine Fälschung dar, meint Leval, und verzerre Bakunins wirkliche Argumente. Zudem sieht Camus in ihm bloß den nihilistischen Anarchisten, nicht aber den Föderalisten und Kollektivisten, der er in seinen reiferen Jahren war.

Auch ideologisch nicht fixierte Kritiker lenken ihre Aufmerksamkeit auf Ungereimtheiten im *Homme révolté*. Widerstand und Aufstand des Individuums, so René-Marill Albérès [557], setzen voraus, daß für es entweder das Universum oder die Behandlung durch die Mitmenschen unbefriedigend ist. Wenn nun Camus die Revolte auf eine kollektive ethische Stufe erhebt, resultiert eine zweideutige Totalität, die bald menschlichen, bald ontologischen Charakter besitzt. Diese Vagheit ist auch in der Natur der Argumentation im Essay feststellbar, in der Camus ziellos zwischen einer psychologischen und ontologischen Gedankenführung hin und her schwankt. Als Widerstand gegen Abstrakta und historische Tendenzen scheint seine Revolte ohnehin ein heterogenes Amalgam generöser Rührungen zu sein. Was einigen Rezensenten als eine Version von Camus' Purismus vorkommt, stellt François Bondy [558] in den breiteren Rahmen der jakobinistischen

---

[556] « Bakounine et *l'Homme révolté* d'A. C. ». In: *Libertaire* 57 (28 mars 1952), S. 308/3; (4 avril 1952), S. 309/3; (11 avril 1952), S. 310/3; (18 avril 1952), S. 34/3. Dazu Camus' Antwort in: *ibid.* (5 juin 1952), S. 57 sowie in: *Essais*, S. 750—753.

[557] « Ambiguïtés de la révolte ». In: *RdP* 60 (juin 1953), S. 57—66.

[558] „Der Aufstand als Maß und Mythos. Ein Blick auf das Werk von

Tradition innerhalb der französischen Geistesgeschichte. Aufgrund des Postulates einer menschlichen Natur nennt er ihn einen Essentialisten, der den Dialog mit seinen Zeitgenossen (Merleau-Ponty, Sartre) verpaßte und statt dessen gegen eine veraltete Auffassung des Marxismus anlief. Besonders verwerflich erscheint Bondy der des intellektuellen Rassismus nicht unverdächtige Mittagsgedanke. *L'Homme révolté* beschreibt einmal mehr den unlösbaren Konflikt zwischen Ideologie und Mythos. Eben diesen Denker der unlösbaren Gegensätze und dessen Laufbahn beschreibt Herrmann Krings [559], der das Absurde als exemplifizierten Widerspruch definiert, den nicht die Logik, sondern nur das Realitätserlebnis zu erfassen mag. Camus' unmetaphysische Denkweise muß aus der Sicht seines Résistance-Hintergrundes betrachtet werden. Sein Begriff der metaphysischen Revolte ist eine *contradictio in adjecto*, seine Kritik an der Geschichte als absoluten Wert unterstützenswert. Es ist fraglich, ob Camus' Philosophie der Grenzen mehr als eine Taktik des Daseins begründet. In seinem fast zwanzig Jahre nach dem Erscheinen des *Homme révolté* publizierten Aufsatz bestätigt Gabriel Marcel [560] die existentielle Originalität der Revolte, die er aber primär als physisches Phänomen, als einen irreversiblen Akt betrachtet. Das

A. C. aus Anlaß von *L'Homme révolté"*. In: *Monat* 6 (Oktober 1953), S. 87—96. Wiederabgedruckt in: Heinz Robert Schlette [Hrsg.], *Wege der deutschen Camus-Rezeption*, Darmstadt, Wissenschaftl. Buchgesellschaft, 1975, S. 245—264. Zur Kritik am mythischen, mystischen, abstrakten und/oder utopischen Charakter der Revolte und des Mittagsgedankens vgl. René Lalou, « De la révolte », in: *Hommes et Mondes* 7 (février 1952), S. 287—293; Cesare Vasoli, «C. e *L'Homme révolté* », in: *Inventario* 5 (Januar—September 1953), S. 214—220; Gerda Zeltner-Neukomm, „Zu A. C.'s *Homme révolté"*, in: *Schweizer Rundschau* 52 (Juli—August 1952), S. 278—280.

[559] „A. C. oder die Philosophie der Revolte". In: *PJGG* 62 (1953), S. 347—358. Wiederabgedruckt in: Heinz Robert Schlette [Hrsg.], *Wege der deutschen Camus-Rezeption*, Darmstadt, Wissenschaftl. Buchgesellschaft, 1975, S. 28—44.

[560] « *L'Homme révolté* ». In: *TR* 146 (février 1960), S. 81—94.

ethische Problem des Rebellentums ist im Gegensatz zu Camus' Auffassung unlösbar und als eine wertorientierende Hypothese ungeeignet. Man kann sich schließlich nicht gegen einen Gott auflehnen, den man grundsätzlich verneint. Marcel bedauert vor allem, daß Camus den metaphysischen Folgen seiner Fragestellung nicht gründlicher nachgegangen ist.

Zwischen Camus und Lukrez entdeckt Simone Fraisse [561] folgende gemeinsamen Merkmale: Ähnlichkeit der Metaphernwahl, in der Haltung gegenüber den Lebensproblemen, in der Naturverbundenheit; Einfluß Epikurs; instinktive Ablehnung der religiösen Bindung. Bei Lukrez findet sich hingegen kein Solidaritätsbedürfnis. Dieses mildert zwar das Leiden einiger Menschen, kann aber gleichzeitig die gegenteilige Wirkung bei andern Menschen haben. Fraisse, die der Revolteauffassung Camus' im allgemeinen kritisch gegenübersteht, ist der Ansicht, das Bewußtsein der gegensätzlichen Wirkung einer ausgeführten oder nicht ausgeführten Handlung stehe am Ursprung von Camus' schlechtem Gewissen, aufgrund dessen er *La Chute* geschrieben habe. P. Boudots [562] Kapitel über Nietzsches Einfluß auf Camus' Widerstandsdenken kann bestenfalls als knappe, von schillernden Formeln durchsetzte Einführung in eine noch ungeschriebene Quellenstudie aufgefaßt werden. Gemäß Boudot ist Camus' Nietzsche-Bild zu christlich. Die vergleichende Studie von Herbert S. Gershman [563] stellt die Revolte und das Scheitern als Abszisse und Ordinate eines die Werke Malraux', Camus' und Sartres strukturierenden Koordinatensystems dar. Camus' Absurde erscheint

[561] « De Lucrèce à C. ou les contradictions de la révolte ». In: *Esprit* 27 (mars 1959), S. 437—453. Marian Jones (« C.'s rebels », in: *WHR* 12 [Winter 1958], S. 51—56) zählt einige griechische und russische „Vorläufer" von C.'s Rebellen auf, die alle als modernisierte Versionen des Prometheus-Mythos gelten können.

[562] «La douceur de la révolte. A. C. ». In: Ders., *Nietzsche et l'audelà de la liberté. Nietzsche et les écrivains français de 1930 à 1960*, Paris, Aubier—Montaigne, 1970, S. 63—76.

[563] "The structure of revolt in Malraux, C., and Sartre". In: *Symposium* 24 (Spring 1970), 27—35.

darin wie eine Frühform der Sartreschen *situation*, seine philosophisch vertiefte Revolte liefert postum den theoretischen Unterbau der Existenz- und Selbstbejahung der Helden Malraux'.

d) Camus und die Religion (einschließlich seiner Examensschrift über Plotinus und Augustinus)

Fünf Monographien sind der Frage der Beziehungen zwischen Camus und dem Christentum gewidmet worden, wovon drei bedeutsame Beiträge zu diesem Studienkomplex darstellen. Francesco Lazzari [564] übernimmt zwar die traditionelle Dreiphasen-Struktur in Camus' Denken, ersetzt aber die gewöhnlich als dritte Stufe erwähnte *mesure* durch den Fall. Damit verlegt er das Gewicht auf den Schuldgedanken und bewirkt, daß die der christlichen Ethik nahestehende Moralphilosophie Camus' in ungewohnte Nähe einer Glaubenslehre gerät. Es scheint, daß Lazzari die „lineare" moralische Entwicklung des Autors der *Chute* auf Kosten des ebenfalls vertretbaren kreisförmigen Weges bevorzugt, der von der instinktiven Absurdität Meursaults zur absurden Selbstironie Clamences führt. Die Revolte ist gemäß Lazzari der Ausdruck von Camus' unterschwelliger Gottessehnsucht, was aber nicht bedeuten muß, daß er im Begriffe war, sich zum Christentum zu bekehren. Am interessantesten, aber auch am anfechtbarsten sind die Ausführungen Lazzaris über die

[564] *C. e il cristianesimo*, Neapel, Libreria Scientifica Editrice, 1965, 131 S. Eine leicht abgeänderte Version erschien unter dem Titel *El sorriso degli dei e il dramma della storia. Ateismo ed antiteismo nell'opera di Camus*, [Neapel], Ed. Scientifiche Italiane, 1974, 240 p. Wissenschaftlich unbedeutend ist die Vorlesung von Torcuato Fernandéz-Miranda Hevia: *A. C. y el testimonio de los cristianos*, Alcoy, Ed. del Institue Alcoyano de Cultura Andrés Sempere, 1963, 48 S. Nathan Scotts *Albert Camus* (New York, Hillary House, 1962, 112 S.; Neuauflage: Folcroft, Folcroft Library Editions, 1970) ist ein lesbarer Essay, von zahlreichen besser informierten Studien aber längst überholt.

mit dem Sündenfall verglichene *Chute,* über Camus' eigenen „Fall", den sein immer stärker werdendes Schuldgefühl verursacht haben soll. Ebenfalls auf die in den Werken direkt oder indirekt feststellbare religiöse Problematik geht Jean Onimus' [565] eleganter Essay ein, gemäß welchem Camus ein verweltlichter Sohn Pascals und Augustinus' ist, der den Ruf der Gnade mit derselben Unbeugsamkeit von sich weist, mit dem ihn seine geistigen Ahnen suchten. Eine christliche Kritik der Prämissen und Schlüsse seines religiösen Atheismus unternimmt Paolo Miccoli[566], dessen diskursive Ausführungen in nicht immer überzeugender Weise vor allem auf augustinische Elemente, den Mangel an soliden theologischen Kenntnissen und die Revolte als Gottesgegnerschaft eingeht: In Analogie zur Opposition zwischen Herrn und Sklave stellte Camus Gott dem Menschen als Feind gegenüber. Miccoli, dessen Dokumentation sehr limitiert ist, folgert, daß Camus kein echter Atheist und als Anti-Metaphysiker nicht in der Lage war, die tieferen Schichten des Problems des Bösen auszuloten.

Befassen wir uns zuerst mit jenen religiösen Kritikern, die sich durch die dialogischen Qualitäten in Camus' Botschaft an die Christen angesprochen fühlen. Von Albert Ollivier [567] stammt eine der frühesten christlichen Untersuchungen des Homozentrismus Camus', den L. Roynet [568] aufgrund der transkribierten religionsphilosophischen Debatten im Dominikanerkloster von Latour-Maubourg (1946) als abzulehnenden Relativismus entlarvt. Roynets Text enthält kursiv gedruckte Auszüge aus Camus' Ansprache an die Mönche, deren wichtigste Punkte er mit

[565] *Camus,* Paris, Desclée de Brouwer, 1965, 141 S.

[566] *Il problemo del male e dell'ateismo in A. C.,* Alba, Edizioni Paoline, 1971, 204 S.

[567] « A. C. et le refus de l'éternel ». In: *L'Arche* 6 (octobre—novembre 1944) S. 158—163.

[568] « A. C. chez les chrétiens ». In: *La Vie Intellectuelle* 4 (avril 1949), S. 336—351. Roger Quilliot mußte sich bei der Herausgabe von « L'Incroyant et les chrétiens » z. T. auf diesen Text stützen. Vgl. *Essais,* S. 1597.

G. Marcels Position konfrontiert. Ebenfalls eine Berichterstattung dieser Diskussion steht in der *Herder Korrespondenz* [569], die Camus' „Überwindung" des jugendlichen Nihilismus durch die kriegs- und résistancebedingte Entdeckung der Solidarität lobt. Die meisten christlichen Interpretationen der späten vierziger Jahre befassen sich mit Vorliebe mit den positiven Aspekten der *Peste* und schenken der Tatsache, daß es sich bei diesem Roman, Camus' eigenen Aussage gemäß, um sein anti-christlichstes Werk handelt, wenig oder keine Beachtung. E. M. Lüders [570] etwa hält sich an die sympathischen Aspekte der anthropozentrischen Arzt-Ethik und erblickt in Meursaults heftigem Ausbruch anläßlich des Besuchs des Gefängnispriesters sowie in der in *La Peste* postulierten « *sainteté laïque* » den Schlüssel zur „heidnischen Transzendenz" Camus'. Die Atheismus-Studie von Emile Rideau [571], die ebenfalls das bis in die späten fünfziger Jahre vorherrschende Dreiphasen-Schema übernimmt, schließt aus der Revoltedialektik, daß Camus' philosophische Stellung einem aktiven Stoizismus gleichkommt. Nuancierter sind Thomas L. Hannas [572] Erläuterungen zu den christlichen Themen (Tod, Sünde, Pflicht, Unsterblichkeit, Hoffnung), die sich schon in *Noces*

---

[569] Anonym. „Ein Gespräch zwischen A. C. und den Christen". In: *Herder Korrespondenz* 3 (1949), S. 557—560.

[570] „Alles oder nichts. Zur Weltansicht A. C.'". In: *SZ* 76 (November 1950), S. 105—117. Lazzari macht in « Simone de Beauvoir, C. e Saint-Exupéry » (*CeS* 6 [Januar—März 1967], S. 96—112) aus der säkularisierten Heiligkeit eine Mystik ohne Gott, in welcher absurde Logik und existentielle Aufrichtigkeit und Treue dem christlichen Erlösungsglauben nahekommen.

[571] « A. C. L'humanisme de la révolte ». In: Ders., *Paganisme ou christianisme. Etude sur l'athéisme moderne*, Tournai, Casterman, 1953, S. 143—150. Dazu auch Valeria Lupo, « I due volti di A. C.: In che cosa puó dirsi e non dirsi un cristiano » (in: *NA* 89 [August 1954], S. 487—506). Vgl. auch H. Beckmann, „C. oder die glühenden Christen". In: *Zeitwende* 31 (1960), S. 183—187.

[572] "A. C. and the Christian faith". In: *JR* 36 (October 1956), S. 224—233.

abzuzeichnen beginnen — wo das heidnische (der Gidesche *désir*) wie das christliche Hoffnungsprinzip doch scharf abgelehnt wird — sowie zu dem engen Verhältnis zwischen der Kritik an der marxistischen und der Ablehnung der christlichen Eschatologie. Bezüglich der Hoffnung sieht André Espiau de la Maëstre[573] richtiger, wenn er deren Verneinung mit Nietzsches und Montherlants Herrenmoral in Verbindung bringt. Für Henri Peyre[574] kommt die positive Rezeption Camus' bei theologisch orientierten Rezensenten als eine Überraschung, da der Transzendenzverzicht in allen Werken, wenn auch moralisch verbrämt, so doch unmißverständlich ist. Peyre schreibt Camus' starken Einfluß auf christliche Denker dessen ebenso unzweideutige Rückweisung des grobschlächtigen Materialismus sowie seiner kathartischen Wirkung auf die Gnadensuchenden zu. Etwas zu weit geht Clara Bruner[575], wenn sie Frömmigkeit und Liebe als vorerst latente, nach dem Durchbruch zur Wertorientierung manifeste „Leitmotive" hinstellt, die schließlich im Kernbegriff der Solidarität philosophisch zusammengefaßt werden. Nathan Scott[576] weiß sich mit manchem christlichen Fachkollegen einig, wenn er Camus einen ausgesprochenen Sinn für die transpersonale Existenz des Göttlichen zuerkennt, was selbstverständlich auf eine zumindest latent vorhandene Bekehrungsbereitschaft deutet. Der bereits erwähnte Dominikanerpater[577] und Freund Camus' (Anm. 527) ist da vorsichtiger und verschweigt die unüberbrückbaren Gegen-

[573] „A. C. und das Christentum oder das Drama des atheistischen Humanismus". In: I. *Entschluß* 14 (November 1958), S. 80—85 und II. *Ibid*. (Dezember 1958), S. 125—129.

[574] "A. C., an anti-Christian moralist". In: *American Philosophical Society: Proceedings* 102 (1958), S. 477—482. Vgl. auch Samuel Terrien, "Christianity's debt to a modern pagan". In: *Union Seminary Quarterly Review* 15 (March 1960), S. 185—194.

[575] « Pietà e amore degli homini di C. ». In: *Studium* 55 (März 1959), S. 171—177.

[576] "The modest optimism of A. C.". In: *Christian Scholar* 42 (December 1959), S. 251—274.

[577] "The spiritual agony of Europe". In: *Renascence* 7 (Winter

sätze nicht, die den Dichterphilosophen vom Christentum endgültig trennen. Die Revolte z. B. bleibt ein unklarer, wegen seiner Relativitätsabhängigkeit negativer Grundbegriff, mit dem nicht viel anzufangen ist. Die Ablehnung einer vertikalen Transzendenz wird von Giovanni Carsaniga [578] gar prometheisch heroisiert, währenddessen Lucien Guissard [579] in ihr eine säkularisierte Form von Demut entdeckt, die mit der antilogischen Grundhaltung des *credo quia absurdum* vergleichbar ist. Die Parallelisierung zwischen Christentum und Marxismus — die in beiden politischen Lagern entschieden abgelehnt wird — erscheint Guissard zwar forciert, der auch bei Camus ungelöste Urkonflikt zwischen Freiheit und Gerechtigkeit hingegen der christlichen Perspektive sehr nahestehend. In seinem Vergleich zwischen der *Chute* und Bonhoeffers Ethik beschreibt Pieter de Jong [580] Camus' Roman als künstlerische Gestaltung des Durchbruchs des Bewußtseins und Schuldgefühls, welche wie beim Mitbegründer der Bekenntniskirche in der Egozentrizität und Sexualität eingebettet sind. Camus' leidenschaftliche Irreligiosität rückt ihn näher an Gott als die formale Gläubigkeit mancher Christen. *Sine ira et studio* gibt Alain-Georges Martin [581] eine Gesamtübersicht des Verhältnisses von Camus zum Christentum, in dem sein Gottes-

---

1954), S. 70—80. In einem kurzen Rückblick (« Une image radieuse », in: *NRF* 15 [mars 1960], S. 515—521) kommt B. auf eine von ihm in die Wege geleitete Begegnung zwischen C. und Bernanos zu sprechen, während welcher der Autor des *Journal d'un curé de campagne* den Dialog monopolisiert. Zur christlichen Rezeption des *Homme révolté* vgl. auch Anm. 546—551.

[578] « A. C.: o il mito de Prometeo ». In: *Protestantesimo* 15 (1960), S. 152—160.

[579] « A. C. A la recherche d'une légitimité ». In: Ders., *Ecrits en notre temps*, Paris, Fayard, 1961, S. 267—282.

[580] "C. and Bonhoeffer on the fall". In: *Canadian Journal of Theology* 7 (October 1961), S. 245—257.

[581] « A. C. et le Christianisme ». In: *La Revue Réformée* 12 (octobre 1961), S. 30—50. Dazu auch Carlo Fonda, « C. et la religion », in: *Culture* 29 (décembre 1968), S. 328—342; Edward O'Brien, "C. and

konzept, seine intellektualisierte Auffassung der Gnade und anderer spezifisch theologischer Prinzipien sowie sein total vermenschlichtes Christusbild zur Sprache kommen. Für A. J. L. Busst [582] drückt sich Camus' „exzentrische Christologie" vorwiegend in der Überbetonung des Themas der kollektiven Schuld aus. Erlösung und Sündenfall werden zu leicht austauschbaren ästhetischen Größen umfunktioniert, was dem gesellschaftlichen Außenseiter erlaubt, als Befreier der Menschheit aufzutreten. Homiletische Eigenschaften findet William Hamilton [583] in der *Peste* und im *Homme révolté*, die er als Seelenführer einer Generation auffaßt. Die Begegnung zwischen dem Heiligen und dem Rebellen findet er künstlerisch zwar erfolgreich, intellektuell aber verwirrungsstiftend. Auch John Cruickshank [584] scheut nicht davor zurück, Camus' Werk *in toto* als Herausforderung an die Christen zu bezeichnen, innerhalb welcher der agnostischen Behandlung der *conditio humana* und des Bösen besondere Bedeutung zukommt. Einen langen Aufsatz über das Gottesproblem bei Camus legt Nobrega M. A. Rodrigues [585] vor, dem es vor allem darum geht, nachzuweisen, daß ein echter, d. h. absoluter

Christianity", in: *Person* 44 (Spring 1963), S. 149—163; Armand Muller, « Camus », in: ders., *De Rabelais à Paul Valéry. Les grands écrivains devant le christianisme*, Paris, Foulon, S. 246—249.

[582] "A note on the eccentric christology of C.". In: *FS* 16 (January 1962), S. 45—50. Dazu auch Pierre de Boisdeffre, « L'évolution spirituelle d'A. C. », in: *Ecclesia* 101 (août 1957), S. 107—112; John Loose, "The Christian as C.'s absurd man"; in: *JR* 42 (July 1962), S. 203 bis 214.

[583] "The Christian, the saint and the rebel". In: N. Scott [Hrsg], *Forms of Extremity in the Modern Novel*, Richmond, John Knox Press, 1965, S. 55—74.

[584] "Sainthood without Good". In: George A. Panichas [Hrsg.], *Mansions of the Spirit. Essays in Literature and Religion*, New York, Hawthorne, 1967, S. 313—324. Zur Beziehung des Schuld- und Glücksthemas vgl. Reinout Bakker, „A. C., eine Fràge an die Kirche". In: *Zeitschrift für evangelische Ethik* 6 (Januar—Februar 1962), S. 129 bis 140.

[585] « O problema de Deus no pensamento de A. C. ». In: *RPF* 24

Wert ohne Gott als Urheber philosophisch undenkbar ist. Camus gehört zu jenen freiwillig Verbannten, die Gott unwissentlich und trotz gegenteiliger Beteuerungen gefunden haben. Eine abgerundete, leider kaum dokumentierte Darstellung der « incroyance passionnée » als antitheistisch fundierte Ablehnung jeglicher religiösen „Perversion" — womit auch der dogmatische und militante Atheismus gemeint ist — gibt Paul Viallaneix [586].

Nicht wenige christliche Kritiker — sie stellen allerdings eine Minderheit dar — beziehen eindeutige theologische oder philosophische Gegenpositionen. Als Jean DuRostu [587] 1945 seine beiden Artikel « Un Pascal sans Christ » betitelte, trug er wahrscheinlich ahnungslos zur Verbreitung einer Legende bei, von der sich Camus bis zu seinem Tode nicht zu befreien vermochte, nachdem er sie eine Zeitlang durch sein Stillschweigen gefördert zu haben schien. DuRostu ist einer der ersten Exegeten, der die Philosophie Sartres und Camus' streng auseinanderhält. Den Absurdismus des letzteren lehnt er kompromißlos ab, zeigt aber gleichzeitig eine in jenen Jahren eher selten vorkommende Empfänglichkeit für Meursaults' « ambiguïté ». Seine philosophische Perspektive verleitet ihn leider dazu, im Theater- und Prosawerk bloß Thesendramen und -romane zu sehen. Gemäß Charles I. Glicksberg [588] besteht kein Zweifel, daß Camus' Philosophie einer negativen Theologie entspricht. Seine anthropozentrisch

(Juli—September 1968), S. 300—328. Zur Frage der Bekehrung, die Camus einmal mehr entschieden von sich weist, vgl. « Interview ». In: *FL* 609 (21. Dezember 1957), S. 1 u. 4 sowie in: *Essais*, S. 1615. Zu vereinfachend sind die Bemühungen von Ignace Lepp über C.'s „sympathischen" Atheismus: « L'athéisme désespéré d'A. C. ». In: Ders., *Psychanalyse de l'athéisme moderne*, Paris, Grasset, 1961, S. 245—252.

[586] « L'incroyance passionnée ». In: *RLM* 170—174 (1968), S. 179—197 [*AC 1*].

[587] « Un Pascal sans Christ: A. C. ». In: *Etudes* 247 (octobre 1945), S. 48—65 und 247 (novembre 1945), S. 165—177.

[588] "C.'s quest for Good". In: *SWR* 44 (Summer 1959), S. 247 bis 250 sowie in: ders., *Literature and Religion. A Study in Conflict*, Dallas, Southern Methodist University Press, 1960, S. 212—222. Dazu auch

gerichtetete Religiosität ist, darin Sartre ähnlich, Ausdruck eines verhexten Geistes, der stur nach einem säkularisierten Absoluten rennt, das es gar nicht geben kann. Der Erfolg, den die Künstlerphilosophen der *rive gauche* bei der Jugend und den Intellektuellen haben, veranlaßt Gérard Bois-Rabot [589] gleichsam ein theologisches Widerstandsnetz aufzubauen, mit dessen Hilfe der Gläubige etwaige geistige Minderwertigkeitskomplexe gegenüber den vorwiegend atheistischen Positionen — G. Marcels natürlich ausgenommen — abstreifen sollte. Er weist nach, daß auch Camus' Atheismus nur *a posteriori* aufrechterhalten werden kann, nachdem Gott willkürlich als Feind der individuellen Freiheit deklariert worden ist. Überdies scheint die Logik der Revolte kurzgeschlossen, da sie nur vor dem Hintergrund der Existenz Gottes einen Sinn hat. Ein anderer Theologe [590] bemängelt die monistische Tendenz in Camus' Absurditätsauffassung, die jener metaphysischen Tiefe entbehrt, in der er die *complexio oppositorum* hätte erfassen können. Die klare Ablehnung des Gottesgedankens führt Robert Coffy [591] auf Camus' anti-ideologische Grundhaltung zurück, die ironischerweise an Intoleranz grenzt. Der von diesem offerierte Religionsersatz — selbstbewußtes Streben nach Gleichgewicht zwischen dem persönlichen Glücksbedarf und der intersubjektiven Solidarität — ist nur kraft eines äußerst

P.-H. Simon « La négation de Dieu dans la littérature française contemporaine ». In: E. Mauris, H. H. Schreg, P.-H. Simon, G. Marcel, P. Bonnard, *L'athéisme contemporain*, Genf, Labor et Fides, 1956, S. 53—58.

[589] « Le dieu de C., Sartre et Malraux ». In: *Résurrection* 15 (1960), S. 113—122. Zur Frage des Gottesbeweises vgl. auch Nicolas-M. Coté, « A. C. et l'existence de Dieu ». In: *Culture* 20 (septembre 1959), S. 268—281.

[590] Georg Siegmund, „Philosophie des Selbstmordes. Eine Auseinandersetzung mit dem französischen Existentialisten A. C.". In: *Seelsorge* 31 (1960—61), S. 52—60. Vgl. auch Jean-Louis Dumas, « Les conférences ». In: *Nef* 4 (janvier 1947), S. 164—167.

[591] « La révolte de C. ». In: Ders., *Dieu des athées. Marx, Sartre, C.*, Lyon, Chronique Sociale de France, 1965, S. 105—135.

abstrakten Revoltebegriffes vertretbar, der systematisch Metaphysik durch Mythen verwässert. Auch wenn der von Camus ehrlich durchgestandene Konflikt zwischen Gerechtigkeit und Gnade James P. Mackey [592] Bewunderung abringt, so sieht sich dieser doch gezwungen, die Moralphilosophie des ersteren als unlogisch, die Revolte *in absentia Dei* gar als albern zu deklarieren. In seinem brillanten Essay charakterisiert Harvey Cox [593] Camus als christlichen Atheisten, der leider den Gottesbegriff metaphysisch, d. h. platonisch oder aristotelisch statt biblisch auffasse. Cox scheint allerdings Camus' Vertrauen in philosophische Systeme zu überschätzen. Die bisher systematischste Auseinandersetzung eines Christen mit Camus stammt aus der Feder André-A. Devaux' [594], der dessen Hang zum animalischen Gleichmut biographisch erklärt. Camus' Kritik am Christentum wird auf drei Konfliktstufen erörtert und zurechtgewiesen: Der nur angeblich unüberbrückbare Gegensatz zwischen 1. Natur und Übernatürlichem; 2. Gerechtigkeit und Gnade; 3. dem Relativen und Absoluten. Devaux folgert, daß der in der theologischen Denkart und in den Kirchenvätern (z. B. Augustinus, vgl. Anm. 601) nicht besonders bewanderte Camus die umfassenden Aspirationen der auf der Caritas aufgebauten christlichen Religion mit einem erstickenden Totalitarismus verwechselt. Corrado Rosso [595] glaubt, Camus' moralistisch begründete Ablehnung der Tranzendenz

[592] "Christianity and A. C.". In: *Studies* 55 (Winter 1966), S. 392 bis 402.

[593] "A. C. and profanity". In: Ders., *The Secular City*, New York, MacMillan, 1965, S. 70—78.

[594] « A. C. devant le Christianisme et les Chrétiens ». In: *Sciences et Esprit* 20 (janvier—avril 1967), S. 9—30. Vgl. auch ders., « A. C.: le christianisme et l'hellénisme ». In: *NLRA* (1970), S. 11—30. Als Gegenbeispiel vgl. etwa Jean Claude Mathieu, „Das Absurde und die Schuld. A. C.'s Auseinandersetzung mit der christlichen Ethik". In: *Monatsschrift für Pastoraltheologie* 48 (Juni 1959), S. 196—208.

[595] « C.: fine del problema per dissoluzione o eutanasia ». In: Ders., *Il Serpente e la Sirena. Dalla Paura de Dolore alla Paura della Felicità*, Neapel, Edizioni Scientifiche Italiane, 1972, S. 167—183.

und des immanenten Messianismus (seien sie nun christlicher oder marxistischer Natur) führe paradoxerweise zu einer neuen Theodizee, die im *bonheur* als Leitwert verankert ist.

Aufgrund einer Besprechung von Camus' 1946 im Dominikanerkloster von Latour-Maubourg gehaltenen Vortrages (vgl. « L'Incroyant et les chrétiens », in: *Essais*, S. 371 ff.) bestimmt Fritz Paepcke [596] die geistigen Komponenten und historischen Hintergründe dieses berühmten Dialoges mit den Christen. Die Radikalität der heidnischen Ungläubigkeit fordert eine nicht minder radikale Gläubigkeit heraus. Sie führt bei Camus zum Willen, dem Schicksal der Unerlöstheit nicht durch religiösen Eskapismus, sondern in einer Dialoggemeinschaft gegenüberzutreten. Trotz des liberalen Humanismus, in dem sein dualistisches Denken schließlich mündet, läßt sich die Erlösungsthematik, so Bernard G. Murchland [597], in den meisten Werken nachweisen und deutet nach der *Chute* klar auf eine mögliche Bekehrung hin. Daß Camus sich ausgiebig eines Gemischs christlicher und heidnischer Bilder und Quellen bedient, bedarf kaum des Nachweises. Antonio Fontan [598] beschränkt sich denn auch darauf, die stoischen Elemente in seinem Neuheidentum herauszuarbeiten, das ohne christliches Erbe nicht denkbar wäre. Camus, der selber ein Mythenschöpfer sein wollte, unterließ es nie, christliche und heidnische Mythen zu entlarven, wenn sie der Mystifikation dienten. Diese paradoxe Haltung ist gemäß Fontan jener von T. S. Eliot nicht unähnlich. In seiner gut informierten Untersuchung der

---

[596] „Der Atheismus in der Sicht von A. C.". In: *EckartJ* 27 (Oktober—Dezember 1958), S. 278—283. Wiederabgedruckt in: Heinz Robert Schlette [Hrsg.], *Wege der deutschen Camus-Rezeption*, Darmstadt, Wissenschaftl. Buchgesellschaft, 1975, S. 45—54. Zur Frage des Vortragsdatums vgl. R. Quilliot, *Essais*, S. 1957.

[597] "A. C.: rebel". In: *CathW* 188 (January 1959), S. 308—314 sowie in: G. Brée [Hrsg.], *Camus. A Collection of Critical Essays*, Englewood Cliffs, Prentice-Hall, 1962, S. 59—64.

[598] « C. entre le paganisme et le christianisme ». In: *TR* 146 (février 1960), S. 114—119.

Hintergründe und Entstehungsgeschichte des Atheismus Camus' sieht A. Scurani [599] in diesem weniger einen Gegner der Gläubigkeit als einen Feind der Abergläubigkeit, der als moderner Lukrez (vgl. Anm. 561) um die Anerkennung der Relativität aller Werte ringt. Dem Wandel des Christus-Bildes in Camus' Denken geht Fernande Bartfeld [600] nach. Als falsch verstandene Erlöserfigur wird Christus bei ihm schließlich zum mythenhaften Propheten ohne Göttlichkeit, der einem ungerechten Menschenurteil zum Opfer fällt. Der geplante dritte Zyklus in Camus' mythopoetischer Philosophie (Sisyphus, Prometheus, Nemesis) hätte sich in verschärfter Weise gegen die christliche Schicksalsauffassung gewandt. Viele Kritiker weisen mehr oder weniger oberflächlich auf die augustinischen und gnostischen Elemente in Camus' Philosophie hin, wenige gehen der Quellen- und Entlehnungsfrage auf den Grund. Dies hat nach Devaux (Anm. 594) in beispielhafter Weise Paul Archambault [601] getan, der nicht nur die zahlreichen, an Plagiat grenzenden „Zitate" im *Diplôme d'Etudes supérieures* aufzählt, sondern auch zeigt, daß Camus nach seiner Examensschrift seinen ursprünglichen augustinischen Leseeindrücken und Kenntnissen in der *Peste* und im *Homme révolté* unverändert freien Lauf ließ. Mit der theoretischen Grundlage des Atheismus bei Camus setzt sich O. Ludwig Nowicki [602] theologisch auseinander und folgert, daß dieser, vor allem im *Homme révolté*, einen beschränkten kognitiven Wert besitzt. Eine äußerst ausführliche, in ihren Schlußfolgerungen strittige Sichtung des biblischen und christlichen Quellenmaterials erbringt Jacques

[599] « L'ateismo di A. C. ». In: *Letture* 15 (1960), S. 808—820.

[600] « C. et le mythe du Christ ». *IL* 19 (mai—juin 1967), S. 100 bis 106.

[601] « Augustin et C. ». In: *Recherches augustiniennes* 6 (1969), S. 193—221. Es handelt sich um ein Kap. von *Camus' Hellenic Sources*, vgl. Anm. 649. Vgl. ders., « C.: le problème du mal et ses 'solutions' gnostiques ». In: *AC* 9, 1977.

[602] „Atèizm w ujęciu A. C.". In: *Zeszyty Naukowe Katolickiego Uniwersytetu Lubelskiego* 12 (1969), S. 31—41. Der Bericht stützt sich auf die französische Zusammenfassung.

Goldstain [603], für den der theologische Unterbau in Camus' Werk in seinem absoluten Gerechtigkeitsbegriff und der damit verbundenen obsessionellen Beschäftigung mit dem Gottesgedanken kulminiert.

Camus' Diplomarbeit (*Métaphysique chrétienne et néoplatonisme*, in: *Essais*, S. 1224—1313) ist erst seit 1965 zugänglich und beschäftigt sich vorwiegend mit den Beziehungen zwischen Hellenismus und Christentum sowie dessen neo-platonischen Elementen. Als erster widmete ihr Jacques Hardré [604] einen ausführlicheren Kommentar, in dem er versucht, den Einfluß der christlichen und griechischen Philosophie auf Camus' Hostilität gegenüber dem Christentum festzuhalten. Auch Hardré hebt die bloß buchmäßigen Kenntnisse hervor, die Camus vom Frühchristentum gehabt hat. Etwas später faßte Francesco Lazzari [605] die „Thesen" dieser akademischen Fleißarbeit zusammen, wobei er außer ausgiebigen Hinweisen auf Rigobellos Arbeit (Anm. 416) und Ähnlichkeiten zwischen Croces und Camus' Ästhetik kaum etwas Klärendes zu sagen hat. Ergiebiger ist Heinz Robert Schlettes [606] Beurteilung der Prüfungsarbeit als Tor zu den Grundstrukturen in Camus' Wirklichkeitserfassung. Auch Schlette weist auf die hermeneutische Unbekümmertheit hin, mit der der junge Philosophiestudent das gewaltige Thema anpackte und gibt einen Überblick über die vier Kap. der Examensschrift. Obwohl Camus' Kenntnisse der Gnostiker erwiesenermaßen oberflächlich waren, ist seine Beurteilung der Gnosis als griechische Möglichkeit und Gefahr für das Christentum auch heute noch gültig.

[603] « C. et la bible ». In: *RLM* 264—270 (1971), S. 97—140 [*AC 4*].

[604] "C.'s thoughts on Christian metaphysics and neo-platonism". In: *SP* 44 (January 1967), S. 97—108.

[605] « Metafisica cristiana e neoplatonismo in un saggio giovanile di C. ». In: *RSC* 5 (April—Juni 1968), S. 228—241.

[606] „A. C.'s philosophische Examensschrift 'Christliche Metaphysik und Neoplatonismus'". In: Ders., *Aporie und Glaube. Schriften zur Philosophie und Theologie*, München, Kösel, 1970, S. 152—162. Wiederabgedruckt in: Ders., [Hrsg.], *Wege der deutschen Camus-Rezeption*, Darmstadt, Wissenschaftl. Buchgesellschaft, 1975, S. 329—340.

Seine Kenntnisse des Christlichen sind nicht genuin neutestamentlich, sondern in der augustinischen Interpretation fixiert. Schon in diesem Frühwerk ist der Unterschied zwischen dem existentialistisch-atheistisch-marxistischen Sartre und dem skeptisch-agnostischen Moralisten Camus klar ersichtlich. Dessen späteres Verhältnis zu den Christen und seine Fehlurteile gehen auf Mißverständnisse und zeitbedingte theologische Ungereimtheiten zurück.

7. Politisches Schrifttum und Journalismus

In den Nachkriegs- und Aufbaujahren (ca. 1945—1955) bewunderten viele Leser Camus in erster Linie als moralisches Gewissen einer Nation, wenn nicht gar der westlichen Zivilisation. Je nach politischer Zugehörigkeit, rühmten sie seine Eloquenz als Verteidiger der Menschenrechte, seine schroffe Ablehnung jeglichen Gesinnungsterrors und Totalitarismus', seine nuancierte Auffassung des politischen Engagements, seine heroische Unabhängigkeit, sein tragisches Schweigen in der Algerienfrage, nachdem er glaubte gesagt zu haben, was er zu sagen hatte. Andere wiederum verachteten und verspotteten seine hohle Rhetorik des kalten Kriegers, seinen als Zivilcourage verbrämten Hang zum *dégagement*, sein politisches Pharisäertum in der Algerienfrage, seinen rechthaberischen, auf einer längst überholten Kunstauffassung fußenden Dünkel, usw.

Die Sichtung der Literatur über Camus' politisches und journalistisches Schrifttum gliedert sich in drei Hauptabschnitte. Im ersten kommen allgemeine Arbeiten über seine politische Auffassung, sein Verhältnis zum Krieg, zur Résistance, zum rasch gedämpften Optimismus der Nachkriegsjahre und zur algerischen Frage zur Sprache; im zweiten Berichte über seine journalistische Tätigkeit und im dritten Beurteilungen seiner Positionen zu verschiedenen Zeitfragen.

Die von Camus selber gesuchte Ausgewogenheit in der Präsentation abstrakter Denkinhalte verleitet manchen Kritiker, dieses an sich lobenswerte Prinzip unbesorgt bei ihm anzuwenden, mit dem Resultat, daß dem Kommentar dann oft entweder die kritische Distanz oder die gedankliche Tiefe fehlt. Dieser letzten Gefahr ist Fred H. Willhoite [607] in seinem flüssig geschriebenen Buch über Camus' politische Denkweise nicht immer entgangen. Nachdem er die bedeutendsten Werke auf ihren politischen Aussagewert untersucht hat, läßt er dem *Homme révolté*, der natürlich eine zentrale Stellung einnehmen sollte, eine in der Konzeptanalyse eher oberflächliche Behandlung angedeihen. Er lehnt es grundsätzlich ab, den unsystematischen Künstlerphilosophen, in die Zwangsjacke einer kritischen Methode zu stecken und beschreibt Camus' politische Position als zwischen den Extremen des Totalitarismus und inaktiven Liberalismus liegend. Leider macht er von vorhandenen Dokumenten über Camus' Beziehungen zu anarcho-syndikalistischen Organisationen kaum Gebrauch.

Paradigmatische Bedeutung für die politische Philosophie des Existentialismus mißt Richard Wollheim [608] dem *Homme révolté* zu, mit dem sich Camus als gemäßigter Rousseau des 20. Jahrhunderts profiliert. Von der Dialektik zwischen dem Absurden und der Revolte ausgehend, zeigt Wollheim deren Abhängigkeit von Kant und Nietzsche und versucht, die politisch schwachen Punkte in Camus' essentiell philosophischen Gedankenführung aufzudecken. Von den *Lettres à un ami allemand* über *L'Homme révolté* bis hin zu den *Actuelles* zeichnet sich eine Konstante ab, der vor allem Konrad Bieber [609] seine Aufmerksamkeit schenkt: Es handelt sich um die Entpolitisierung, d. h. Moralisierung der politischen Planung und Aktion, in welcher der Mensch fataler-

---

[607] *Beyond Nihilism: A. C.'s Contribution to Political Thought,* Baton Rouge, Louisiana State University Press, 1968, 212 S. Vgl. auch ders., "A. C.'s politics of rebellion". In: *WPQ* 14 (1961), S. 400—414. Dazu auch Emmett Parker, Anm. 45.

[608] "The political philosophy of existentialism". In: *The Cambridge Journal* 7 (October 1953), S. 3—19.

[609] « A. C. ou le refus de la haine ». In: Ders., *L'Allemagne vue par les écrivains de la Résistance française*, Genf, Droz, 1954, S. 102—110.

weise immer wieder als Mittel zum Zweck mißbraucht wurde. Es besteht kein Zweifel, daß Krieg und Résistance in dieser Beziehung den entscheidenden Ausschlag gaben. Da Camus sich über seine Tätigkeit innerhalb der Widerstandsbewegung beharrlich — oder, je nach Standpunkt, in hochnäsiger Hartnäckigkeit — ausschwieg, ist Jacques Hardrés [610] Versuch um so willkommener, die vom Schriftsteller durchlaufenen Stationen aufgrund der Erinnerungen von Mme. A. Camus, Jacqueline Bernard (der Redaktionssekretärin) und Francis Ponge zu rekonstruieren. Vieles verbleibt nach wie vor im Dunkeln, und klar ist nur, daß Camus' journalistische Tätigkeit innerhalb der Résistance (worauf sich sein Beitrag anerkanntermaßen beschränkt) nicht vor seiner Rückkehr nach Paris (1943) erfolgte. Eine gute Einführung in den Parallelismus zwischen Camus' moralischen und politischen Entwicklung gibt Philip Thody [611], der sich vor allem auf die Vorzeichen und Kristallisationspunkte der Revolte-Philosophie konzentriert. Deren einseitig pamphletische Anwendung im antikommunistischen *Homme révolté* sowie Camus' realitätsferne Ansichten über die Gewaltanwendung sind für den utopischen Charakter seines politischen „Programmes" verantwortlich. Die in *La Chute* bezogene Janus-Position verstärkt nur noch den Eindruck, daß deren Autor ein unverbesserlicher Utopist war.

Die algerische Frage, welcher der gesamte dritte Band der *Actuelles* gewidmet ist, erhitzte die Gemüter noch mehr als das viele eher akademisch anmutende Problem des Kommunismus. Die französische Linke, die ja anfänglich für eine *Algérie française* eintrat, begann erst mit den Denunziationen der Foltermetho-

---

[610] « C. dans la Résistance ». In: *FR* 37 (May 1964), S. 646—650. Nicola Chiaromonte sieht in der unbestechlichen Widerstandshaltung den Schlüssel zur politischen Philosophie Camus'. Vgl. « C. e la politica ». In: *TPr* 2 (November 1957), S. 889—890.

[611] "A. C. (1913—1960)". In: G. A. Panichas [Hrsg.], *The Politics of Twentieth Century Novelists*, New York, Hawthorne, 1971, S. 189—206. Vgl. auch ders., « C. et la politique ». In: *RLM* 212—216 (1969), S. 137—147 [*AC* 2].

den ihre Stellung gegenüber dem FLN — der der kommunistischen Partei ohnehin stets verdächtig blieb — zu ändern. Camus versuchte so gut wie möglich, einen Kompromiß zu finden, dessen politische Formulierung (föderalistische Bindung Algeriens an Frankreich) allerdings nicht von ihm stammte. Als französischer Algerier und führender Intellektueller sah er sich Angriffen und Druckversuchen von allen Seiten ausgesetzt, so daß er sich in seiner Verzweiflung schließlich in Schweigen hüllte. Der bekannte Schriftsteller Albert Memmi [612] sah sich denn auch veranlaßt, trotz seiner politischen Gegnerschaft, Camus' immer mehr angefeindetes Schweigen durch dessen Minoritätsstatus zu erklären. Es zeigt sich, daß sein politischer Instinkt weniger naiv war, als viele damals glaubten, was u. a. Germaine Tillion [613] in ihrer Gegenüberstellung der Rede, die Camus unter unmittelbarer Lebensgefahr am 22. Januar 1956 in Algier hielt, und der politischen Entwicklung, die in den *Accords d'Evian* (1962) gipfelte, nachweist. Viel schärfer als Memmi geht ein anderer algerischer Intellektueller, Driss Chraïbi [614], mit Camus ins Gericht. Vor allem vermißt er, darin vielen *Etranger*-Kritikern ähnlich (vgl. Anm. 46 u. a. m.) den arabischen Kontext in der in den *Actuelles III* vorgeschlagenen politischen Lösung des Konfliktes. Hervorragend ist Fritz Paepckes [615] Beschreibung der Ende der fünfziger Jahre in Frankreich vorherrschenden Situation bezüglich

[612] « C. ou le colonisateur de bonne volonté ». In: *Nef* 12 (1957), S. 95—96.

[613] « Devant le malheur algérien ». In: *Preuves* 110 (avril 1960), S. 25—27; vgl. ihren Artikel, der das fragwürdige Realitätsverhältnis in den *Actuelles III* bekrittelt. Dazu auch Jean Daniel, « Une patrie algérienne, deux peuples . . . ». In: *Etudes méditerranéennes* 7 (printemps 1960), S. 19—24.

[614] „C. und Algerien". In: *Dokumente* 75 (Februar 1959), S. 70—74.

[615] „A. C. und der Friede". In: *Eckart]* 29 (Januar—März 1960), S. 7—21. Wiederabgedruckt mit Titelkorrektur und stilistischen Verbesserungen in: Heinz Robert Schlette, *Wege der deutschen Camus-Rezeption*, Darmstadt, Wissenschaftl. Buchgesellschaft, 1975, S. 88 bis 115.

der Algerienfrage und des Dilemmas, in dem sich Camus als ein zwischen seinem Heimatland und seiner Zivilisationszugehörigkeit hin- und hergerissener Künstler befand. Informativ ist vor allem Paepckes eingehende Untersuchung der moralisch fundierten und politisch motivierten Schlüsselbegriffe in Camus' Aussagen zu den Fragen der Zeit und die Unterscheidung zwischen dem politischen und künstlerischen Engagement, das sich als Schuldverflechtung aller Leidenden und Gefährdeten versteht. Subtil sind ebenfalls Jules Roys [616] Erklärungsversuche, mit denen er die Perspektive des Künstlerproblems durch jene der persönlichen Tragödie ergänzt. Am ausführlichsten, wenn auch reportagenhaft, schildert Yves Courrière [617] die Schwierigkeiten und Interventionen Camus'. Was diese Untersuchung besonders interessant, aber auch problematisch macht, ist ihr auf persönliche Erinnerungen von Augenzeugen und Zeitgenossen basierender Informationsreichtum. Die Beschreibung der Umstände, unter denen Camus im Januar 1956 eine ausgleichende Ansprache an eine französische-algerische Gruppe hielt, ist sehr dramatisch gestaltet.

Ein eigentlich politisches Credo hat Camus nie formuliert. Auffallend ist, daß es über seine Mitgliedschaft bei der algerischen K. P. keine dokumentierte Literatur, sondern nur sich widersprechende Vermutungen über die Dauer seiner Parteizugehörigkeit gibt. Am ehesten findet man noch Angaben über seine im politisch-kulturellen Missionseifer erfolgten ersten Versuche als Dramatiker (*Révolté dans les Asturies*) und Spielleiter des *Théâtre du Travail*, das aus ideologischen Gründen in *Théâtre de l'Equipe* umgetauft wurde (vgl. Kap. 5, Anm. 314—316) sowie über seine organisatorische Mitarbeit an dem der K. P. verbundenen *Maison de la Culture* (vgl. Anm. 626).

[616] « La tragédie algérienne ». In: *Camus*, Paris, Hachette, 1964, S. 199—215.

[617] « C. devant la guerre d'Algérie ». In: Ders., *La guerre d'Algérie*, Paris, Fayard, 1969, Bd. II, *Le temps des léopards*, S. 239—264. Dazu auch Maurice Cranston, "Men and ideas: A. C.". In: *Encounter* 28 (February 1967), S. 43—54.

Roger Quilliot[618], sicher bestens qualifiziert für eine politische Ortsbestimmung Camus', siedelt diesen in einem unorthodoxen, völlig parteiungebundenen Gewissenssozialismus an. Walter Heist[619] vergleicht Camus' und Sartres Rollen im europäischen Drama des Nachfaschismus und erkennt dem letzteren eine größere Distanz zu seiner Zeit zu. Obwohl mehrere seiner in der *Homme révolté*-Polemik erhobenen Vorwürfe berechtigt sind, kann nicht gesagt werden, Camus sei zur Absurditäts- und Verzweiflungsphilosophie zurückgekehrt, nur besaß er nicht Sartres theoretische Qualitäten, mit denen er seine moralische Entwicklung hätte verteidigen können. Für Konrad Bieber[620] läßt sich die Gegnerschaft der beiden Schriftsteller auf den unüberbrückbaren Gegensatz zwischen der politischen und der weit komplexeren künstlerischen Engagementsauffassung zurückführen. Camus' aktive Teilnahme an verschiedenen Aktionen und Appellen während der Ungarnkrise (1956) veranlaßt Germaine Brée[621], sein lädiertes Porträt etwas aufzupolieren, indem sie seine Aktionsbereitschaft seit seiner frühen Reportage über die Not in Kabylien, während des spanischen Bürger-, zweiten

---

[618] « Autour d'A. C. et du problème socialiste ». In: *Revue Socialiste* 20 (avril 1948), S. 342—352. Zur Frage seines Verhältnisses zu anarcho-syndikalistischen Kreisen und der politisch losen Organisation der *Groupes de lisaison internationale* vgl. auch Raymond Guilloré, « A. C. et nous », in: *Révolution Prolétarienne* 447 (février 1960), S. 25—26; Daniel Martinet, « A. C. aux groupes de liaison internationale », in: *Témoins* 8 (mai 1960), S. 6—7; Pierre Aubéry, « A. C. et la classe ouvrière «, in: *FR* 32 (October 1958), S. 14—21 und in: ders., *Pour une lecture ouvrière de la littérature*, Paris, Editions Syndicalistes, 1969, S. 81—95.

[619] „A. C. und der Nachfaschismus". In: *Frankfurter Hefte* 8 (April 1953), S. 296—303. Wiederabgedruckt in: Heinz Robert Schlette [Hrsg.], *Wege der deutschen Camus-Rezeption*, Darmstadt, Wissenschaftl. Buchgesellschaft, 1975, S. 15—27.

[620] "Engagement as professional risk". In: *YFS* 16 (Winter 1955 bis 56), S. 29—39.

[621] "A. C.: a writer and his time". In: *ASLHM* 28 (Spring 1957), S. 43—52.

Welt- und des Algerienkrieges hinweist. Sie interpretiert den *Homme révolté* als breitangelegten Versuch eines Künstlers, nicht zum Gefangenen politischer Umstände zu werden. Gerade diese Zurückhaltung sowie seine antihegelianische Geschichtsauffassung legt W. Heist [622] als Ursache von Camus' bedrückender Naivität aus. Lyman T. Sargent [623] vergleicht diese mit dem in schroffer Opposition zur erfolgs- und zweckabhängigen politischen Denkweise stehenden Moralismus. Camus kann und will sich nicht von seinen wertbezogenen Denknormen lösen, er verpönt die für die politische Aktion notwendige sachbezogene wissenschaftliche Reflexion. In ihrer langatmigen, methodologisch anfechtbaren Studie über die engagierte Literatur in Frankreich und der ihr verbundenen Existenzphilosophie, Literaturtheorie und Sozialkritik gelingt es Rosemarie Gauger [624] selten, über paraphrasierende Gemeinplätze hinauszukommen. Dagegen legt Maurice Weyembergh [625] eine tadellos dokumentierte und tiefschürfende Konzeptanalyse der *violence* bei Camus und Merleau-Ponty vor.

[622] „Das Fragwürdige an A. C. Über den politischen Aspekt seines Werkes". In: *Frankfurter Hefte* 18 (Januar 1963), S. 19—29. Wiederabgedruckt in: H. R. Schlette [Hrsg.], *op. cit.*, S. 158—175.

[623] "Prologomena to a study of the political philosophy of A. C.". In: *MinnR* 4 (Spring 1964), S. 365—369. Justin O'Brien taxiert C. als einen konzisen, jedoch unpräzisen Unabhängigkeitsenthusiasten. Vgl. "Subject to history". In: Ders., *The French Literary Horizon*, New Brunswick, Rutgers University Press, 1967, S. 161—163. Zu vereinfachend ist Pierre Leroys Gesamtdarstellung: « La politique dans l'oeuvre d'A. C. » In: *RPP 770* (septembre 1966), S. 61—71.

[624] *Littérature engagée in Frankreich zur Zeit des Zweiten Weltkrieges. Die literarische Auseinandersetzung Sartres, C.'s, Aragons und Saint-Exupérys mit der politischen Situation ihres Landes*, Göppingen, Kümmerle, 1971, 154 S. (Göppinger Akadem. Beiträge Nr. 36). Als Gegenbeispiel sei auf die hervorragende Arbeit von Heinrich Balz (Anm. 666) hingewiesen.

[625] « Merleau—Ponty et C. *Humanisme et terreur* et ni *Victimes ni bourreaux* ». In: *Annales de l'Institut de Philosophie de l'Université libre de Bruxelles*, 1971, S. 53—99. Vgl. ders., « A. Camus et K.

Das Problem der politisch motivierten Gewaltanwendung, an dem die Freundschaft der beiden Philosophen zerbrach, muß im Rahmen der Stimmung während der *épuration* der unmittelbaren Nachkriegszeit und der damit verbundenen Polemik mit François Mauriac (Anm. 641) gesehen werden. Jahre vor der Publikation des *Homme révolté* hat sich Camus auf das seinem Essay zugrundeliegende politische Axiom festgelegt: Werte müssen den Gang der Geschichte bestimmen, sie selber besitzt keine normativen Eigenschaften. Die engen Zusammenhänge zwischen kulturellem und politischem Engagement in Camus' Denkweise schildert in ihrem historisierenden Überblick ausgiebig Jacqueline Lévi-Valensi [626], ohne aber auf dessen politische Absonderungstendenzen genauer einzugehen.

Die meisten der in den *Actuelles* vereinigten Essays sind entweder Leitartikel, die in *Combat* oder Stellungnahmen zu Fragen der Zeit und Antworten auf Kritik, die in Form von Briefen an den Herausgeber, Vorworten, Ansprachen, Artikeln in verschiedenen Periodika erschienen waren. Die bereits erwähnten, dem Thema Algerien gewidmeten *Actuelles III* enthalten eine Reproduktion der Artikelserie über die Not der Kabylen, die mit der im Mai 1945 in einer im *Combat* erschienenen Artikelfolge über die Krise in Algerien sozusagen fortgesetzt wurde, eine weitere, im Express 1955—56 publizierte Folge über die politische Zerreißprobe in Algerien, seinen am 22. Januar 1956 in Algier gehaltenen Vortrag, der einen Burgfrieden vorschlägt, sowie im *Monde* veröffentlichten Texte zur Freilassung des aus politischen Gründen verhafteten Freundes und Architekten Jean de Maisonseul. Der Band endet mit einem Ausblick auf die algerische Situation 1958.

Camus' militanter Journalismus, dem, wie im Fall der politischen Auseinandersetzung, viele den moralisierenden Prediger-

Popper: la critique de l'historisme et de l'historicisme ». In: *AC* 9, 1977.

[626] « L'engagement culturel ». In: *RLM* 315—322 (1972), S. 83 bis 106 [*AC 5*].

ton [627] ankreiden, verursachte eine derartige Fülle von Reaktionen, daß hier bloß auf die namhaftesten, d. h. kritisch bedeutungsvollsten eingegangen werden kann. Der gesamte algerische Fragenkomplex und dessen meist journalistische Behandlung durch Camus wird von Roger Quilliot [628] kompetent zusammengefaßt, wobei er in erfrischend objektiver Weise versucht, die schwierige Stellung seines Schriftstellerfreundes darzulegen. Im Gegensatz dazu steht die beißende Kritik von Claude und Michèle Duchet [629], die Camus' „Verzicht" auf die klare Ablehnung des Kolonialismus und Rassismus sowie seine Blindheit gegenüber historischen Abläufen bemängeln. Seine Aktivität als Chefredakteur und Leitartikler des *Combat* faßt in ziemlich oberflächlicher Weise Roger Grenier [630] zusammen. Repräsentativer ist in

[627] Als Beisp. einer positiven Reaktion vgl. u. a. Guy Sylvestre, « A. C., journaliste ». In: *Revue Dominicaine* 57 (Januar 1951), S. 34—41. Er hebt die damals nicht unübliche Parallele zwischen C. und Saint-Exupéry hervor. Vgl. auch Pierre Debray, « Le pied-noir A. C. ». In: *L'Ordre français* 7 (juillet—août 1963), S. 25—53.

[628] « L'Algérie d'A. C. ». In: *Revue Socialiste* 120 (octobre 1958) S. 121—131 sowie übersetzt in G. Brée [Hrsg.], *Camus. A Collection of Critical Essays*, Englewood Cliffs, Prentice-Hall, 1962, S. 31—37. Dazu auch Justin O'Brien, "A. C. militant", in: *ibid.*, S. 20—25 und Renée Quinn, « A. C. devant le problème algérien », in: *RSH* 32 (octobre—décembre 1967), S. 613—631.

[629] « Inactuelles III, ou le Juste et l'Algérie ». In: *NCRMM* 99 (septembre—octobre 1958), S. 145—153. Eine eher seltene freundliche Reaktion auf*Actuelles III* stammt von einem algerischen Lehrer: « La source de nos communs malheurs. Lettre d'un Algérien musulman ». In: *Preuves* 91 (septembre 1958), S. 72—75. Vgl. auch M. A. Lahbabi, « A propos de C. », in: *Confluent* 9 (septembre—octobre 1960), S. 518 bis 525 sowie Connor Cruise O'Brien, Anm. 46 und Frank S. Giese, « C. and Algeria », in: *Colorado Quarterly* 21 (Autumn 1972), S. 203—312.

[630] « A Combat ». In: *NRF* 8 (mars 1960), S. 472—475. Dazu auch *A. C. Ses amis* du livre, Anm. 49. Unentbehrlich ist die reichlich kommentierte Zusammenstellung der *Combat*-Artikel von Norman Stokle, *Le combat d'A. C.*, Québec, Presses de l'Université Laval, 1970, 376 S. Stokles Einführung enthält einen historischen Überblick über C.'s jour-

dieser Beziehung der Überblick von Jean Daniel [631], der die unter Camus' Führung erfolgende Entwicklung vom hektographierten Résistancepamphlet (daher der Name der Zeitung) bis zu einer der meistgeachteten neuen Tageszeitungen im Blätterwald der Nachkriegszeit festhält. Eine gut informierte historische Perspektive liefern die beiden Artikel von Noël Lafon [632], die Camus' politische Leitlinie anhand seiner journalistischen Veröffentlichungen nachskizziert und seinen Beitrag zum Wiederaufbau Frankreichs zu ermessen versucht. Bekanntlich verließ Camus *Combat* wegen Meinungsverschiedenheiten über den Führungsstil und die Richtung des Blattes (ein Finanzier hatte sich durch Aktienkäufe einen bedrohlichen Stimmanteil erkauft). Später kehrte er zum Journalismus zurück, so vor allem, als er während einer beschränkten Zeit als mehr oder weniger regelmäßiger Mitarbeiter beim *Express* wirkte. Die Wiederaufnahme der journalistischen Tätigkeit wird durch den « Le métier d'homme » betitelten Artikel markiert, den Jacques Roudot [633] mit einer leicht variierenden Manuskriptversion vergleicht und kommentiert. Schon vor der dem Jornalismus und der Politik gewidmeten Nummer der Camus-Serie (*AC 5*) geben André Abbou und Jacqueline Lévi-Valensi [634] eine sehr gründlich erforschte Chro-

nalistische Tätigkeit und Tendenzen. Carl A. Viggianis Beitrag, "C. and *Alger Républicain* 1938—1939" (in: *YSF* 25 [Spring 1960], S. 138—143) ist durch die Arbeiten von Thody, Abbou und Lévi-Valensi überholt.

[631] « Le combat pour *Combat* ». In: *Camus*, Paris, Hachette, 1964, S. 77—94.

[632] « C. de 1945 à 1947 ». In: *Revue Socialiste* 197 (octobre—novembre 1966), S. 370—389. Ders., «A. C. à *Combat*: de la résistance à la révolution ». In: *Ibid.* 191 (mars 1966), S. 235—255 und 193 (mai 1966), S. 449—470.

[633] « Notes à propos de la rédaction d'un article ancien d'A. C.: 'Le métier d'homme'. Texte définitif. Texte du manuscrit. Commentaire sur les variantes ». In: *Preuves* 203 (1968), S. 42—47.

[634] « La collaboration d'A. C. à *Alger Républicain* et au *Soir Républicain* ». In: *RLM* 212—216 (1969), S. 203—223 [*AC 2*].

nologie der Mitarbeit Camus' bei *Alger Républicain* und *Soir Républicain*. Aufgrund einer eingehenden Beurteilung der politischen Lage, stilistischer und thematischer Argumente versuchen sie zudem, Artikel Camus' zu identifizieren, die anonym oder unter einem Pseudonym erschienen waren. Die Rolle, die *Alger Républicain* 1938—39 im Alltagsleben Algiers spielte und Camus' schon damals sich abzeichnenden politischen Pragmatismus in seinen Artikeln über Kabylien schildert ebenfalls Lévi-Valensi [635], wohingegen Abbou [636] in Camus' journalistischem Kampf um Gerechtigkeit — in dem sich dieser bewußt in eine lang anhaltende, von Voltaire beispielhaft vertretene Tradition einreihte — erzähltechnische und diskursive Elemente im Reportagestil festhält. Derselbe [637] untersucht die Modalitäten der polemischen Ausdrucksweise (Karikatur, Parodie, Satire) in Camus' journalistischem Stil. Von besonderer Bedeutung für die Dokumentation der Umstände, unter denen Camus' Journalisten-Karriere begann, ist, trotz ihrer Gedrängtheit, Pascal Pias [638] Schilderung des finanziell schwierigen Startes von *Alger Républicain* unter J. P. Faures Führung, seiner Einstellung Camus', der Probleme mit der Zensur und des Umzuges nach Paris. Im strikten Karrieresinn verdankt Camus Pia, der gern im Hintergrund bleibt, außerordentlich viel.

Auch wenn Liano Petroni [639] vorgibt, bloß den ersten Band der *Actuelles* zu besprechen, so muß sein gründlich informierter

---

[635] « La condition sociale en Algérie ». In: *RLM* 315—322 (1972), S. 11—33 [*AC 5*].

[636] « Combat pour la justice ». In: *Ibid.*, S. 35—81.

[637] « Variations du discours polémique ». In: *Ibid.*, S. 107—126.

[638] « D'*Alger Républicain* à *Combat* ». In: *Magazine Littéraire* 67—68 (septembre 1972), S. 28—31.

[639] « *Les Actuelles* di A. C. ». In: *RLMC* 1 (1950—51), S. 286 bis 311. Vgl. auch ders., « Osservazioni su alcune varianti del secondo dei *Discours de Suède* de C. ». In: *Studi in onore di C. Pellegrini*, Turin, 1963, S. 797—824, eine minutiöse Diskussion von zwei Versionen von « L'Artiste et son temps », deren erste einem am 26. November 1954 in Italien gehaltenen Vortrag entstammt und in den *Quaderni A. C. I*

Beitrag als eine mustergültige Bestandsaufnahme der moralischen, philosophischen, ästhetischen und politischen Entwicklungsphasen Camus' bis 1950 betrachtet werden. Als solche gehört sie zum Besten, was in italienischer Sprache geschrieben wurde. Es ist unmöglich, die Literatur über Camus' Äußerungen zu Zeitproblemen zu sichten, ohne die journalistische Polemik mit François Mauriac [640] über die Frage der Milde oder Härte gegenüber den Kollaborateuren zu erwähnen, in der jener diesem schließlich recht gab. Als Mauriac in seiner kritischen Beurteilung des Lärmes, der um den von Camus bewunderten Weltbürger Gary Davis gemacht wurde, diesen eine *anima naturaliter christiana* nannte und seine eigene politische Stellung umschrieb [641], antwortete der Chefredakteur des *Combat* mit einem sehr eindeutigen Ausdruck seiner Enttäuschung gegenüber politischen Institutionen (u. a. der UNO) und seiner Position im kalten Krieg.

Der Aufruf zur Abschaffung der Todesstrafe (« Réflexions sur la guillotine», 1957) verhallte in Frankreich praktisch ungehört. Die meisten Gegenargumente beriefen sich auf eine vage Gerechtigkeitsauffassung, die Thomas Molnar [642] gründlicher definierte. Er folgert, daß die Todesstrafe im Sinne einer unsentimentalen Justiz und vor allem aus Gründen der Mitverantwortung beibehalten werden sollte. Auf der Gegenseite sieht sich L. Losito [643] mit Camus' Abschaffungsvorschlag philosophisch einig.

16 (1955), S. 5—23 veröffentlicht wurde. Die zweite Version entspricht der am 14. Dezember 1957 in Upsala gehaltenen Vorlesung.

[640] Vgl. «Nous ne sommes pas d'accord avec M. François Mauriac ». In: *Essais*, S. 1531 und die Fortsetzung der Debatte S. 1535—1537, 1548—1550.

[641] « Lettre III à A. C. ». In: Ders., *Lettres ouvertes*, Monaco, Ed. du Rocher, 1952, S. 33—49. Dazu C.'s Antwort: « Réponse à un incrédule ». In: *Essais*, S. 1589—1594.

[642] "On C. and capital punishment". In: *ModA* 2 (Summer 1958), S. 298—306.

[643] « C. e la pena capitale ». In: Ders., *Panorama*, Bari, Culture Française, 1963, S. 23—29.

8. Literarische Essays (L'Envers et l'endroit, Noces, L'Eté)

Daß *L'Eté* (1945) nur eine relativ bescheidene Zahl an kritischen Kommentaren hervorbrachte, ist verständlich, wenn man den inhaltlichen wie formalen Neuigkeitsmangel dieses Essaybändchens in Betracht zieht, das vor allem als ästhetisierende Bilanz eines Mannes am Wendepunkt seiner Karriere Geltung besitzt. Überraschender ist die Absenz einer substantiellen Sekundärliteratur über die immer wieder als grundlegende Texte erwähnten *L'Envers et l'endroit* (1937) — von Camus selber als Durchbruchs- und thematisches Schlüsselwerk bezeichnet — und *Noces* (1938). Selbstverständlich enthalten die meisten allgemeinen Studien über Camus (vgl. Kap. 3) mehr als nur bloße Hinweise auf Camus' „Erstlinge", die sie nur im Sinne seriöser literarischer Veröffentlichungen sind. Die frühen literarischen Essays werden aber vornehmlich als ein thematischer Fundus geprüft, aus dem das Gesamtoeuvre direkt oder indirekt gespeist wird. Textimmanente und formorientierte Interpretationen gibt es, außer in bescheidenen Ansätzen, kaum. [644]

In ihrer langatmigen Arbeit über die „mediterranen" Essays Camus' kategorisiert Claudine Gothot [645] die äußerlichen (Naturüberschwang, Sonne, Meer, Sterne, Himmel, Berge, Ruinen, Zeit, Dinglichkeit), die innerlichen (Lebenshunger, Absurdität, Glück, Hellenismus, Maß als Ethik, Schönheit) sowie die dem Menschen zugeordneten und zugleich verbindenden Themen (Körper, Jugend, Unschuld, Stolz, Freiheit, Naturverbundenheit

---

[644] Da auf die Sichtung der vollkommen unübersichtlich gewordenen unveröffentlichten Sekundärliteratur (Examensschriften, Magisterthesen, Dissertationen usw.) verzichtet wurde, soll auch hier diesbezüglich keine Ausnahme gemacht werden. Der Umstand, daß 1958, anläßlich der von C. lange hinausgeschobenen Neuauflage der beiden Essays, die Hauptaufmerksamkeit den Äußerungen des neugekrönten Nobelpreisträgers galt, dürfte für die Dürftigkeit der Literatur über die beiden Jugendwerke mitverantwortlich sein.

[645] « Les essais méditerranéens de C. Etude de thèmes ». In: *MRom* 9 (1959), S. 59—74 u. 113—132.

und -abstand). Damit glaubt sie das psychologische Gerüst der Philosophie Camus' erfaßt zu haben.

Über *L'Eté* liegen einige kürzere Abhandlungen vor, die entweder den Übergangscharakter [646] dieser Anthologie oder deren „Aktualität" als psycho-biographische Fundgrube [647] hervorheben. Selbst eine thematische Studie von « L'Exil d'Hélène » erbringt außer zusammenfassenden Bemerkungen über Camus' Denkweise nicht eben viel. Eine sehr gewissenhafte, statistisch hervorragend dokumentierte Analyse der synthetischen Elemente in einer von Camus gesprochenen Bandaufnahme von « Retour à Tipasa » (veröffentlicht in *Terrasses, Nouvelle Revue Algérienne* 1 [juin 1953], S. 1—11) legt Pera Polovina [648] vor. Es erweist sich, daß sich diese Aufnahme vom Text in *L'Eté* leicht unterscheidet. Aufgrund ihres ausgedehnten Vergleiches der beiden Versionen folgert Polovina, daß Camus' Stil mehr und mehr zur Symmetrie neigt.

---

[646] So Siegfried Melchinger („A. C. und der Mittagsgedanke", in: *Antares* 2 [Dezember 1954], S. 87—90, der die Texte in *L'Eté* als Auftakt oder Erweiterungen zum *Homme révolté* darstellt und dabei kurz auf den Lichtsymbolismus, die Rückkehr zu den Quellen und die Schönheit als absurdes Phänomen eingeht.

[647] Etwa René Ménard, « Le secret et l'été ». In: *CS* 39 (août 1954), S. 282—290. Vgl. auch Pauline Newman-Gordon (« A. C. », in: dies., *Hélène de Sparte. La fortune du mythe en France*, Paris, Nouvelles Editions Debresse, 1968, S. 162—166). Ebenfalls zu wünschen übrig läßt M. Revols « L'Eté de C. » (in: *L'Esprit des Iettres* 4 [juillet—août 1955], S. 35—47), der zwar kurz auf Themen- und Strukturzusammenhänge eingeht, um einmal mehr die Einheit von Kunst und Philosophie bei C. nachzuweisen, leider aber mit der banalen Feststellung endet, C.' Ablehnung der Hoffnung sei mit seinem Glücksbedürfnis zu verbinden.

[648] « Un texte inédit de C. ». In: *Anali Filoloskog fakulteta* [*Annales de la Faculté de philologie*, Belgrade] 3 (1963), S. 49—84. Leider enthält der serbische Text nur eine französische Kurzfassung.

9. Camus' Beziehungen zur Literatur und zu Zeitgenossen (einschließlich seiner Tagebücher)

a) Griechisch-römische „Quellen"

Den bisher gründlichsten Einblick in die von Camus selber als richtungsweisend dargestellten hellenistischen Quellen liefern Paul Archambaults [649] mustergültig konzipierte und durchgeführte Textgegenüberstellungen. Er weist endgültig nach, wie Camus sich sozusagen systematisch an die Sekundärliteratur hält, deren zum Teil verzerrte oder veraltete Ansichten er oft unkritisch übernimmt und, was schlimmer ist, auch später nicht einer Revision unterzieht. Der lose Quellengebrauch und -mißbrauch ist vor allem in seiner Examensschrift ersichtlich (vgl. Anm. 601, 604—606), wo er ein auffallend einseitiges, aus der Sekundärliteratur stammendes Augustinus-Bild ein für allemal fixiert. Die ebenfalls indirekt erworbenen Kenntnisse der Gnosis verwertet er auf seine Art im *Caligula* — ein Privileg, möchte man hinzufügen, das ihm nicht als Religionsphilosoph, als Dramatiker aber durchaus zusteht. Auch wenn er im *Homme révolté* sein Quellenmaterial mit größerer Reife sichtet als im *Mythe de Sisyphe*, so resultiert trotzdem ein romantisch verbrämtes Bild der Griechen. Seine bloß angelesenen Kenntnisse des Christentums brachten ihn dazu, philosophische, theologische und historische Ungenauigkeiten mit allzu großer Unbekümmertheit den künstlerischen Interessen zu opfern. Man wird ebenfalls mit Nutzen R. A.

[649] *C.'s Hellenic Sources*, Chapel Hill, North Carolina University Press, 1972, 193 S. Vgl. auch ders., « Augustin et C. ». In: *Recherches augustiniennes* 6 (1969), S. 193—221. Ergänzend dazu Peter Dunwoodie, « Les lectures d'A. C. avant la guerre ». In: *RLM* 419—424 (1975), S. 103—107 [*AC* 7]; Hans Ludwig Scheel, „Zur Bedeutung der griechischen Mythologie bei A. C.". In: K. Heitmann u. E. Schroeder [Hrsg.], *Renatae Literae. Studien zum Nachleben der Antike u. zur europ. Renaissance. August Buck zum 60. Geburtstag*, Frankfurt/M., Athenäum Verl., 1973, S. 299—317.

Swansons [650] Essay über den Einfluß von Pindars Indifferenz, Sinnlosigkeitsbegriff und Streben nach höchster Lebensvollendung auf Valéry und Camus lesen. Rieux wird mit dem Chiron der III. Pythischen Elegien verglichen, *La Mort heureuse* und *L'Etranger* reflektieren Pindars existentielle Lebenshaltung: Fülle und Erfüllung stehen in direktem Verhältnis zum Ausmaß der für sie erbrachten Bemühungen. In einem kürzeren Artikel befaßt sich Louis Rouche [651] vorwiegend mit dem christianisierten Lukrez-Bild, das sich aus Camus' Lektüre des lateinischen Philosophen ergibt (vgl. auch Anm. 561 und 599).

b) Französische Autoren

Die Präsenz Pascals in den Themen der *grandeur et misère*, Einsamkeit und des Todes weist Roger Quilliot [652] nach, der aber mit Recht darauf aufmerksam macht, daß es oft nicht möglich ist festzustellen, ob Camus sich an den Autor der *Pensées* anlehnt oder ob er dessen durch Kierkegaard, Nietzsche, Gide u. a. m. überliefertes Gedankengut einfach übernimmt. Es besteht hingegen kein Zweifel, daß Camus' irrational fundiertes Streben nach Klarsichtigkeit und seine immer wiederkehrenden Variationen über das Thema des zum Tode verurteilten Menschen der pascalschen Tradition angehören. Einen sehr ausgewogenen Vergleich zwischen Voltaire und Camus, dessen *récits* ja oft als eine Spätform der *contes philosophiques* des 18. Jahrhunderts betrachtet werden, stammt von Haydn T. Mason [653]. Einigen romantischen Affinitäten zwischen Camus und Senancour widmet

[650] « Valéry, C. and Pindar ». In: *Mosaic* 1 (July 1968), S. 5—17.

[651] « Sur la lecture de Lucrèce par C. ». In: *Synthèses* 27 (mars bis avril 1972), S. 75—80.

[652] « Un exemple d'influence pascalienne au XXe siècle: l'oeuvre d'A. C. ». In: Th. Goyet [Hrsg.], *Les PENSEES de Pascal ont trois cents ans*, Clermont-Ferrand, Bussac, 1971, S. 119—133.

[653] « Voltaire and C. ». In: *RR* 59 (October 1968), S. 198—212. Vgl. auch Anm. 77 und die Notiz von Pierre Desgraupes, « Chamfort

Danielle Vieville-Carbonel [654] einen Beitrag, der sich vor allem auf ein leicht abgeändertes Unamuno-Zitat, auf die parallele Prometheus-Interpretation, das von beiden Autoren bearbeitete Thema der Ertrinkenden als Grund für den Rückzug von der Gesellschaft und das für sie typische Gefühl, Opfer der Geschichte zu sein, stützt. Stendhal und Camus sind zahlreiche Arbeiten gewidmet worden, von denen die meisten im Rahmen der Literatur über Einzelwerke (vgl. z. B. Anm. 174—176) erwähnt wurden. Die Parallelstudie von Laurence Lesage [655] enthält nichts, was in späteren Untersuchungen nicht gründlicher behandelt wurde, jene von Albert Maquet [656] bietet einen etwas impressionistisch gestalteten Überblick über einige Eigenschaften (Schreiben bis zur Erschöpfung als Lebensstil, Aufbau des Gesamtwerkes aufgrund weniger Schlüsselbegriffe und -themen, Kunst als Korrektiv der Realität), die beide Schriftsteller eignen. Der romantische Grundzug in Camus' Denkweise ist früh erkannt und oft wiederholt worden. Studien, die ihn mit einzelnen Romantikern vergleichen, liegen von Arcade M. Monette (Lamartine), Charles G. Hill, Maurice Weiler, Pierre-Georges Castex (Vigny) und Marie Naudin (Hugo) [657] vor. Monette gibt einen unsystematisch zusammengestellten Zitat-Katalog, mit dem er vorwiegend Ca-

et M. C. ». (in: *Arche* 2 [août 1945], S. 131—132) über die wahlverwandtschaftlichen Beziehungen der beiden Autoren.

[654] « Senacour et C. ou les affinités de l'inquiétude ». In: *RStt* 34 octobre—décembre 1969), S. 609—615.

[655] "A. C. and Stendhal". In: *FR* 23 (May 1950), S. 474—477.

[656] « Stendhal et C. ». In: V. del Litto [Hrsg.], *Communications présentées au Congrès stendhalien de Civitavecchia*, Paris, Didier, S. 333—340.

[657] Arcade M. Monette, « De Lamartine à C. ». In: *RUL* 16 (november 1961), S. 199—204; Charles G. Hill, "C. and Vigny", in: *PMLA* 72 (March 1962), S. 156—167; Maurice Weiler, « A. de Vigny et A. C. », in: *RdP* 71 (août—septembre 1964), S. 58—62; Pierre-Georges Castex, « C. et Vigny », in: *IL* 17 (septembre—octobre 1965), S. 145—151; Marie Naudin, « Hugo et C. face à la peine capitale ». in: *RHLF* 72 (mars—avril 1972), S. 264—273. Jüngst erschienen: F.

mus' Bekehrungstendenzen belegen möchte. Die Parallelstudie Hills untersucht die moralischen, sozialen und intellektuellen Hintergründe der Wahlverwandtschaft zwischen Camus und Vigny, die sich vor allem in der Auffassung der Kunst als transzendierende und heilende Kraft nahekommen. Wie Vigny versteht es Camus, seiner inneren Zerrissenheit als formalen Gegenpol die klassische Antike gegenüberzustellen. Weiler konfrontiert Ähnlichkeiten und Unterschiede, die sich vor allem auf die Lebens- und Todesauffassung der beiden Dichter beziehen. Castex prüft die Anspielungen auf Vigny in Camus' Werk und kritisiert dessen verwässerte Auffassung des *dandysme* und Byronismus, die er in seinem recht undifferenzierten Vigny-Bild bis zur Unkenntlichkeit verzerrt. Die Beziehungen zwischen Camus und Vigny sind nicht literarhistorischer Natur, sondern in ihrer ähnlichen Mythenbearbeitung, Wertauffassung und Lebenserfahrung begründet. Marie Naudins Arbeit ergänzt jene von Marianne C. Forde (Anm. 177) insofern, als sie für den Vergleich zwischen *L'Etranger* und *Le dernier jour du condamné* die *Carnets* herbeizieht und zum Schluß kommt, Camus müsse Hugos Roman vor 1938 gelesen haben. Er soll dabei im *condamné* den Prototyp des *homo absurdus* gefunden haben.

Die meisten vergleichenden Studien innerhalb der französischen Literatur befassen sich erwartungsgemäß mit Autoren des 20. Jahrhunderts. Charakterzüge, Ambitionen, Intuitionsabhängigkeit und die Betonung der Verflechtung der sozialen und physischen Not sind, so Yves Rey-Herme [658], Camus und Péguy

Bartfeld, *C. et Hugo. Essai de lectures comparées*, Paris, Minard, *Archives des Lettres Modernes* no. 156, 1975, 37 S.

[658] « Péguy et C. ». In: *FMonde* 35 (juillet—août 1965), S. 21—24. Dazu auch Jacques Hardré, « Charles Péguy et A. C.: esquisse d'un parallèle ». In: *FR* 40 (February 1967), S. 471—484. Einen allgemeinen Überblick über C.' Stellung innerhalb der französischen Gegenwartsliteratur gibt Henri Peyre, "A. C.: moralist and novelist". In: Ders., *French Novelists of Today*, New York, Oxford Univ. Press, 1967, S. 308—336.

gemeinsam. Die thematische Untersuchung Louis Truffauts [659] befaßt sich mit symbolischen Funktionen der aufsteigenden und meridianen Sonne bei Valéry, Claudel und Camus: Claudels Sonnen- und Nachtsymbole führen zu einer gewollten christlichen Deutung, wohingegen Valéry und Camus sich ausdrücklich auf den heidnischen Sinn der Lichtsymbolik und -mythologie berufen. Meursault ist der Held einer Sonnentragödie, in welcher das blendende Licht die negativen Kräfte der Notwendigkeit darstellt.

Als symptomatische Beispiele des in der Gegenwartsliteratur vorherrschenden Konfessionsdranges vergleicht Peter M. Axthelm [670] L'Immoraliste, La Chute und La Nausée, in denen er die auf Dostojewski zurückgehende privilegierte Stellung des Doppelgängers und seiner erzähltechnischen Funktionen hervorhebt. In einer programmatischen Arbeit kommentiert der Verf. [661] die persönlichen und literarischen Kontakte zwischen Gide und Camus. Von zweifelhaftem Wert ist Lionel Cohens [662] Vergleich zwischen Roger Martin du Gards und Camus' „humanistischem" Engagement. Die beiden Essays über die Affinitäten zwischen Bernanos und Camus [663] konzentrieren sich auf deren unterschiedliche Revolteauffassung, die auf eine ähnlich bedingte Reaktion gegen die unerträgliche *conditio humana* zurückgeht. Der

[659] « La thématique du soleil chez Valéry, Claudel et C. ». In: *NS* 5 (Mai 1969), S. 239—258.

[660] "A disintegrated world: Gide, Sartre, and C.". In: Ders., *The Modern Confessional Novel*, New Haven, Yale University Press, 1967, S. 54—96.

[661] « André Gide et A. C.: rencontres ». In: *ELit* 2 (1969), S. 335 bis 346. Henri Hells Kurzartikel (« Gide et C. », in: *TR* 146 [février 1960], S. 22—25) enthält bloß allgemeine Feststellungen über Ähnlichkeiten zwischen den beiden Dichtern.

[662] « Une lignée humaniste au vingtième siècle: Roger Martin du Gard et A. C. ». In: *Hebrew-Studies* 2 (Autumn 1972), S. 159—182.

[663] J. Monférier, « L'impossible dialogue. Remarques sur le thème de la lucidité chez Bernanos et C. ». In: *RSH* 119 (juillet—septembre 1965), S. 403—414; Yvonne Guers-Villate, "Revolt and submission in C. and Bernanos". In: *Renascence* 24 (1972), S. 189—197.

sich aufdrängende Vergleich zwischen Camus und Simone Weil — deren *Enracinement* Camus als Lektor bei Gallimard 1949 herausgab — wurde zuerst von Marie-Madeleine Davy [664] unternommen, die sich leider auf die Aufzählung der wenigen Ähnlichkeiten und zahlreichen Unterschiede beschränkt. Ergiebiger ist Jacques Cabots [665] fundierter Überblick über die persönlichen und intellektuellen Beziehungen, die thematischen und philosophischen Affinitäten der beiden mystisch veranlagten Geister. Cabot meint, Weils Doktrin der Unpersönlichkeit der menschlichen Person habe bei der Konstituierung von Camus' überpersönlichem Wertschema (Gerechtigkeit, Solidarität usw.) mitgewirkt. Von beispielhafter Stringenz sind die tiefschürfenden Differenzierungen, die Heinrich Balz [666] in bezug auf die Engagement-Auffassung bei Aragon, Malraux und Camus vorschlägt. Camus' Betonung seines Künstlertums läßt ihn mehr als Zeugen denn als politisch Engagierten seiner Zeit erscheinen. Für H. G. Whiteman [667] ist Camus im Vergleich zu Francis Ponge ein Schriftsteller, dessen kreative Qualitäten begrenzt sind. Der Gedankenaustausch zwischen dem Dichter der *Proêmes* und Autor des *Mythe de Sisyphe* (vgl. Anm. 508) zeigt, daß beide Künstler nach einem Umsturz der romantischen Orthodoxie trachteten. Camus rang lieber um umfassende Gedanken- und Gefühlsstrukturen als um begriffliche Klarheit, womit er in eine semantische

[664] « C. et Simone Weil ». In: *TR* 146 (février 1946), S. 375—392.

[665] « A. C. et Simone Weil ». In: *KRQ* 21 (1974), S. 383—394.

[666] „A. C.: Literatur und die Leidenschaft der Zeitgenossen". In: Ders., *Aragon—Malraux—C. Korrektur am literarischen Engagement*, Stuttgart, Kohlhammer, 1970, S. 114—147. Zur Frage der von C. und Malraux ähnlich aufgefaßten *condition humaine* vgl. Geoffrey H. Hartmann, "C. and Malraux: the common ground" (in: *YFS* 25 [Spring 1960], S. 104—110). Die Gestaltungsweisen eines ähnlichen Themas in *La Condition humaine* und *La Peste* behandelt Roy J. Nelson, "Malraux and C.: the myth of the beleaguered city". In: *KFLQ* 13 (1966), S. 86—94.

[667] "A. C. and Francis Ponge". In: *Nonplus* 3 (Summer 1960), S. 46—55.

Zwangslage geriet, aus der er sich nicht zu befreien vermochte. Über die Beziehungen zwischen Artaud und Camus findet man zahlreiche Andeutungen in der Literatur zum Theater. Artaud selber schrieb Camus im Zustand geistiger Umnachtung einen nie versandten „Brief" [668], der sich wie ein Prosagedicht liest, in dem der visionäre Kranke seiner Besessenheit ob der Opposition zwischen Genie und Masse Ausdruck gibt. Man wird sich über Artauds möglichen Einfluß auf die Gestaltung von *Révolte dans les Asturies* und anderer Werke bei Alan J. Clayton [669] informieren können. Ders., untersucht auch die literarische Verwandtschaft Camus' und Gionos [670], die auf dessen in *Les Vraies Richesses* (1936) entwickeltes Konzept der geistigen Osmose zurückgeht. Gionos Titel wurde von der jungen „mediterranen" Literatengruppe und deren Herausgeber Charlot als Gütezeichen übernommen. Den Begriff des Absurden und seine epistemologische Funktion bei Teilhard de Chardin und Camus analysiert Lionel Cohen [671]. Sinnlosigkeit führt zu einer Absurditätsauffassung, die im Gegensatz zwischen Innen- und Außenwelt begründet ist und auf der ontologischen Stufe zur Identifikation mit dem Universum führt, die von Teilhard religiös, von Camus irdisch verstanden wird. Maurice Friedman [672] konfrontiert den *homo absurdus* des frühen Camus, der vor allem durch Humanitätsmangel und fatale Selbstbezogenheit gekennzeichnet ist (Sisyphus, Martha, Caligula, Meursault) mit Becketts ersten Unter-

[668] « Lettre à A. C. ». In: *NRF* 8 (mai 1960), S. 1012—1020.

[669] « Note sur Artaud et C. ». In: *RLM* 212—216 (1969), S. 105 bis 110 [*AC* 2].

[670] « Sur une filiation littéraire. Giono et C. ». In: *RLM* 264—270 (1971), S. 87—96 [*AC* 4].

[671] «La conception de l'intériorité chez C. et chez Teilhard de Chardin ». In: *Etudes françaises de Bar-Ilan* 1 (juillet 1973), S. 13—23. Vgl. auch ders., « La signification d'AUTRUI chez Kafka et C. ». In: *AC* 9, 1977.

[672] "Samuel Beckett and the early C.". In: Ders., *Two Deny Our Nothingness. Contemporary Images of Man*, London, Gollancz, 1967; New York, Delacorte Press, 1967, S. 309—334.

menschen. Weniger impressionistisch geht Ben Stoltzfus [673] vor, wenn er im *Etranger* und *Voyeur* eine beide Protagonisten dieser Romane dominierende Dinglichkeit feststellt. Robbe-Grillets Kritik am Anthropomorphismus Camus' in « Nature, humanisme et tragédie » (vgl. Anm. 95) wird im *Voyeur* gleichsam auf der Fiktionsstufe weitergeführt: Mathias' Mord besitzt im Gegensatz zu Meursaults keine metaphysische Dimension.

Aus begreiflichen Gründen befaßt sich innerhalb des französischen Literaturbezirkes die Mehrzahl der Studien mit Camus' Verhältnis zu Sartre, wovon einige bereits im Kapitel über die Revolte (vgl. u. a. Anm. 552—555) erwähnt wurden. Eine umfassendere Bearbeitung erhält das Thema in vier Büchern, die alle innerhalb der letzten acht Jahre erschienen sind. Den Anfang machte Leo Pollmann [674], der die wichtigsten Werke Camus' und Sartres z. T. eingehend interpretiert — so z. B. in einer soliden Strukturanalyse des *Etranger* — einen über die bloße Parallelisierung hinausgehenden Vergleich hingegen vermissen läßt. Germaine Brée [675] füllt diese Lücke, indem sie sich vorwiegend dem immer mehr in Konflikt geratenden Konzeption des literarischen Engagements der beiden Autoren widmet. Bemerkenswert sind vor allem ihre Ausführungen über die Wechselwirkungen ethischer und ästhetischer Elemente, über Sartres zwanghafte Selbstanalyse und Camus' oft naive Versuche, die politische Gewaltanwendung mit künstlerischen Mitteln in gute Bahnen zu lenken. Robert Champigny [676] bleibt konsequent auf der Ebene der Konzeptkritik, in der er den Hang zum intellektuellen Totalitarismus bei Sartre und zur Theatralität (d. h. zur rhetorischen Effekthascherei) bei Camus hinweist. Beide Schriftsteller kran-

---

[673] « C. et Robbe-Grillet: la connivence tragique de *L'Etranger* et du *Voyeur* ». In: *RLM* 94—99 (1964), S. 153—166.

[674] *Sartre und C. Literatur und Existenz*, Stuttgart, Kohlhammer, 1967 1971, 224 S.

[675] *C. und Sartre. Crisis and Commitment*, New York, Dell, 1972, 287 S.

[676] *Humanisme et racisme humain*, Paris, Ed. de Saint-Germain-des-Prés, 1972, 132 S.

ken am „menschlichen Rassismus", da sie nur die Leidensgeschichte des *homo sapiens* im Auge haben und darob die Tierwelt vergessen. Ihr Humanismus ist posenhaft und exklusiv. Die von Merleau-Ponty postulierte und von Sartre ratifizierte « *violence progressive* » (vgl. Anm. 625) veranlaßt Eric Werner [677], das Verhalten der beiden Dichterphilosophen gegenüber der Gewaltanwendung zu vergleichen. Er glaubt in Spinoza einen Vorfahren von Camus' Quantitätsethik erkannt zu haben und meint, Sartres dogmatisch zukunftsorientierter Historismus führe unweigerlich zum geistigen und politischen Despotismus, wohingegen Camus in der Vergangenheit nicht etwas Totes, sondern etwas in der Gegenwart Wiedergutzumachendes erblickt. Dazu meint Serge Doubrovsky [678], Camus' Philosophie sei gegenwartsbezogen, eine Art Bergsonismus ohne Teleologie, Sartres Vergangenheitsperspektive ein Cartesianismus ohne Gott. Das bei beiden Schriftstellern oft abgewandelte Thema der Gefangenschaft enthält alle Elemente eines modernen platonischen Höhlengleichnisses, das allerdings auf die „reale" Welt der Ideen verzichtet. Paradoxon, Gegensatz, Widerspruch usw. sind polare und zugleich pathetische Elemente, die Ch. Schlötke-Schröer [679]

[677] *De la violence au totalitarisme. Essai sur la pensée de C. et de Sartre*, Paris, Calman—Lévy, 1972, S. 261 S. Dazu auch Friedrich von Krosigk, „Der Bruch mit C. und Merleau—Ponty". In: Ders., *Philosophie und politische Aktion bei J.-P. Sartre*, München, Beck, 1969, S. 117—133.

[678] "Sartre and C.: a study in incarceration". In: *YFS* 25 (Spring 1960), S. 85—92.

[679] „Pathetische Grundzüge im literarisch philosophischen Werk von Sartre und C.". In: *ZFSL* 3 (April 1963), S. 17—50. Vgl. auch Pierre de Boisdeffre, « La fin d'une amitié: Sartre contre C. ». In: *Revue libre* 3 (décembre 1952), S. 51—57 sowie in: ders., *Des vivants et des morts. Témoignages 1948—1953*, Paris, Editions Unversitaires, 1954, S. 249—259; Jacques Carat, « La rupture C.—Sartre ». In: *Preuves* 4 (octobre 1952), S. 53—56; Nicola Chiaromonte, "Sartre versus C.: a political quarrel", in: *PR* 19 (November—Dezember 1952), S. 680 bis 686 sowie in G. Brée [Hrsg.], *C. A Collection of Critical Essays*, Englewood Cliffs, Prentice-Hall, 1962, S. 31—37; Christian E. Lewalter,

bei Camus und Sartre bespricht. So bildet z. B. das Absurde ein von Pathos durchdrungenes Lebensfaktum, das sowohl eine rationale wie auch eine irrationale Komponente besitzt. Das Spannungsgefüge der Gegensätze führt schließlich zur Revolte und zum Freiheitsbewußtsein. In der *Peste* gelingt die Transzendierung des Pathos zum vitalistischen Ideal am besten. Wie viele anderen Arbeiten dieser Art, ist auch Schlötke-Schröers weniger eine vergleichende als eine Parallelstudie.

"Sartre contra C.", in: *Merkur* 6 (Dezember 1952), S. 1174—1176; Robert Perroud, « Ultime notizie esistenzialiste: la rottura tra Sartre e C. », in: *VeP* (November 1952), S. 641—642 sowie in: ders., *Da Mauriac a gli esistenzialisti*, Mailand, Vita e Pensiero, 1955, S. 217—221; P.-H. Simon, « Sartre et C. devant l'histoire », in: *Terre humaine* 23 (november 1952), S. 9—20; Gonzague Truc, « La querelle Sartre—C. », in: *Hommes et Mondes* 8 (novembre 1952), S. 370—375; André Blanchet, « La querelle Sartre—C. », in: *Etudes* 85 (octobre—décembre 1952), S. 238—246 sowie in: ders., *La Littérature et le spirituel*, Paris, Aubier—Montaigne, 1959, S. 267—279; deutsche Fassung in: *Dokumente* 9 (1953), S. 65—74; Olivier Todd, "The French reviews", in: *TC* 153 (January 1953), S. 36—40; P.-H. Simon, « Le dialogue de Sartre et de C. », in: ders., *L'Esprit et l'histoire. Essai sur la conscience historique dans la littérature du vingtième siècle*, Paris, A. Colin, 1954, S. 193—208; Jacques Ehrmann, "C. and the existential adventure", in: *YFS* 25 (Spring 1960), S. 93—97; Robert Greer Cohn, "Sartre—C. resartus", in: *YFS* 30 (Fall-Winter 1962—63), S. 73—77; Bernard Murchland, "Sartre and C.: the anatomy of a quarrel", in: M. A. Burnier, *Choice of Action. The French Existentialists of the Political Front Line*, New York, Random House, 1968, S. 175—196; John C. Cruickshank, "Revolt and revolution. C. and Sartre", in: ders., [Hrsg.], *French Literature and Its Background*, London, Oxford University Press, 1970, Bd. 6, S. 226—243; Renato Barilli, « Sartre et C. jugés dans le Journal [de Witold Gombrowicz] », in: C. Jelenske u. D. Roux, *Gombrowicz*, Paris, L'Herne, 1971, S. 290—299; Hans Mayer, „Sartre und C.", in: ders., *Anmerkungen zu Sartre*, Pfullingen, Neske, 1972, S. 53 bis 58; Livio Dobrez, "Beckett, Sartre and C.: the darkness and the light", in: *SoRA* 7 (1974), S. 51—63.

c) Italienische Autoren

Auch hier kann auf die bereits angeführten komparatistischen Arbeiten über Einzelwerke verwiesen werden (*Etranger*, Anm. 173, 185; *Peste*, Anm. 228, 229; *Chute*, Anm. 270, 283, usw.). Der von Beatriz Guido [680] unternommene Vergleich zwischen Camus und dem von ihm hochgeschätzten Moravia verfängt sich im Netz oberflächlicher Ähnlichkeiten und mündet in den unnötigen Nachweis der Befreiung Camus' vom „dominierenden" Einfluß Sartres. Die Verwandtschaft zwischen Camus und Seneca ist für Ruggero M. Ruggieri [681] dadurch erwiesen, daß beide Autoren Stücke schreiben, die mehr literarisch als bühnengerecht sind. Aufgrund von Zitaten aus *Caligula, Le Malentendu* und *Ecerinis* (eine von Mussato in der Seneca-Tradition gestaltete Tragödie) hält Ruggieri den Widerstand, die Absenz, das Schweigen und den Tod als verbindende Themen fest, mit denen beide Dramatiker in barockem Wortschwall das Leben als Schule des Sterbens darstellen.

d) Angelsächsische Autoren

Nachdem Camus und Sartre (Anm. 153) nachhaltig auf die Bedeutung des « *roman américain* » — den es als solchen natürlich nicht gibt, Sartre hat vor allem behavioristische Tendenzen im Auge, wenn er den Ausdruck braucht — bei der Gestaltung des *Etranger* hingewiesen hatten, befaßten sich mehrere Kritiker mit dieser komparatistischen Frage (für den *Etranger* vgl. Anm. 186—190). Harry R. Garvin [682] unterstreicht die gallische Ambi-

---

[680] „A. C.". In: Dies., *Los dos Albertos en la novela contemporánea*, Rosario, Confluencia, 1950, S. 3—53.

[681] « Un senechiano e un senechiano 'malgré lui': Albertino Mussato e A. C. ». In: *Giornale italiano de filologia* 3 (Juli 1972), S. 412—426. Nicht mehr erfaßt werden konnte Norbert Jonard, « Leopardi et C. » In: *RLC* 48 (1974), S. 233—247.

[682] "C. and the American novel". In: *CL* 8 (Summer 1956), S. 194—204.

valenz gegenüber Hemingway, Faulkner und Dos Passos, ist aber nicht in der Lage, tiefere Einblicke in die Entlehnungsproblematik zu gewähren. Philip Thody [683] weist denn auch Garvins Feststellung, *La Peste* sei ein dem *Etranger* unterlegenes, ebenfalls vom amerikanischen Roman beeinflußtes Werk, entschieden ab und zeigt, daß Camus' Verhältnis zu den amerikanischen Autoren ein kritisches war. Ergänzend dazu prüft Richard Lehan [684] die Ähnlichkeiten zwischen Camus und Hemingway auf der stilistischen und thematischen, zwischen jenem und Faulkner auf der philosophischen (Absurditätsauffassung) Stufe. Er geht ebenfalls kurz auf die Beziehungen zu Bowles and Bellow ein.

Sternes Humor in *Tristram Shandy* und *A Sentimental Journey* kann, so Ernest H. Lockridge [685], im Kontext des *Mythe de Sisyphe* gelesen werden, weil bei beiden Dichtern die Denkstrukturen durch polare Begriffspaare und kreisförmige Gedankenabläufe bestimmt werden. Leon S. Roudiez [686] (vgl. Anm. 188) ist der Ansicht, Camus habe *Moby Dick* nicht vor 1941 gelesen. Er bespricht sodann Melvilles Einfluß auf *La Peste* und mögliche Beziehungen zwischen Ahab und Caligula. Weniger überzeugend ist Justin O'Briens [687] Hypothese, Conrads *The Secret Sharer* könne als Quelle des « Hôte » und der *Chute* in Betracht gezogen werden. In seiner auf Personenvergleiche fußenden Parallelstudie bestätigt C. N. Stavrou [688] die generelle Ähnlichkeit der Welt-

---

[683] "A note on C. and the American novel". In: *CL* 9 (Summer 1957), S. 243—249.

[684] "C.'s American affinities". In: *Symposium* 13 (Fall 1959), S. 255—270.

[685] "A vision of the sentimental absurd: Sterne and C.". In: *SR* 72 (Autumn 1964), S. 652—667.

[686] "C. and Moby-Dick". In: *Symposium* 15 (Spring 1961), S. 30 bis 40. Vgl. auch Harry Tucker, "A glance at whiteness in Melville and C.". In: *PMLA* 80 (December 1965), S. 605.

[687] "C and Conrad: an hypothesis". In: *RR* 58 (October 1967), S. 196—199.

[688] "Conrad, C. and Sisyphus". In: *Audience* 7 (Winter 1960), S. 80—96. Dazu auch Anm. 520.

anschauungen Camus' und Conrads. Margaret Walters [689] stellt
das Problem der verzerrenden Simplifikation in der allegorischen
Erzählweise, deren ästhetischer Nachteil (unglaubhafte dramatische Integrität) sich sowohl in der *Peste* als auch in Goldings
Lord of the Flies zeigt. Im flüchtigen Priester (*The Power of the
Glory*) und in Arthur Rowe (*The Ministry of Fear*) erblickt
Henry A. Grubbs [690] *"outsider"* im Sinne Camus'. Vorsichtiger-
weise spricht Grubbs nur von Analogie im Falle des *Etranger,*
glaubt aber einen Einfluß von Graham Greenes beiden Romanen
auf *La Peste* feststellen zu können. Richard Lehan [691] präzisiert
den Einfluß Hemingways auf Camus, der sich nicht sosehr in
ihrer Philosophie der rauhen Wirklichkeit, sondern in deren
Dramatisierung durch einen primitiv sensualistischen Antihelden
manifestiert. Beide Autoren wenden zudem ähnliche Mittel an,
um die logischen Strukturen ihrer Romanwelt zu tarnen. Das
methodologische Problem der Affinitäts- und Einfluß-Studien
stellt Owen Miller [692], der die Schwierigkeit des Nachweises von
Entlehnungen bei dem Camus nur oberflächlich bekannten Hemingway hervorhebt. Eine sehr detaillierte Untersuchung über
die symbolische Funktion der Landschaftsbilder bei Camus und
Faulkner legt Kay Killingsworth [693] aufgrund einer von Bache-
lard inspirierten Methodik vor.

[689] "Two fabulists: Golding and C.". In: *Melbourne Critical Review* 4 (1961), S. 18—29.
[690] "A. C. and Graham Greene". In: *MLQ* 10 (March 1949), S.
33—42. Dazu auch Gustav Herling, der allgemein Greenes katholischen
Heiligkeitsbegriff Camus' *sainteté laïque* gegenübersetzt und die letztere als aktiven Fatalismus bezeichnet: "Two sanctities: Greene and
C.". In: *Adam International Review* 17 (December 1949), S. 10—19.
[691] "C. and Hemingway". In: *ConL* 1 (Spring-Summer 1960), S.
37—48.
[692] « C. et Hemingway. Pour une évaluation méthodologique ». In:
RLM 264—270. (1961), S. 9—42 [*AC 4*].
[693] « Au-delà du déchirement. L'héritage méridional dans l'oeuvre
de W. Faulkner et d'A. C. ». In: *Esprit* 320 (septembre 1963), S. 209 bis
234. Vgl. auch den Kurzaufsatz von Allen J. Koppenhaver, *"The Fall*

e) Deutsche Autoren

Die dem *Homme révolté* und *L'Eté* vorangestellten Hölder-lin-Zitate veranlaßten Alexander J. Süsskind [694], Camus' Verhältnis zum deutschen Dichter peinlich genau zu untersuchen. Es scheint, daß jener Hölderlin auf dem Umweg über Nietzsche kennenlernte und sich von dessen artverwandter Begeisterung für die mediterrane Transparenz angezogen fühlte. Affinitäten bestehen zwischen Meursault und Empedokles sowie Caligula und Hyperion, deren noble Verachtung und Indifferenz ähnlich motiviert sind. Obwohl sich mehrere Kritiker mit dem Camus-Nietzsche-Verhältnis befaßt haben, ist die gründlich informierte Quellenarbeit darüber bis heute noch nicht geschrieben worden. Ansätze dazu finden sich etwa in F. C. St. Aubyns [695] Aufsatz, der frühere Arbeiten zum Thema zusammenfaßt und Echos von *Also sprach Zarathustra* in *L'Etranger* zu erkennen glaubt, die im ersten Teil andeutungsweise, im zweiten explizit vorhanden sind. Horst Hina [696] geht vor allem den Verzerrungen des Nietz-sche- und Marx-Bildes durch Camus nach und weist darauf hin, daß dieser sich im *Homme révolté* widerspricht, wenn er Nietz-

and after: C. and Arthur Miller". In: *MD* 9 (September 1966), S. 206—209. Erörtert werden auffallende Parallelen zwischen Millers *After the Fall* und *La Chute*. Vgl. auch Paul Hübners Analogien zwischen *L'Etat de siège*, *Der Schwierige* und *A Delicate Balance*: „Prekäre Gleichgewichte: Albee, Hofmannsthal und C.". In: *Wirkendes Wort* 19 (Januar—Februar 1969), S. 28—34.

[694] « Hölderlin et C. ». In: *RLC* 4 (octobre—décembre 1969), S. 489—504.

[695] "A note on Nietzsche and C.". In: *CL* 20 (Spring 1968), S. 110—115.

[696] [C., Nietzsche und Marx]. In: Ders., *Nietzsche und Marx bei Malraux*. Mit einem Ausblick auf Drieu La Rochelle und C., Tübingen, Niemeyer, 1970, S. 187—207. Dazu auch Anm. 562. Nicht mehr erfaßt werden konnte George F. Sefler, "The existential vs. the absurd: the aesthetics of Nietzsche and C." In: *JAAC* 32 (1974), S. 415 bis 421.

sche gleichzeitig als Vorläufer und Gegner von Marx darstellt.
Weitaus die meisten Studien sind dem Verhältnis von Camus
und Kafka gewidmet. Unter denen, die sich nicht ausdrücklich
auf ein Einzelwerk beschränken (*Etranger*, vgl. Anm. 171, usw.),
befindet sich ein Kap. von Maja Goths [697] Dissertation über das
Kafka-Bild in Frankreich. Von einem Vergleich zwischen Ro-
quentin, Meursault und Joseph K. ausgehend, untersucht sie
Camus' Kafka-Interpretation und Ähnlichkeiten in der Absurditätsauffassung der beiden Dichter. Sie weist dabei Camus'
Kritik an Kafkas „Sprung", d. h. Verrat zurück. Der erstere versuchte, das Absurde zu überwinden, der letztere ist darob gestor-
ben. Gemäß Robert D. Spector [698] ist es das mythisierte Wieder-
holungsprinzip, das bei beiden Dichtern als einheitsstiftendes
Element in ihren Romanen wirkt, in denen sie konsequent die
Grenzen zwischen dem Lyrischen und Epischen verwischen.
L'Etranger, *La Peste* und *La Chute* werden von Heinz Polit-
zer [699] als Parabeln unserer Zeit gelesen, die sich alle durch einen
mysteriösen Beginn auszeichnen und, jede in ihrer Weise, unter
dem überragenden Einfluß von Kafkas *Urteil* zu stehen scheinen.
Brillant, wenn auch übermäßig gedrängt, ist John Darzins [700]
Essay über die Transparenz bei Kafka und Camus, in deren
Werken er den Sühnecharakter und die Zweideutigkeit als Leit-
prinzipien erkennt. Von besonderem Interesse sind seine Andeutungen über die Metaphorik und Gebärdensprache. Ebenfalls

[697] « La conception de l'absurde chez A. C. et Franz Kafka ». In:
Dies., *Franz Kafka et les lettres françaises (1928—1955)*, Paris, Corti,
1956, S. 123—135. Dazu auch Maurice Friedman, "The dialogue with
the absurd: the later C. and Franz Kafka: Elie Wiesel and the Modern
Job". In: Ders., *To Deny Our Nothingness. Contemporary Images of
Man*. London, Gollancz, 1967, New York, Delacorte, 1967, S. 335—354.

[698] "Kafka and C.: some example of rhythm in the novel". In:
KFLQ 5 (1958), S. 205—211.

[699] „Der wahre Arzt. Franz Kafka und A. C.". In: *Monat* 1 (September 1959), S. 3—13.

[700] "Transparence in C. and Kafka". In: *YFS* 25 (Spring 1960), S.
98—103.

stilistisch orientiert ist H. Pauckers [701] Arbeit, welche ähnlich gelagerten Erfahrungen (vor allem dem Absurditätserlebnis) die äußerst unähnliche Künstlerreaktion gegenüberstellt. Kafka bleibt zeitlebens ein staunendes Kind, das sich nicht aus dem Halbdunkeln wagt, der sonnenhungrige Camus hingegen trachtet stets nach klaren Verhältnissen. Der im Anhang des *Mythe de Sisyphe* veröffentlichte Kafka-Essay, « L'Espoire et l'absurde dans l'oeuvre de Franz Kafka », wird von Mary Anne Frese Witt [702] im Hinblick auf literarische Affinitäten zerlegt. Sie kommt zum Schluß, daß weniger von einem Einfluß Kafkas auf Camus die Rede sein sollte als von einer Koinzidenz ihrer Ängste in einem ähnlichen historischen Kontext. Zudem steht *La Chute*, so Witt, entgegen der Annahme der Mehrzahl der Kritiker, dem *Prozeß* näher als *L'Etranger*. Der den Denkern der Existenz gemeinsame Hang zum Anarchismus veranlaßte Graeme Nicholson [703], Heideggers Ablehnung der Inauthentizität mit der als Anspruch auf Würde verstandenen Revolte zu konfrontieren. Er weist darauf hin, daß Camus mehr an den schädlichen Wirkungen abstrakter Begriffe als an konkreter sozialer Repression interessiert war. Theodore Ziolkowski [704] schließlich erklärt die geistige Verwandschaft und textlichen Ähnlichkeiten zwischen Böll und Camus mit dem Hinweise auf deren sentimentalisches Dichtertum. In ihrer Strategie der moralischen Ideale verwenden beide Autoren mit Vorliebe eine ironische und polemische Taktik.

[701] „Der Einbruch des Absurden. Zwei Interpretationen der Struktur von Kafkas Denken". In: *Neophil* 55 (April 1971), S. 174—190.
[702] « C. et Kafka ». In: *RLM* 264—270 (1971), S. 71—86 [*AC* 4].
[703] "C. and Heidegger, anarchists". In: *UTQ* 41 (Autumn 1971), S. 14—23. Norbert Kohlhases *Dichtung u. polit. Moral. Eine Gegenüberstellung von Brecht u. C.* (München, Nymphenburger Verlagshandlung, 1965, 286 S.) ist vor allem wegen der darin erörterten arbeitsethischen Fragen und der vergleichenden Analyse der konträren Laufbahnen der beiden Dramatiker lesenswert. Vgl. die ausf. Bespr. in: *RLM* 264—270 (1971), S. 263—269.
[704] "A. C. and Heinrich Böll". In: *MLN* 77 (May 1962), S. 282 bis 291.

f) Dostojewski

Nostalgie des verlorenen Paradieses, Absurditätsbewußtsein und Demut sind, demäß Jacques Madaule [705], die wichtigsten Themen, die Dostojewskis und Camus' lebens- und kunstbestimmende Grundlagen konstituieren. *La Chute* deutet auf eine Rückkehr zur visionären Perspektive des russischen Dichters an und kann als dostojewskische Antwort *de profundis* auf die im *Etranger* gestellten Fragen gelesen werden. Es fehlt aber den zweidimensionalen Gestalten Camus' die Tiefe und Komplexität der Figuren Dostojewskis. V. B. Mészáros [706], die diese Auffassung mit vielen Kritikern teilt, schneidet in diesem Zusammenhang das Realismusproblem an, tauscht dann aber die ästhetische Betrachtungsweise gegen die ideologische aus und stellt u. a. *Caligula* als Beispiel der Dekadenz des modernen Existentialismus dar. Sachbezogener sind die Ausführungen von George C. Strem [707], der im Falle des Einflusses Dostojewskis von einer intellektuellen Intoxikation spricht und Schlüsselbegriffe und -personen in Camus' Werk als Entlehnungen zu entlarven sich bemüht. (Martha/Raskolnikow, Absurität/*Tagebuch*, Sisyphus' Revolte und Camus' Innenwelt/Ivan Karamazow usw.). Das Übersetzungsproblem und die damit verbundenen Verzerrungserscheinungen bespricht Julie Vincent [708], indem sie Boris de Schloezers zu elegante Übertragungen (Camus' Grundlage) für die Metamorphose Kirilows verantwortlich macht, der sich vom

[705] « C. et Dostoïevski ». In: *TR* 146 (février 1960), S. 127—136. Die Verkörperung des intellektuellen *dédoublement* durch Golyadkin und Clamence erörterte Yvette Louria: « Dédoublement in Dostoevsky and C. ». In: *MLR* 56 (January 1961) S, 82—83.

[706] «Crime et châtiment dans l'oeuvre de C. ». In: B. Köpeczi u. P. Juhász, [*Literatur und Realität*], Budapest, Akadémiai Kiadó, 1966, S. 264—275.

[707] "The theme of rebellion in the works of C. and Dostoievsky". In: *RLC* 40 (April—June 1966), S. 246—257.

[708] « Le mythe de Kirilov. C., Dostoïevski et les traducteurs ». In: *CLS* 8 (September 1971), S. 245—253.

verwirrten Ingenieur bei Dostojewski zum philosophischen Meteor bei Camus durchmausert. Eine Liste textlicher Analogien (Ähnlichkeit der Situationen, Bilder und literarischen Konzepte im allgemeinen) erstellt Teresa Rawa [709] und folgert, daß der Einfluß des russischen Dichters sich bei Camus vor allem in jenen Stellen bemerkbar macht, wo das Leidens- und Todesthema vorherrscht.

g) *Carnets*

Da die Tagebücher nicht vollständig erschienen sind (der zweite Band geht bis 1951) fallen die Kommentare dementsprechend fragmentarisch aus. Dennoch lassen sich klare Tendenzen feststellen, so etwa Camus' Verzicht auf persönliche Eintragungen, die keine literarischen Verwandlungsmöglichkeiten bieten. Die *Carnets* sind vor allem eine Fundgrube für die Entstehungsgeschichte einzelner Werke. In diesem Sinne untersucht Peter Brockmeier [710] den ersten Band (1935—1942), in dem er den von Gide zwar mitbestimmten, vor allem aber aus der persönlichen Lebenserfahrung (Demut und Armut) geschöpften Begriff des *dénuement* sowie den offensichtlichen Einfluß Nietzsches und Malraux' umschreibt. Für Wanda Rupolo [711] werfen die Tagebücher mehr Licht auf den unlösbaren Gegensatz zwischen sozialpolitischen und künstlerischen Erfordernissen, der Camus zu einem moralistisch verbrämten Rebellentum verleitet. Aber selbst seinen ästhetischen Werten fehlt, wie seinen moralischen, jegliche Ge-

[709] « C. et Dostoïevski: quelques analogies textuelles ». In: *RLV* 38 (1972), S. 452—466.

[710] « La genesi del pensiero di A. C. Alcune osservazioni sui *Carnets 1935—1942* ». In: *Annali di Ca'Foscari* 2 (1963), S. 27—37. Weniger informativ ist Naomi Jackson, "Pot-bound: C.'s *Carnets*". In: *MFS* 10 (Autumn 1964), S. 274—278.

[711] «Le contradizioni di A. C. ». In: *HumB* 18 (November 1963), S. 1161—1165. Vgl. auch Philippe Sénart, « C. et le juste milieu ». In: *TR* 174—175 (juillet—août 1962), S. 112—115 sowie in: ders., *Chemins critiques d'Abellio à Sartre*, Paris, Plon, 1966, 53—61.

fühlstiefe. Die schon in anderen Werken feststellbare Tendenz zum Personalismus sieht P.-H. Simon [712] durch die für die *Carnets* gewählten Schwerpunkte vollends bestätigt. Eine brillante Kritik an Camus' Pathos und der Vergänglichkeit seines moralisch fundierten Schönheitsideals formuliert Susan Sontag [713] aufgrund ihrer Lektüre der *Carnets*, deren unpersönlicher Charakter sie offensichtlich stört. Auch die Veröffentlichung des zweiten Bandes verursachte keine Kursänderung bei den Kritikern, die weiterhin und aus verständlichen Gründen die Tagebücher in erster Linie als Quellenmaterial betrachten. [714]

[712] « Les Carnets d'A. C. ». In: Ders., *Langage et destin. Diagnostic des lettres françaises contemporaines*, Paris, La Renaissance du Livre, 1966, S. 133—157.

[713] "C.'s Notebooks". In: Dies., *Against Interpretation, and Other Essays*, New York, Farrar, Straus and Giroux, 1966, S. 52—60.

[714] So z. B. A. Clerval, « Carnets II », in: *NRF* 25 (mars 1965), S. 537—541; Christia Dedet, « Carnets », in: *Esprit* 33 (février 1965), S. 438—440; Joachim Günther, „*Tagebuch 1942—1951*", *NDH* 115 (1967), S. 173—176. Max-Pol Fouchet bedauert, daß die *Carnets* keiner Säuberung unterzogen werden konnten und sieht in ihnen eine weitere Bestätigung für C.' Distanznahme. Vgl. « La tentation de sainteté ». In: Ders., *Les Appels*, Paris, 1967, S. 143—147.

II. SYNTHETISCHER TEIL UND ORTSBESTIMMUNG

1. Beurteilung des Forschungsstandes

Auffallendste Merkmale der heute kaum mehr zu überblickenden Camus-Literatur sind die außerordentliche Ungleichheit ihrer Qualität und der damit verbundene, durch Dokumentations- und/oder Methodenmangel bedingte Wiederholungscharakter. Bibliographische Hilfsmittel gibt es zwar seit langem (Rancoeur, *PMLA, French XX*, Klapp usw.), spezifische Camus-Bibliographien seit den späten fünfziger und, in vermehrtem Maße, seit den sechziger Jahren. Es darf füglich gesagt werden, daß die Dokumentation heute kein eigentliches Problem mehr darstellen sollte und größere Informationslücken eindeutig auf wissenschaftlich fragwürdige Arbeitsmethoden schließen lassen.

Die meisten französischen und ausländischen bio-bibliographischen Kommentare, die gemäß dem beliebten Schema « *l'homme et l'oeuvre* » zur Verbreitung der Kunst und des Gedankengutes Camus' beitrugen, sind heute entweder überholt oder bestenfalls als Einführungswerke (worunter sich anerkanntermaßen einige hervorragende befinden) verwendbar. Es scheint, daß vorübergehend von Gesamtdarstellung Abstand genommen werden sollte, es sei denn, man vermittle ein authentisch neues, auf frischen textlichen, biographischen, politischen oder historischen Quellen abgestütztes Camus-Bild, ein Unterfangen, das profunde Kenntnisse der geistesgeschichtlichen Zusammenhänge der die Vorkriegs-, Kriegs- und Nachkriegszeit überspannenden literarischen Generation und ein gerütteltes Maß an historischer Distanz verlangt. Die Ambivalenz von Camus' Positionen, die sich ja auch in seiner Kunst- und Engagementauffassung niederschlägt, wird durch seine Zugehörigkeit zu der sprachlich und intellektuell im

Geiste des bürgerlichen Bildungsideals des 19. Jahrhunderts aufgewachsenen Zwischenkriegsgeneration noch verstärkt. Weder seine philosophischen noch seine künstlerischen Thesen sind umwälzend, wobei sofort zu sagen ist, daß eine revolutionierende Wirkung nicht unbedingt ein Gütezeichen an sich darstellt. Als privilegierter Beobachter seiner Zeit war er gleichermaßen gezwungen, auf der politischen Bühne eine scheinbar auf ihn zugeschnittene Rolle zu spielen, in der er sich nie richtig wohl fühlte. Rückblickend müssen wir zudem einsehen, daß der viel Staub aufwirbelnde existentialistische Bruderzwist der fünfziger Jahre sich gleichsam vor dem Dekor der jüngsten Geschichte Frankreichs abspielte, sie jedoch nicht wirklich zu beeinflussen vermochte. Diesem Umstand kann u. a. der in den substanzreicheren jüngeren Arbeiten ersichtliche Perspektivenwechsel vom Gesamtblick zur ästhetisch oder begrifflich orientierten Monographie zugeschrieben werden. Von der Problematik des teilweise überbetonten Engagements losgelöste Betrachtungsweisen führten denn auch folgerichtig zu werkimmanenten Interpretationen und Darstellungen.

Es ist deshalb nicht verwunderlich, daß unter den besten Studien sich jene befinden, die entweder Formproblemen der Prosadichtung im allgemeinen oder der künstlerisch gelungensten Werken, allen voran des *Etranger* und der *Chute* gewidmet werden. Beide Erzählungen besitzen als formerneuernde *récits* ihren festen Platz in jenem Zweig der jüngeren Geschichte des französischen Romans, der von Proust über Gide und Céline zu Claude Simon reicht. Die *Peste*-Kritik hingegen hatte aus verständlichen Gründen mehr Schwierigkeiten, das Werk nicht auf der Ebene seiner transparenten Allegorik zu interpretieren, sondern seine erzähltechnischen Qualitäten und Mängel herauszuarbeiten. Hier, wie in der Literatur über die Kurzgeschichten, zeichnet sich ein bedeutender Interessewechsel ab, der natürlich den Sichtwandel der jüngeren Kritik im allgemeinen reflektiert: Die *ars interpretandi* rückt bewußt von der sich in endlosen Varianten und Wiederholungen erschöpfenden Inhaltsproblematik ab und bevorzugt die sprachphilosophisch, linguistisch, anthropologisch oder poetologisch fundierte Formanalyse, die es erlaubt, einen Text gleichzeitig in seiner Genesis und Eigengesetzlichkeit sowie in seinen über- und zwischentextlichen Zusammenhängen zu lesen. Daß es dabei zu denselben kritischen Exzessen kommt, die auch den nicht selten zweckentfremdenden Interpretationen jüngsten Datums eignet, muß nicht besonders hervorgehoben werden.

Die vorwiegend im Fiktionsbereich zahlreich vorhandenen komparatistischen Essays sind zwar als Quellenarbeiten oder -hypothesen durchaus nützlich, laufen aber als Parallelstudien zu oft Gefahr, zum Katalog offensichtlicher oder zufälliger Analogien zu werden.

Die Literatur über Camus' Theater verblieb schon wegen der mit ziemlicher Regelmäßigkeit erfolgenden Wiederaufführungen länger in der Rezensionsphase, die erwartungsgemäß von jener der Gesamtdarstellungen des Dramenwerkes und der Neuinterpretationen von Einzelwerken abgelöst wurde. Auch heute ist die Tendenz noch nicht überwunden, die Stücke primär als Illustrationen philosophischer Ideen zu betrachten, wobei übersehen wird, daß ein Ideentheater nicht unbedingt mit einem Thesentheater identisch sein muß. Daß Untersuchungen der Bühnentechnik eher dünn gesät sind, sollte beim literarischen Charakter von Camus' Dramen kaum überraschen. Im Gegensatz zur Prosadichtung blieb es ihm aus formalen, nicht etwa aus thematischen Gründen versagt, eine eigentliche Brücke zu den „Absurdisten" der fünfziger Jahre zu schlagen. Das Unbehagen im Unvermögen, einen über den dramaturgischen Eklektizismus hinausgehenden Beitrag zu liefern, zeigt sich schon darin, daß er nach 1950 kein einziges eigenes Stück mehr herausbrachte und auch 1960 noch im Dunkeln tappte: So besitzt z. B. das vorangeschrittene Romanprojekt *Le Premier Homme* kein dramatisches Pendant. Folgerichtig bemühen sich viele der jüngsten Einzelinterpretationen, die Stücke entweder als Stationen auf dem Wege zur nie verwirklichten « tragédie en veston » oder als dramentechnische Versuche zu analysieren, deren Erfolg eher als bescheiden gilt. Es ist auch möglich, einzelne Dramen — etwa *Les Justes* oder *Caligula* — weniger als Plattform philosophischer Ideen denn als dramatisierte Relativierung jener Thesen zu interpretieren, die sich zur Doktrin zu verhärten drohen. Für Camus besteht zwischen Theorie und Praxis, Kunst und Leben eine fruchtbare dialektische Spannung, die sich etwa in der Kritik ausdrückt, welche die Gestaltung Meursaults als Beispiel *ad absurdum* und verkappter Gegenspieler von Sisyphus enthält.

Probleme besonderer Art stellt Camus' philosophisches Schrifttum. Bekanntlich verbat er sich zeitlebens, als Philosoph (womit er Fachphilosoph meinte) betrachtet zu werden. Es ist denn auch schwierig, sein Philosophieren nicht in dessen bewußter Abhängigkeit von seiner Kunstauffassung zu sehen. Das dialektische Verhältnis zwischen Ethik und Ästhetik bestimmt die meisten allgemeinen Untersuchungen, die nicht von einer kritischen Betrachtung seiner Denk- und Gestaltungsprämissen ausgehen, sondern diese als privilegierte Ausgangslage des Künstlers akzeptieren. Andererseits ist die Kritik an seiner Begriffsbestimmung und -ableitung ein durchaus legitimes, ja notwendiges Unterfangen, dem sich nach den ersten ablehnenden, vor allem von religiösen oder ideologischen Positionen aus argumentierenden Rezensenten, in vermehrtem Maße philosophisch geschulte Kräfte widmen. Kritische Distanz bedeutet aber nicht Verzerrung: Es geht heute einfach nicht mehr an, Camus' gedankliche Existenzbewältigungsversuche vereinfachend als einen ungelenken, seinen Konsequenzen abgeneigten Irrationalismus abzutun, der sich in sprachlich gestelztem Zweck-Cartesianismus krampfhaft um eine vermittelnde *aurea mediocritas* bemüht. Gewiß sind *Le Mythe de Sisyphe* und *L'Homme révolté* mit zahlreichen, oft aus zweiter und dritter Hand erfolgten Deduktionen übertünchte Essays, deren Hauptresultate jedoch induktiv erarbeitet werden. Diese methodische „Schwäche" liegt aber nicht sosehr an Camus' philosophischen Oberflächlichkeit, als an der kategorial überspitzten Trennung der beiden Denkungsarten, die sich bei ihm — wie bei vielen, namhafteren Philosophen — letztlich überschneiden. Den totalitären Ansprüchen des Teilwissens einer religiösen oder philosophischen Ideologie stellt er das schwierigere, seiner Grenzen bewußte Totalisierungsbestreben des aporistischen

Denkens gegenüber. Es gilt nun, über die glaubens- oder ideologiebedingte Ablehnung hinaus, dieses Denken auf seine Stärken und Schwächen (etwa ein erstaunliches Maß an Intransigenz und rhetorischem Überschwang) zu prüfen, wobei endgültig vom alles und nichts sagenden Hinweis auf Camus' „tragischem Humanismus" Abstand genommen werden sollte.

Trotz seiner eingehenden Beschäftigung mit politischen Fragen seiner Zeit ist es erwiesen, daß er — wie übrigens auch Sartre — für politische Realitäten keinen besonders gut entwickelten Sinn besaß. Es dürfte gerade auf diesem Gebiet schwierig sein, die bald als utopisch, bald als abstentionistisch verschriene Grundhaltung Camus' *sine ira et studio* zu beurteilen. Wenn der den *Homme révolté* beschließende Mittagsgedanke vielen Kritikern philosophisch bedenklich oder gar verwerflich erscheint, so war seiner politischen Aussagekraft von Anfang an ein voraussagbares Schicksal beschieden. Der Dialog mit Camus nimmt aber eine nuanciertere Richtung, wenn man die Stellung des Dichters nicht in die Perspektive des unmittelbaren Erfolgszwanges — als ob politische Probleme je journalistisch oder philosophisch gelöst wurden — stellt. Camus mag in gewissem Sinn ein Utopist gewesen sein; in der langfristigen Sichtweise (etwa der Algerienfrage 1954, deren Lösung 1962 und gegenwärtigen realpolitischen Nachwehen oder des zunehmenden Widerstandes der politisch besser informierten Gesellschaft gegen die von ihren Führern *a priori* angenommene Manipulierbarkeit) zeugt aber sein durch normative Werte bestimmtes politisches Denken durchaus von Weitblick.

Die ebenso interessante wie schwierige Frage literarischer Affinitäten ist frühzeitig gestellt, aus begreiflichen Gründen aber selten befriedigend beantwortet worden. Am eingehendsten ist bisher Camus' Verhältnis zu hellenistischen Quellen, Kafka, amerikanischen Autoren, französischen Romantikern und Sartre behandelt worden. Eine umfassende und systematische Bearbeitung seiner Beziehungen zu Nietzsche, Gide, Malraux und seinem Lehrmeister Grenier steht nach wie vor aus. Auch das sich wandelnde Camus-Bild in verschiedenen Ländern muß in den meisten

Fällen (Lazeres Studie füllt in dieser Beziehung eine Lücke) noch gezeichnet werden, wobei allerdings beizufügen ist, daß aus Gründen des zeitlichen Abstandes mit der Rezeptionsgeschichte noch etwas gewartet werden sollte. Selbstverständlich müssen komparatistische Arbeiten die durch R. Quilliot in den Kommentaren und durch P. Viallaneix in den *Escrits de jeunesse (Cahiers A. Camus* 2) zugänglich gemachten Frühschriften ebenso in Betracht gezogen werden wie die aus den *Carnets* und anderen Quellen ersichtlichen Lektürelisten. Auch hier ist es geboten, eine abwartende Haltung einzunehmen, bis der dritte Band der Tagebücher erschienen ist. Es besteht kein Zweifel, daß die *Carnets,* als Werknotizen konzipiert und ediert, für jede Analyse der Technik der literarischen und philosophischen Aufnahme und Metamorphose eine Quelle ersten Ranges darstellen.

Es geht natürlich nicht an, die nicht nur dem Laien unübersichtlich gewordene Sekundärliteratur in Bausch und Bogen zu rühmen oder zu verwerfen. Dennoch zeichnen sich innerhalb dieses gewaltigen Korpus von kritischen Schriften gewisse Konstanten ab, die es erlauben, jene Gebiete zu identifizieren, in denen der Grad der Saturation erreicht oder gar überschritten ist: Allen voran wäre die bereits mit einiger Reserviertheit erwähnte Domäne der Gesamtdarstellungen zu nennen. Eine löbliche Ausnahme aus jüngster Zeit bildet die äußerst kohärent konzipierte themen-dialektische Arbeit von Laurent Mailhot, *Camus ou l'imagination du désert* (Montréal, Presses de l'Université de Montréal, 1973). Ebenfalls nicht mehr vertretbar sind heute sogenannte thematische Studien, die sich mit Hilfe eines ausgedehnten Zitat- und Metaphernkataloges entweder um die Bestätigung einer von Camus gemachten Aussage oder um einen quantitativen Beweis seiner Variationsfähigkeit bemühen. Innerhalb des besonders heiklen Feldes der Komparatistik sollte vor allem auf jene Einfluß- und Parallelenstudien verzichtet werden, deren Zufälligkeitscharakter zu groß ist oder deren Variationsmöglichkeiten ins Unendliche gehen. Vor allem muß nochmals darauf hingewiesen werden, daß es heute, im Zeitalter des Informationsüberflusses, nicht mehr angeht, einen Aufsatz zu veröffentlichen, in dem sich der Autor nicht darum kümmert, das zur Verfügung stehende Material zum Thema zu sichten, um vermeidbare Wiederholungen zu umgehen.

2. Methodologische Probleme

Man darf ohne Übertreibung sagen, daß die Camus-Literatur in beispielhafter Weise die vor allem seit den sechziger Jahren schwelende Krise innerhalb des literaturkritischen Betriebes reflektiert. Das Malaise erfaßte natürlich auch die Literaturprogramme der Universitäten, deren „Traditionalismus" die Krise ja mitverursacht hatte. Mehr noch als der Gegensatz zwischen der herkömmlichen und avantgardistischen Betrachtungsweise ist es die methodische Unbedenklichkeit oder Sturheit, mit der z. T. Texte interpretiert wurden und immer noch interpretiert werden, welche die Polarisierung der institutionalisierten und nichtinstitutionalisierten Kritik verursacht. Unbehagen und Ziellosigkeit, aber auch ein glücklicherweise nicht selten auftauchender frischer Wind, sind drei Merkmale, die sich jedem aufmerksamen Leser der Sekundärliteratur über Camus einprägen. Jeder neue Anlauf wird durch die Fülle des vorhandenen Materials eher erschwert als erleichtert. Sieht man von hagiographischen Kommentaren ab — es sind ihrer nicht wenige —, die ein verklärtes und meist verzerrtes Camus-Bild abgeben, so kranken auch kritisch distanziertere Arbeiten nicht selten an einer methodischen Verwirrung, die sie um ihre wenigen Früchte zu bringen droht. Es soll hier nicht etwa einem vielerorts grassierenden kritischen Terrorismus das Wort geredet werden, der sich ja seine eigenen Institutionen geschaffen hat, sondern bloß einem kritisch wachen Bewußtsein. Der durch mannigfache technische und wissenschaftliche Hilfsmittel gekennzeichnete Kommunikationsfluß hat zu einem eigentlichen Kommunikationszwang, im passiven wie im aktiven Sinn, geführt, dem sich der professionelle Interpret heute nicht entziehen kann, will er nicht dem Verdacht der willkürlichen Informationsarmut (der *inauthenticité critique* sozusagen) ausgesetzt sein. Eben diesem Verdacht entgehen weder der schwadronierende Essayist noch der ideologische oder methodologische Dogmatiker. Daß die gewählte Interpretationsmethode sich in erster Linie in den Dienst des Textes stellen und diesem nicht aufoktroyiert werden sollte, ist eine kaum bestrittene Binsenwahrheit, die aber nicht selten im Namen einer höheren „Wissenschaftlichkeit" geflissentlich übersehen wird.

Innerhalb des jüngeren Camus-Schrifttums steht das Interesse an nationalen Eigenarten (so z. B. der Ambivalenz des deutschen Publikumsverhaltens, dem moralisch vorgeprägten Bild vieler italienischer und angelsächsischer Leser usw.) hinter dem Interesse an spezifisch kritischen Problemen (sowohl im Sinne der Distanzierung als auch des Methodenbewußtseins) zurück. Allerdings handelt es sich nicht um ein plötzliches Revirement, sondern um einen Prozeß, der ebenso langsam verläuft wie die Reformen der besagten Universitätsprogramme. Nach wie vor besitzt die Produktion von Camusiana beängstigende Ausmaße, was sich z. T. auf die kaum erlahmte Popularität des Dichters, zu einem größeren Teil aber auf seine falsch verstandene „Leichtigkeit" zurückführen läßt; denn Camus, so ein geflügeltes Wort, « fait le bonheur des critiques ».

3. Notwendige und mögliche Forschungsbereiche

Drei bis jetzt stark vernachlässigte Arbeitsbereiche besitzen in der unmittelbaren Zukunft Prioritätscharakter: 1. Die Erstellung verläßlicher Textausgaben; 2. die systematische Sammlung und Veröffentlichung der Korrespondenz; 3. biographische Forschungen im Hinblick auf eine objektive Camus-Biographie.

Es spricht für die Qualität der Pléiade-Edition, daß sie oft als kritische Ausgabe betrachtet wird, die sie im strengen Sinn nicht ist und auch nicht sein will. In mühevoller, jahrelanger Arbeit werden vorerst die Hauptwerke im Hinblick auf eine allerdings schwer zu verwirklichende *Edition des oeuvres complètes* in philologisch kompetenter Weise mit *allen* verfügbaren Textvarianten herausgebracht werden müssen. Einen Schritt in dieser Richtung hat A. Abbou in einer noch nicht veröffentlichten kritischen Ausgabe des *Etranger* gemacht, die sich auf sämtliche bekannte Quellen sowie Bogenkorrekturen stützt und sich gegenüber dem unbedenklich zitierten Text der Pléiade-Ausgabe in nicht wenigen Einzelheiten unterscheidet. Die meisten wichtigeren *inédits* werden im Rahmen der *Cahiers A. Camus* zugänglich gemacht werden. Es sollte aber möglich sein in absehbarer Zukunft ihre systematische Katalogisierung dem fachlich interessierten Publikum bekannt zu machen.

Die Korrespondenz stellt schwer zu lösende Probleme, die eine Veröffentlichung der Briefe kaum gestatten, es sei denn, es handle sich um einen größeren Korpus von Briefen an konstante Adressaten, der, sofern es sich lohnt, separat herausgegeben werden kann. Als Dichter, Journalist, Regisseur und Verlagslektor hat Camus eine noch nicht zu übersehende Anzahl von Briefen und Kurznotizen verfaßt, die nur zum Teil publiziert wurden. Etwa 80 dieser in Periodika und Tageszeitungen zugänglichen Briefe hat der Verf. innerhalb der erwähnten Cabeen-Bibliographie (vgl. Vorwort) lokalisiert und kurz beschrieben. Die Sammlung des umfänglichen Briefmaterials wird noch einige Jahre weitergeführt werden müssen, bevor, selbst auszugsweise, eine eigentliche *Correspondance* veröffentlicht werden kann. Unerläßlich ist natürlich eine koordinierte Sammlungsweise des Materials.

Niemand hat bis jetzt eine solid dokumentierte Biographie Camus' vorlegen können. Bedenkt man, wie lange es dauerte, bis Gide seine seriösen Biographen fand, so dürfte es nicht überraschen, daß, außer Ansätzen zu einer *biographie intérieure* oder *intellectuelle* (etwa Alan J. Claytons), eine auf objektiven und umfangreichen Tatsachen und Dokumenten beruhende Lebensbeschreibung noch aussteht. Die Zusammentragung und Sichtung des biographischen Materials kann auf keinen Fall das Werk eines Einzelnen sein, sondern sollte in Form von Einzelpublikationen in Fachzeitschriften erfolgen. Es existieren ja schon eine ganze Reihe von Aufsätzen, die unter dem Gesamttitel „Für den zukünftigen Biographen Camus'" zusammengefaßt werden könnten. Besondere Aufmerksamkeit erheischen u. a. Camus' immer noch unabgeklärtes Verhältnis zur algerischen K. P., seine Tätigkeit als Verlagslektor bei Gallimard und Redaktor bei *Combat* und, insbesondere, die systematische Sammlung von Aussagen (etwa in Form von Bandaufnahmen) und Veröffentlichungen von Bekannten, Zeitgenossen, Augenzeugen wichtiger Begebenheiten (etwa Theateraufführungen des *Théâtre du Travail* und der *Equipe*, politischer Aktivitäten, der Résistance usw.), von Mitarbeitern und Schauspielern, die mit Camus oder unter dessen Leitung gewirkt haben. Es braucht kaum hinzugefügt zu werden, daß ein solches Dossier auch die Erinnerungen und Kommentare seiner Witwe enthalten sollte. Erst die Gegenüberstellung und Sichtung dieses voller Widersprüche steckenden und nie vollständigen Materials werden eine relativ objektive Camus-Biographie ermöglichen.

Innerhalb des kaum abzugrenzenden Rahmens der fachtechnischen Interpretationen sei bloß ein letztes Mal darauf hingewiesen, daß eine Studie heute nur publikationsreif ist, wenn sie sich am internationalen Camus-Dialog beteiligt oder, sollte es sich um eine authentische Neuigkeit oder Neuinterpretation handeln, sich als solche kraft ihrer Dokumentation und Methodik ausweist. Besondere Beachtung verdienen nach wie vor *L'Envers et l'endroit* und *Noces*, die aus unbegreiflichen Gründen meistens als begriffliches oder thematisches Quellenmaterial, selten in ihren formalen Qualitäten (*Noces* etwa als *poème en prose*) behandelt werden. Daß bewußt kommerziell ausgerichtete Vulgarisationswerke von dieser Regel ausgenommen sind, sie auch in der Vergangenheit oft nicht befolgt haben, versteht sich von selbst. Erschwerend fällt allerdings ins Gewicht, daß gerade im Falle der Camus-Literatur die Grenzen zwischen Vulgarisierung und Spezialisierung nicht selten verwischt sind. Besonders fruchtbar sollten sich in nächster Zukunft jene Untersuchungen erweisen, die aufgrund einer kohärenten Interpretationstechnik sich um ein vertieftes Verständnis werkimmanenter Zusammenhänge bemühen, seien diese nun formaler oder begrifflicher Art. Der gegenwärtige Stand der Camus-Forschung zeigt deutlich, daß die Arbeitsfelder und -probleme oft genug umrissen wurden. Es gilt nun, den Acker besser zu pflügen und die Saat vorsichtiger auszulesen.

TEXTAUSGABEN UND BIBLIOGRAPHIE DER
WICHTIGSTEN BÜCHER

Wichtigste Textausgaben

Camus, Albert: *Théâtre, récits, nouvelles*, Préface par Jean Grenier.
Textes établis et annotés par Roger Quilliot, Paris, Gallimard, 1962
(nouveaux tirages mit nicht näher bezeichneten Änderungen: 1962,
1963, 1967, 1975) 2080 S. (Bibliothèque de la Pléiade). Zitiert als *TRN*.
—: *Essais*. Introduction par Roger Quilliot. Textes établis et annotés
par R. Quilliot et L. Faucon, Paris, Gallimard, 1965 (inoffizieller
nouveau tirage: 1967), 1975 S. (Bibliothèque de la Pléiade). Zitiert
als *Essais*.
—: *La Mort heureuse*. Introduction et notes de Jean Sarocchi, Paris,
Gallimard 1971, 231 S. (*Cahiers Albert Camus 1*).
—: *Ecrits de jeunesse d'Albert Camus*. In: P. Viallaneix, *Le premier
Camus* suivi de Ecrits *de jeunesse d'A. C.*, Paris, Gallimard, 1973,
S. 125—304 (*Cahiers Albert Camus 2*).

Bibliographie der wichtigsten Bücher

Archambault, P.: *Camus' Hellenic Sources*, Chapel Hill, North Caro-
lina University Press, 1972, 173 S.
Balz, H.: *Aragon-Malraux-Camus. Korrektur am literarischen Enga-
gement*, Stuttgart, Kohlhammer, 1970, 223 S.
Barrier, M. G.: *L'art du récit dans L'ETRANGER de Camus*, Paris,
Nizet, 1962, 113 S.
Bouchez, M.: *LES JUSTES, Camus*, Paris, Hatier, 1974, 79 S. (Coll.
« Profil d'une oeuvre » Nr. 47).
Brée, G.: *Camus*, New Brunswick, Rutgers University Press, 1959,
275 S. Korrigierte Ausg.: 1964, 1972. Übers.: *Albert Camus, Gestalt
und Werk*, Hamburg, 1960, 294 S. Neuausg.: 1961, 281 S.
—: *Camus and Sartre. Crisis and Commitment*, New York, Dell,
1972, 287 S.

Brisville, J.-C.: *Camus*, Paris, Gallimard, 1959, 297 S. Neuausgabe: 1970, 221 S.

Bruézière, M.: *LA PESTE d'Albert Camus*, Paris, Hachette, 1972, 96 S.

Castex, P.-G.: *Albert Camus et L'ETRANGER*, Paris, José Corti, 1965, 126 S.

Champigny, R.: *Sur un héros païen*, Paris, Gallimard, 1959, 208 S.

—: *Humanisme et racisme humain*, Paris, Eds. de Saint-Germain-des-Près, 1972, 132 S.

Clayton, A. J.: *Etapes d'un itinéraire spirituel. Camus de 1937 à 1944*, Paris, Minard, Lettres Modernes, 1971, 85 S.

Coombs, I.: *Camus, homme de théâtre*, Paris, Nizet, 1968, 215 S.

Costes, A.: *Albert Camus ou la parole manquante. Etude psychanalytique*, Paris, Payot, 1973, 252 S.

Crochet, M.: *Les mythes dans l'oeuvre de Camus*, Paris, Eds. Universitaires, 1973, 239 S.

Cryle, P.: *Bilan critique: L'EXIL ET LE ROYAUME d'Albert Camus — essai d'analyse*, Paris, Minard, Lettres Modernes, 1973, 265 S.

Cruickshank, J.: *Albert Camus and the Literature of Revolt*, London, Oxford University Press, 1959, 248 S. Neuausg.: New York, 1960, 249 S.

Del Vecchio, M.: *Assurdo e rivolta in Albert Camus*, Cava dei Tirreni, Di Mauro, 1966, 77 S.

Fitch, B. T.: *Le sentiment d'étrangeté chez Malraux, Sartre, Camus, et Simone de Beauvoir*, Paris, Minard, Lettres Modernes, 1964, 232 S.

—: *Narrateur et narration dans L'ETRANGER d'Albert Camus*, Paris, Minard, Lettres Modernes, 1960, 48 S. Revidierte Ausg.: 1968, 84 S.

—: *L'ETRANGER d'Albert Camus. Un texte, ses lecteurs, ses lectures*, Paris, Larousse, 1972, 176 S.

Fitch, B. T. und P. C. Hoy: *Albert Camus. Essai de bibliographie des études en langue française consacrées à A. C. (1937—1962)*, Paris, Minard, Lettres Modernes, 1965. Erweiterte Ausg.: *(1937—1967)*, 1969, *(1937—1970)*, 1972, o. S. (Collection « Calepins de bibliographie »).

Freeman, E.: *The theatre of Albert Camus. A Critical Study*, London, Methuen, 178 S.

Fullat Genís, O.: *La moral atea de Albert Camus*, Barcelona, Ed. Pubul, 1963, 268 S.

Gadourek, C.: *Les Innocents et les coupables. Essai d'exégèse de l'oeuvre d'Albert Camus*, Den Haag, Mouton, 1963, 246 S.

Gagnebin, L.: *Albert Camus dans sa lumière. Essai sur l'évolution de sa pensée*, Lausanne, Cahiers de la Renaissance Vaudoise, 1964, 182 S.

Gaillard, P.: *LA PESTE. Analyse critique*, Paris, Hatier, 1972, 80 S. (Coll. « Profil d'une oeuvre »).

—: *Camus*, Paris, Bordas, 1973, 224 S. (Coll. « Présence littéraire »).

Gay-Crosier, R.: *Les Envers d'un échec. Etude sur le théâtre d'Albert Camus*, Paris, Minard, Lettres Modernes, 1967, 296 S.

Gélinas, G.-P.: *La Liberté dans la pensée d'Albert Camus*, Fribourg, Eds. Universitaires, 1965, 177 S.

Gennep, P. O. van: *Albert Camus: een studie van zijn ethische denken*, Amsterdam Polak und van Gennep, 1962, 256 S.

Grenier, J.: *Albert Camus. Souvenirs*, Paris, Gallimard, 1968, 190 S.

Haggis, D. R.: *Camus: LA PESTE*, London, Edward Arnold, 1962, 70 S. Neuausg.: 1970.

Hanna, Th. L.: *The Thought and the Art of Albert Camus*, Chicago, Regnery Company, 204 S.

Johnson, P. J.: *Camus et Robbe-Grillet. Structure et techniques narratives dans « Le Renégat » de Camus et LE VOYEUR de Robbe-Grillet*, Paris, Nizet, 1972, 125 S.

Kampits, P.: *Der Mythos vom Menschen. Zum Atheismus und Humanismus Albert Camus'*, Salzburg, O. Müller, 1968, 178 S.

King, A.: *Albert Camus*, Edinburgh u. London, Oliver and Boyd, 1964, 120 S. Neuaufl.: New York, Grove Press, 1964; New York, Barnes and Noble, 1965.

Kirk, I.: *Dostoevsky and Camus*, München, Fink, 1974, 150 S.

Kohlhase, D.: *Dichtung und politische Moral. Eine Gegenüberstellung von Brecht und Camus*, München, Nymphenburger Verlagshandlung, 1965, 286 S.

Lazere, D.: *The Unique Creation of Albert Camus*, New Haven u. London, Yale University Press, 1973, 271 S.

Lazzari, F.: *Camus e il cristianesimo*, Neapel, Libreria Scientifica Editrice, 1965, 131 S.

Lebesque, M.: *Camus in Selbsterzeugnissen und Bilddokumenten*, Hamburg, Rowohlt, 1960, 176 S. Neuaufl. 1967. Franz. Originalausg.: *Camus par lui-même*, Paris, Eds. du Seuils, 1963, 187 S. (Coll. « Ecrivains de toujours »).

Livi, F.: *Camus*, Florenz, Il Castoro, 1971, 139 S.

Luppé, R. de: *Albert Camus*, Paris, Eds. du Temps Présent, 1951, 136 S. Neuausg.: Eds. Universitaires, 1952, 1955, 1960, 125 S.

Mai, P. T. N.: *De la responsabilité selon LA CHUTE*, Saigon, Les Presses de Kim Lai An Quan, 1971, 329 S. Revidierte Ausg. in Zusammenarbeit mit Pierre N. Van-Huy: *LA CHUTE de Camus ou le dernier testament. Etude du message camusien de responsabilité et d'authenticité selon LA CHUTE*, Neuchâtel, La Baconnière, 1974, 240 S.

Mailhot, L.: *Albert Camus ou l'imagination du désert*, Montréal, Presses de l'Université de Montréal, 1973, 465 S.

Majault, J.: *Camus, Révolte et Liberté*, Paris, Eds. du Centurion, 165, 150 p.

Miccoli, P.: *Il problema del male e dell'ateismo in Albert Camus*, Alba, Ed. Paoline, 1971, 204 S.

Nicolas, A.: *Une philosophie de l'existence: Albert Camus*, Paris, Presses Universitaires de France, 1964, 193 S.

—: *Albert Camus ou le vrai Prométhée*, Paris, Seghers, 1966, 190 S.

O'Brien, C. C.: *Camus*, London, Fontana-Collins, 1970, 94 S. Franz. Fassung: Paris, Seghers, 1970 [Coll. « Les Maîtres du Monde »).

Onimus, J.: *Camus*, Paris, Desclée de Brouwer, 1965, 141 S.

Parker, E.: *Albert Camus, the Artist in the Arena*, Madison, University of Wisconsin Press, 245 S.

Passeri Pignoni, V.: *Albert Camus, uomo in rivolta, Saggio critico*, Bologna, Capelli, 1965, 438 S.

Pelz, M.: *Die Novellen von Albert Camus: Interpretationen*, Freiburg, Universitätsverlag Becksmann, 1973, 198 S.

Pfeiffer, J.: *Sinnwidrigkeit und Solidarität. Beiträge zum Verständnis von Albert Camus*, Berlin, Die Spur, 1969, 94 S.

Pingaud, B.: *L'ETRANGER d'Albert Camus*, Paris, Hachette, 1971, 89 S.

Pollmann, L.: *Sartre und Camus. Literatur und Existenz*, Stuttgart, Kohlhammer, 1967, 224 S. Neuaufl.: 1971.

Quilliot, R.: *La mer et les prisons. Essai sur Albert Camus*, Paris, Gallimard, 1956. Neuaufl.: 1970, 315 S.

Rey, P.-L.: *L'ETRANGER. Analyse critique*, Paris, Hatier, 1970, 64 S. (Coll. « Profil d'une oeuvre »).

—: *LA CHUTE. Analyse critique*, Paris, Hatier, 1970, 79 S. (Coll. « Profil d'une oeuvre »).

Rhein, Ph. H.: *The Urge to Live. A Comparative Study of Franz Kafka's DER PROZESS and Albert Camus' L'ETRANGER*, Chapel Hill, North Carolina University Press, 1964, 123 S.

—: *Albert Camus*, New York, Twayne, 1969, 148 S.

Rigobello, A.: *Albert Camus*, Buenos Aires, Columba, 1961, 85 S. Ital. Originalfassung: Neapel, Istituto Editoriale del Mezzogiorno, 1963, 123 S.

Roeming, R.: *Camus: A Bibliography*, Madison, University of Wisconsin Press, 1968, 298 S. Erweiterte Fassungen erscheinen auf Microfiches, Elm Grove, Micro-Records Service, 1973—1976, o. S.

Sarocchi, J.: *Camus*, Paris, Presses Universitaire de France, 1968, 127 S.

Schaub, K.: *Albert Camus und der Tod*, Zürich, Editio Academica, 1968, 121 S.

Simon, P.-H.: *Présence de Camus*, Bruxelles, La Renaissance du Livres, 1961, 1968, 157 S. Neuaufl.: Paris, Nizet, 1962, 181 S.

Stuby, G.: *Recht und Solidarität im Denken von Albert Camus*, Frankfurt a. M., Klostermann, 1965, 210 S.

Sturm, E.: *Conscience et impuissance chez Dostoïevski et Camus. Parallèle entre LE SOUS-SOL et LA CHUTE*, Paris, Nizet, 1967, 125 S.

Thieberger, R.: *Albert Camus. Eine Einführung in sein dichterisches Werk*, Frankfurt, Diesterweg, 1960, 93 S. (Beiheft 8 der „Neueren Sprachen").

Thody, Ph.: *Albert Camus. A Study of His Work*, London, Hamish Hamilton, 1957, Neuaufl.: New York, Grove Press, 1959.

—: *Albert Camus (1913—1960). A Biographical Study*, London, Hamish Hamilton, 1961, 250 S. Neuaufl.: 1964.

Timm, U.: *Das Problem der Absurdität bei Albert Camus*, Hamburg, Helmut Lüdke, 1971, 167 S.

Treil, C.: *L'Indifférence dans l'oeuvre d'Albert Camus*, Montreal u. Sherbrooke, Cosmos, 1971, 171 S.

Tripp, G. M.: *Absurdität und Hoffnung. Studien zum Werk von Albert Camus und Ernst Bloch*, Berlin, Dissertations-Druckstelle, 1968, 110 S.

Van-Huy, Pierre N.: *La Métaphysique du bonheur chez Albert Camus*, Neuchâtel, La Baconnière, 1962, 248 S. Neuaufl.: 1968, 249 S.

Vestre, Bernt: *Albert Camus og menneskets revolte*, Oslo, Tanum, 1960, 156 S.

Willhoite, F. H.: *Beyond Nihilism: Albert Camus' Contribution to*

Political Thought, Baton Rouge, Louisiana State University Press, 1968, 212 S.

Werner, E.: *De la violence au totalitarisme. Essai sur la pensée de Camus et de Sartre*, Paris, Calmann-Lévy, 1972, 261 S.

Zeppi, S.: *Camus*, Mailand, Nuova Academia Editrice, 1961, 172 S.

VERZEICHNIS DER ÖFTERS ERWÄHNTEN PERIODIKA

AC	Albert Camus. Im Rahmen der RLM erscheinende Serie
Adam	Adam International Review
Age d'Or	
AJFS	Australian Journal of French Studies
American Imago	
American Philosophical Society: Proceedings	
Anali Filoloskog Fakulteta (Belgrad)	
Annales de la Faculté des Lettres et Sciences humaines de Nice	
Annales de l'Institut de Philosophie de l'Université libre de Bruxelles	
Annales de l'Université de Toulouse-Le Mirail	
Annali dell'Istituto Universitario Orientale	
Annali di Ca'Foscari	
Antares	
Arbor	
Arche	L'Arche
Archiv	Archiv für das Studium der Neueren Sprachen und Literaturen
Arts	
ASLHM	American Society Legion of Honor Magazine
Atenea	
Audience	
Assomante	
AUS	Annales Universitatis Saraviensis
Aut Aut	
Avant-Scène	L'Avant-Scène
BA	Books Abroad
Belfagor	
BFLS	Bulletin de la Faculté des Lettres de Strasbourg

Brotéria
BuR   Bucknell Review
CA   Cuadernos Americanos
CBFL   A Critical Bibliography of French Litera-
                           ture
Cahiers Albert Camus
Cahiers Algériens de Littérature Comparée
Cahiers de la Licorne
Cahiers de Littérature et de Linguistique Appliquée
Cahiers de Neuilly
Cahiers des Saisons
Cahiers Rationalistes
Cahiers Universitaires Catholiques
CAIEF   Cahiers de l'Association Internationale des
                           Études Françaises
Cambridge Journal
Canadian Journal of Theology
Carleton Miscellany
Cath W   Catholic World
Cca   Civiltà Cattolica
Centre Studi in Trento dell'Università di Bologna
CHA   Cuadernos Hispanoamericanos
ChiR   Chicago Review
Ciba Symposium
Cithara
Christian Scholar
CL   Comparative Literature
CLAJ   College Language Association Journal
Claremont Quarterly
CLS   Comparative Literature Studies
CNat   Cahiers Naturalistes
Club
ColQ   Colorado Quarterly
CompD   Comparative Drama
Comprendre
Confluences
Confluent
ConL   Contemporary Literature (ersetzt
                           WSCL)
Convivium

Criticism	
Critique	
CritQ	Critical Quarterly
CS	Cahiers du Sud
Cuadernos (del Congreso por la libertad de la cultura)	
Culture	
Culture Française (Bari)	
Deutsche Rundschau	
Dieu Vivant	
Discourse	
Dokumente	
Dorstale	
Downside Review	
DR	Dalhousie Review
Ecclesia	
Eckart-Jahrbuch	
Ecrits de Paris	
EF	Etudes Françaises
EFL	Essays in French Literature
ELit	Etudes Littéraires
Encounter	
Entschluß	
Envoy	
Erasme	
Esprit	
Esprit Créateur	
Estudios	
Ethics	
ETJ	Educational Theatre Journal
Etudes	
Etudes Classiques	
Etudes de Langue et de Littérature Françaises	
Etudes Françaises de Bar-Ilan	
Etudes Méditerranéennes	
Europe	
FH	Frankfurter Hefte
FL	Figaro Littéraire
FM	Le Français Moderne
FMLS	Forum for Modern Language Studies

FMonde	Le Français dans le Monde
Foi et Vie	
Fontaine	
Forum	
FR	French Review
French XX	French XX Bibliography. Critical and Biographical References for French Literature since 1885
FS	French Studies
FSSA	French Studies in South Africa
Gazette des Lettres	
GdiM	Giornale di Metafisica
Geist und Tat	
Giornale Italiano de Filologia	
GM	Gandhi Marg
GRM	Germanisch-romanische Monatsschrift
Hebrew Studies	Hebrew Studies in Literature
Herder Korrespondenz	
Histoire de la Médecine	
Historica	
HSL	Hartford Studies in Literature
Hochland	
Hommes et Mondes	
Horizon	
Humanist	The Humanist
Humanitas	
Humanitas (Brescia)	
IL	L'Information Littéraire
Insula	
International Philosophical Quarterly	
Inventario	
JAAC	Journal of Aesthetic and Art Criticism
Jahrbuch für Psychologie und Psychotherapie	
Jahresbericht der Aargauischen Kantonsschule	
Japan Science Review	
Journal of Individual Psychology	
Journal of the Australisian Universities Language and Literature Association	
JR	Journal of Religion
Kinesis	

KFLQ	Kentucky Foreign Language Quarterly (ersetzt durch KRQ)
KR	Kenyon Review
KRQ	Kentucky Romance Quarterly
Kunst und Literatur	
Langue Française	
Letras	
Letterature Moderne	
Letture	
Libertaire	Le Libertaire
Lingue Straniere	Le Lingue Straniere
LR	Les Lettres Romanes
Literature and Ideology	
Littérature	
Magazine Littéraire	
Malahat	
MD	Modern Drama
Meanjin	
Melbourne Critical Review	
Mercure	Mercure de France
Mercurio Peruano	
Merkur	
MFS	Modern Fiction Studies
MinnR	Minnesota Review
ML	Modern Languages
MLA International Bibliography	Modern Language Association. International Bibliography
MLJ	Modern Language Journal
MLN	Modern Language Notes
MLQ	Modern Language Quarterly
ModA	Modern Age
Monat	Der Monat
Monatsschrift für Pastoraltheologie	
Monde Nouveau-Paru	
Mosaic	
MRom	Marche Romane
M Spr.	Moderna Språk
NA	Nuova Antologia
NCRMM	La Nouvelle Critique. Revue du Marxisme Militant

NDH	Neue Deutsche Hefte
Nef	La Nef
Neophil	Neophilologus
Neuphilologische Zeitschrift	
New Scholasticism	
New World Writing	
Nieuw Vlaams Tijdschrift	
NL	Nouvelles Littéraires
NLRA	Nouvelle Revue Luxembourgeoise Academia
NNRF	Nouvelle Nouvelle Revue Française
Nouvelles Lettres Françaises	
Novel	
NRF	Nouvelle Revue Française
NS	Die Neueren Sprachen
NSammlung	Neue Sammlung
NTM	New Theatre Magazine
Nuestro Tiempo	
OL	Orbis Litterarum
Orbis	
Ordre Français	L'Ordre Français
Papyrus	Le Papyrus
Paragone	
Paris Théâtre	
PC	Pensiero Critico
Pensée	
Person	The Personalist
Philosophy	
Philosophical Journal	
PJGG	Philosophisches Jahrbuch der Görres-Gesellschaft
PLL	Papers on Language and Literature
PMLA	Publications of the Modern Language Association
Poésie 44, 45 etc.	
Ponte	Il Ponte
PR	Partisan Review
Praxis des Neusprachlichen Unterrichts	
Présence Francophone	
Preuves	

Prose
Protestantesimo
PSA   Papeles de Son Armadans
Psyché
PsyR   Psychoanalytic Review
Punta Europa
Quaderni A. C. I.
RDM   Revue des Deux Mondes
RdP   Revue de Paris
Realtà
Recherches Augustiniennes
Recherches et Débats (du Centre catholique des intellectuels français)
Rechers Internationales à la Lumière du Marxisme
Reformatio
Religion in Life
Renaissances
Renascence
Résurrection
Review of Metaphysics
Revista de Psicoanàlisis
RevN   La Revue Nouvelle
Révolution Prolétarienne   La Révolution Prolétarienne
RevR   Revue Romane
Revue Belge de Philologie et d'Histoire
Revue de l'Elite Européenne
Revue de la Méditerranée
Revue de l'Université de Bruxelles
Revue de Philosophie
Revue Dominicaine
Revue du Caire
Revue Française de Psychanalyse
Revue Libre
Revue Réformée
Revue Socialiste
Revue Thomiste
RF   Romanische Forschungen
RGB   Revue Générale Belge
RHLF   Revue d'Histoire Littéraire de France
RHT   Revue d'Histoire du Théâtre
Rice University Studies

RIE	Revista de Ideas Estéticas
Rivista di Filisofia Neo-Scolastica	
RLC	Revue de Littérature Comparée
RLM	Revue des Lettres Modernes
RLMC	Rivista di Letterature Moderne e Comparate
RLV	Revue des Langues Vivantes
RO	Revista de Occidente
Romanica Wratislaviensia	
Romanistisches Jahrbuch	
RomN	Romance Notes
RPF	Revista Portuguesa de Filologia
RPol	Review of Politics
RPP	Revue Politique et Parlementaire
RR	Romanic Review
RS	Research Studies
RSC	Rivista di Studi Crociani
RSH	Revue des Sciences Humaines
RUL	Revue de l'Université Laval
RUO	Revue de l'Université d'Ottawa
SAB	South Atlantic Bulletin
Saison d'Alsace	
Sammlung	
Sapienzia	
SAQ	South Atlantic Quarterly
Schweizer Annalen	
Sciences et Esprit	
Scrutiny	
Seelsorge	
Shenandoah	
Simoun	
Sipario	
SN	Studia Neophilologica
SoRA	Southern Review: An Australian Journal of Literary Studies
SP	Studies in Philology
SR	Sewannee Review
SSF	Studies in Short Fiction
Studi Filosofici	
Studia Romanica et Anglica Zagrebiensia	

242

Studies
Studium
Suisse Contemporaine
Sur
SWR   Southwest Review
Symposium
Synthèses
SZ   Stimmen der Zeit
TC   Twentieth Century
TDR   The Drama Review (früher: Tulane Dra-
                                 ma Review)

Témoignage
Témoins
Temps Présent
Terre Humaine
Terzo Programma
Theologia Viatorum
Thought
Tijdschrift voor Filosofie
TM   Temps Modernes
TPr   Tempo Presente
TR   La Table Ronde
TSLL   Texas Studies in Literature and Language
TWA   Trans. of the Wisconsin Academy of Scien-
                                 ces, Arts and Letters

Ultima
Union Seminary Quarterly
Universidad
Universitas
University of Kansas City Review
USF Language Quarterly   University of South Florida Language
                                 Quarterly
UTQ   University of Toronto Quarterly
Venture
VeP   Vita e Pensiero
Vie Intellectuelle   La Vie Intellectuelle
Voprossy Literatoury
Wending
WHR   Western Humanities Review
Wirkendes Wort

Wissenschaft und Weltbild
Wort und Wahrheit

WPQ	Western Political Quarterly
WSCL	Wisconsin Studies in Contemporary Literature (ersetzt durch ConL)
YFS	Yale French Studies
YR	Yale Review

Zeitschrift für Evangelische Ethik
Zeitschrift für Philosophische Forschung
Zeitwende
Zeszyty Naukowe Katolickiego Uniwerstitetu Lubelskiego

ZFSL	Zeitschrift für Französische Sprache und Literatur
ZRP	Zeitschrift für Romanische Philologie

NAMENREGISTER